Werner A. Widmann

Bayern

Bilderbogen der bayerischen Geschichte

Werner A. Widmann

Bayern

Bilderbogen der bayerischen Geschichte

Ringier

Druck und Bindung: Salzer - Ueberreuter, Wien.
ISBN 3 85859 129 7

Redaktion: Ria Lottermoser
Buchgestaltung: Adam J. Bergmaier (Idee)
Mario Kessler (Bildauswahl und Ausführung)
Schutzumschlag: Gerhard Grigoleit
Satzherstellung: pro-team
Einband: Sigloch

Inhalt

ΘΗΣΕΥΣ   ΙΠΠΟΛΥΤΗ   ΔΕΙΝΟΜΑ+Η

Bayern – das älteste Staatsgebilde in Europa

Es gibt Leute, für die ist »Bayern«
ein Reizwort. Für die einen im guten Sinn,
da sie dabei an eine schöne Landschaft mit reicher
geschichtlicher Tradition denken; für die anderen im bösen
Sinn, da sie mit dem Wort einige bayerische Eigen-
schaften verknüpfen, die bei ihnen in keiner Weise Sympathie
hervorrufen: eine gewisse Eigenbrötelei, ein zu rasches
Aufbrausen, eben ein Zuviel an Emotion und Impulsivität.
Hört man dazu einen »waschechten Bayern«, so
stellt dieser mit Sicherheit fest, daß die Bayern an all
diesen ihnen von »kühlerer« Seite zur Last gelegten Wesens-
merkmalen nicht schuld sind. Sie hätten
nur das keltische Erbe ihrer Vorfahren angetreten, denen
Jähzorn und anderes Übermaß an Gefühlen ange-
kreidet wurde. Keltisches Blut fließt nämlich in bayerischen Adern, Blut eines uralten Volksstammes. Von
den Armeniern oder gar vom Vater Noah, dem Kapitän der
Arche, kommen die Bayern allerdings nicht
her, wenn frühe Geschichtsschreiber solches auch behaupten.
Schon gar nicht aber ist ihre Stamm-Mutter
die Amazonenkönigin Hippolyte aus Griechenland (Bild links),
auch wenn diese kriegerische Dame ein noch so
bayerisch anmutendes Rautenhemd trägt. Eines aber
sind die Bayern gewiß: Bürger des ältesten
noch bestehenden Staates Europas.

Das Wort »Bayern« – gleichgültig ob es nun das Land oder seine Bewohner meinen will – ruft die unterschiedlichsten Reaktionen hervor: viele Nuancen von Lächeln, mehr oder weniger stark umwölkte Stirnen, grundlose bis wohlfundierte Begeisterung, Verachtung von vornherein oder aus tiefer Überzeugung. Dann die Assoziationen und Unterstellungen: die »Seppl«, das Texas oder Schottland der Deutschen, Preußenfresser. Uhren sollen in Bayern schließlich anders laufen, Politiker (besonders der rechten Parlamentsbänke, aber keineswegs nur diese!) sollen hemdsärmliger und krachlederner sein als die Agitatoren in anderen Ländern der Bundesrepublik Deutschland. Wohlklingender erscheint es da den Bayern schon, daß ihr Land noch weit mehr in Ordnung sei als andere Länder. Diese, ein wenig Neid vermuten lassende Behauptung wird von den Patrioten Bayerns in keiner Weise in Frage gestellt – und von den Werbemanagern des Tourismus, des Biers, des Mineralwassers und anderer naturnaher Produkte sogar mit mehr oder weniger gutem Geschmack laut und deutlich herausgestellt. »Es gibt ein Land, in dem die Welt noch in Ordnung ist...« »Bayern. Bewundert viel und viel gescholten. Bayern.« So könnte man in Anlehnung an Goethes Helena sagen, die dieser zu Beginn des dritten Aktes seines »Faust II« auftreten läßt. Wobei Helena freilich keine Bayerin gewesen ist, sondern eine griechische Schönheit, deren Name dann doch noch ein wenig in die Geschichte Bayerns eingehen sollte: durch Helene Sedelmayer, Schusterstochter von Trostberg, die Ludwig I. für seine »Schönheitengalerie« hat malen lassen und deren Porträt heutzutage nicht ungern auf in München gefüllten Pralinenschachteln prangt. Daß nun gleich der schönen Helena dieses Bayern nicht nur viel bewundert, sondern auch viel gescholten wird, daran sind die Menschen von Bayern zum Teil selbst schuld. Etliche unter ihnen, die man unter dem Sammelbegriff des »Salontirolers« zusammenfassen könnte, haben in manchen »Heimatabenden« für Urlauber in zahlreichen dümmlichen »volkstümlichen« Liedern, die man besser Schnulzen nennen sollte, ihrer Heimat einen Bärendienst erwiesen. In ihren unechten Schuhplatteleien (dabei ist der echte Schuhplattler, der von vielen Trachtenvereinen in Bayern gepflegt wird, wirklich eine der ältesten Tanzformen in Deutschland) und mit ihren Gesängen vom Alpenglühn, vom Kammerfensterln und vom »Almenrausch und Edelweiß« haben sie bei kritischen Betrachtern des bayerischen Freistaats den Verdacht erweckt, als sollte dieses schöne Land zwischen Spessart und Karwendel, zwischen Bodensee und Bayerischem Wald eine Art Operettenparadies vorstellen, für den Fremden wenigstens, auf dessen Urlaubsbörse man da ziele.

Operette ist nun Bayern nicht. Und ein Paradies? Nun, als Adam und Eva aus dem Paradies gewiesen wurden, sind damit auch Bayerns Adam und Eva gemeint gewesen, und also müssen auch die Menschen im weiß-blauen

Das »Große Bayerische Staatswappen« zeigt als von zwei Löwen getragener Schild mit Volkskrone und
dem weiß-blau gerauteten Herzschild in seinen vier Wappenfeldern die Symbole
der bayerischen Landesteile: links oben der Pfälzer Löwe für die Oberpfalz, daneben der Frankenrechen aus dem Würzburger
Bischofswappen. Die drei übereinander stehenden Löwen der Hohenstaufen gehören zu Schwaben,
und der blaue Ortenburger Panther steht für Ober- und Niederbayern.

Freistaat ihr Brot im Schweiße ihres Angesichts essen – und es sich erst einmal verdienen. Ein Paradies also auch nicht. Wohl aber ganz gewiß ein besonderes Land (so wie die Helena schließlich eine besondere Frau gewesen ist), ein Land auch mit vielen Superlativen, wobei derjenige mit dem höchsten Berg Deutschlands (Zugspitze, 2963 m) einmal weggelassen werden soll, da es Alpen in Deutschland nur in Bayern gibt. Da ist vor allem aber ein Superlativ, der schon wieder zum bayerischen Klischee gehört, trotzdem aber nicht erfunden ist: Die Bayern haben pro Kopf der Bevölkerung den allerhöchsten Bierverbrauch in der ganzen Welt, liegen dabei allerdings im feucht-harten Kopf-an-Kopf-Rennen mit dem Land der Belgier, der Heimat des sagenhaften Bier-Riesen Gambrinus aus Flandern. Diese Belgier haben bisher leicht die Deutschen, nicht aber deren Bayern in der Bierstatistik aus dem Feld schlagen können.

Da wir nun schon beim Bier sind, ist der nächste bayerische Superlativ nicht weit: Das Oktoberfest kann sich als das größte Volksfest der Welt bezeichnen. Dort werden über vier Millionen (schlecht eingeschenkte) Maß Bier in sechzehn Tagen getrunken, über eine halbe Million Brathendln, 1344 Zentner (= 67,2 Tonnen) gebratene (meist am Steckerl) Fische, rund 50 000 Schweinerne oder Kalberne Haxen, an die 400 000 Paar Schweinswürstl und 36 ganze Ochsen am Spieß verzehrt. Da denkt man auch gleich an die größte Hochzeit aller Zeiten, die 1475 zu Landshut am Hofe der niederbayerischen Wittelsbacher gefeiert wurde. Diese Kopulation zwischen einem niederbayerischen Prinzen und einer polnischen Königstochter kostete dem Vater des Bräutigams so viel Geld, daß er um diese Summe sein Landshut von 1475 – und das war stattlich genug und kaum weniger stattlich als das damalige München – noch einmal hätte aufbauen können. Doch davon (und von vielem anderen) wird ja später noch die Rede sein.

Wechselt man vom Aggregatzustand des Festlich-Flüssigen mehr zum Dampf hin, ergeben sich nüchternere bayerische Superlative. So fährt Deutschlands erste Eisenbahn 1835 auf bayerischen Schienen von Nürnberg nach Fürth, stellt 1907 eine bayerische Lokomotive mit 154 Stundenkilometern einen sensationellen Weltrekord auf. Als Bayerns Geschicke noch weitgehend vom preußischen Kaiser Wilhelm II. bestimmt wurden, eröffnete man trotzdem in Bayern die erste Kraftpostlinie Europas. Der erste, mit Billigung der Deutschen Reichspost durchgeführte Postflug fand unter bayerisch-pfälzischem Himmel statt: am 19. Mai 1912, zwischen Mannheim und Heidelberg. Freilich hatte es schon am 13. November 1911 einige frankierte Postkarten gegeben, die bei einem »Flug rund um Berlin« mitgenommen worden waren, aber diese fliegenden Poststücke flogen ohne Genehmigung der Reichspost, wobei man gleich sehen kann, wie die Bayern mit dem Reich (oder dem Bund) Abgemachtes in den meisten Fällen auch einzuhalten pflegen. Weit vor dem ersten Postflug und der ersten

Kraftpost hatten die Bayern auch die erste deutsche Briefmarke in Umlauf gesetzt, 1849 den heute viel begehrten und hoch gehandelten »Schwarzen Einser«.

Superlative haben die Bayern gerade auf jenem Gebiet, auf dem sie von außen her am wenigsten ernst genommen werden: in der Politik. Oder haben sie nicht als erstes Land der Bundesrepublik ein eigenes Ministerium für Umweltschutz und Landesplanung eingerichtet (1970), und haben sie nicht, 1818, als erster Staat in deutschen Landen eine halbwegs demokratische (zwar immer noch vom König ausgehende) Verfassung gehabt? Nun, wenn man den obersten und wichtigsten aller weiß-blauen Superlative kennt, nämlich, daß die Bayern als Bürger des ältesten Staatsgebildes Europas zu betrachten sind, dann muß man ihnen eben auch dieses gelegentliche Vornsein in politischen Dingen zutrauen, ja zumuten dürfen.

Das älteste Staatsgebilde Europas also ist Bayern. Dazu bedarf es keiner umständlichen Konstruktionen und Beweisführungen. Es wird ja nicht behauptet, Bayern sei das erste Staatsgebilde Europas gewesen, sondern es sei das älteste, heute noch vorhandene; wobei man jetzt gleich einen Riesenstreit wegen des geographischen Inhalts dieses als so alt beschriebenen Staates vom Zaune brechen könnte, da ja nun nicht alle Teile des heutigen Freistaates Bayern mit jenem bayerischen Herzogtum identisch sind, das schon vor 1300 Jahren existiert hat und – wie man im Verlauf des Buches sehen wird – spätestens unter dem letzten Herzog der Agilolfinger, Tassilo III., als Staatsgebilde, ja sogar als Königreich voll faßbar ist. Alle Staaten Europas haben sich im Laufe der Geschichte verändert, manche haben ihre Existenz verloren – und alle anderen sind eben jünger als dieses Bayern. Es ist möglich, daß nicht alle Bürger des Freistaates Bayern sich der langen politischen Tradition ihres Landes in Europa bewußt sind, doch wird den Bayern – auch von außen her – ein recht ausgeprägtes Staatsbewußtsein bestätigt. Zum Beispiel: »Bayern ist vielleicht das einzige deutsche Land, dem es durch materielle Bedeutung, durch die bestimmt ausgeprägte Stammeseigentümlichkeit und durch die Begabung seiner Herrscher gelungen ist, ein wirkliches und in sich selbst befriedigtes Nationalgefühl auszubilden.« Der »Eiserne Kanzler« hat das von sich gegeben, Otto von Bismarck, vielleicht ein wenig aus Diplomatie und absichtsvoller Höflichkeit (was sicher ein und dasselbe ist), gewiß aber auch ein wenig aus Neid darüber, daß in seinen preußischen Landen ein ähnliches Nationalgefühl weniger ausgebildet war und ist.

Da wäre nun dem wohlwollenden Preußenwort Otto von Bismarcks manches negative Urteil aus Deutschlands Norden gegenüberzustellen, doch genügt es, eine besonders unliebenswürdige Stimme aus dem anderen Lager zu zitieren, nämlich den wichtigsten publizistischen Mitarbeiter Bismarcks in Fragen der Reichseinigung, Heinrich von Treitschke. Der sächsische Generalssohn und nationalistische Geschichtsprofessor (einige Zeit auch an der bayerischen Universität des pfälzischen Heidelberg) äußerte ganz unverblümt: »Bayern ist eine lebensunfähige, politische Mißbildung, recht eigentlich ein Zwerg mit einem Wasserkopf, und Preußens Aufgabe besteht darin, Bayern zu zerschlagen und das Haus Wittelsbach auf seine Alpenländer zu beschränken.«

Nun, das Haus Wittelsbach ist (letzten Endes durch die Politik des letzten preußischen Kaisers) zwar nicht zerschlagen, aber auch nicht mehr auf seine Alpenländer, sondern nur noch auf die Schlösser, Güter, Wälder und Brauereien des »Wittelsbacher Ausgleichsfonds« beschränkt, worüber in Bayern (außer einigen »Königstreuen«) niemand ins Weinen ausbricht, dafür aber dem Haus Wittelsbach, das fast acht Jahrhunderte in Bayern regierte, im allgemeinen die unanfechtbaren Verdienste um das Land keineswegs streitig gemacht werden. Wenn auch nicht jeder Wittelsbacher in acht Jahrhunderten ein reiner Wohltäter und milder Landesvater gewesen ist, so geht Bismarcks Wort von der »Begabung seiner Herrscher« wohl nicht völlig an den historischen Tatsachen vorüber.

Die Bayern haben also den Vorzug, im ältesten Staatsgebilde Europas leben zu dürfen. Freilich hat dieses Bayern in all den zwölf oder gar dreizehn Jahrhunderten niemals den Glanz oder gar die Macht einer »Grande Nation« entfalten können, doch existierte es ganze 55 Jahre schon vor diesem großen und mächtigen Frankreich, das seine Geburtsstunde nicht vor dem Jahr 843 ansetzen kann, als sich die Enkel Kaiser Karls des Großen, Lothar I., Karl der Kahle und Ludwig II., im Vertrag von Verdun über die Teilung des großen Frankreich verständigten.

Das Herzogtum der Bayern ist historisch seit dem 7. Jahrhundert nachweisbar. Die erste verbriefte Meldung über die Existenz der Bayern erscheint im Jahre 551, als Jordanis, Geschichtsschreiber und Bischof von Croton (Unteritalien), seine Geschichte der Ostgoten verfaßt hat, eines Volkes, dem er sich selbst zurechnete. Im 55. Kapitel dieses Werkes liest man: »Regio illa Suavorum ab oriente Baibaros habet.« Im Osten des Landes der Schwaben sitzen also die Baibaros, die Bajuwaren, die Bayern. Und kaum zwanzig Jahre später, um das Jahr 570, kommt schon die zweite Kunde von den Bayern, diesmal nicht ohne einen kritischen Unterton. Ein italienischer Priester namens Venantius Honorius Clementianus Fortunatus pilgert von Ravenna, wo er eine rhetorische Ausbildung erhalten hatte, in das Land Gallien, nach Tours und Poitiers, wo ihn nicht zuletzt die Gunst hochgestellter Leute, unter anderem der Königswitwe Radegunde, die in Poitiers ein Kloster gestiftet hatte, zum Bischof von Poitiers macht. Venantius Fortunatus ist bis zu seiner Bischofswürde ein Poet gewesen. Auch seine Reise nach Tours hat er beschrieben, wenn auch in umgekehrter Richtung, als wäre er von Tours nach Ravenna gepilgert. Allen, die nun eine ähnliche Reise unternehmen wollen,

gibt er gleich zu Anfang seines poetischen Reiseführers den guten Rat: »Wandre hin über die Alpen, wenn dir der Bayer den Weg nicht versperrt.« Kein Satz, der den Fremdenverkehrsmanagern heutiger Tage ein Grund sein kann, ihn in der Bayern-Werbung einzusetzen. Er muß irgendeine schlechte Erfahrung zwischen dem Gebirg' und Augsburg gemacht haben, dieser Poet und Gottesmann.

Im sechsten Jahrhundert sind also die Bayern schon da, werden im siebten Jahrhundert ein Herzogtum. Wer aber nun die frühen Geschichtsschreiber Bayerns liest, wird mit nicht geringem Staunen feststellen, daß die ersten Bayern keinesfalls erst zur Zeit des Venantius Fortunatus und des Jordanis aufgetreten sind, sondern daß bereits der Erzvater Noah ein Bayer gewesen ist. Der Tegernseer Mönch und Magister Froumund (ca. 960 – 1008) berichtet nämlich, daß zu seiner Zeit im fernen Armenien (heute größtenteils türkisch) noch Menschen bayerischer Zunge lebten. Diese Tegernseer Erkenntnis hat dann ein namentlich nicht überlieferter Mönch des rheinischen Klosters Siegburg bei Bonn um das Jahr 1080 in sein Loblied auf den eben verstorbenen Bischof Anno aufgenommen, indem er berichtet, daß sein bayerisches Geschlecht – der Siegburger Mönch stammte offenbar aus dem Lande Bayern – aus Armenien komme, wo Noah aus der Arche trat und den Ölzweig von der Taube empfing. Es heißt da, übersetzt: »Man sagt, es geb' da noch Leut genung, die sich bedienten der deutschen Zung, gegen Indien hin, in weiter Fern', die Baiern zum Kampf stets zogen gern; ...«

Ja, da hat man es nun: Die Bayern sind schon in frühester Menschheitsgeschichte zu Raufereien nach Indien hingezogen. Die »armenische These«, wie wir sie einmal nennen wollen, wird noch von späteren Schriftstellern und Geschichtsschreibern übernommen. Man liest sie in der sogenannten »Kaiserchronik«, dem um 1147 in Regensburg entstandenen ersten universal-historischen Werk in deutscher Sprache, sie fehlt auch nicht in der Chronica Baioariorum des Landshuters Veit Arnpeck, die dieser um 1493 in Latein und Deutsch veröffentlichte. Am Ende gerät die These sogar noch in die erste halbwegs kritische Darstellung der Bayerischen Geschichte, in diejenige, die der aus Abensberg in Niederbayern stammende Gelehrte Johannes Turmair 1526 als »Baierische Chronik« herausbrachte. Johannes Turmair, Sohn eines Wirts, Student zu Ingolstadt und später Erzieher der bayerischen Prinzen, nannte sich, der Gewohnheit seiner Zeit folgend, nach seiner Heimat Abensberg auch Johannes Aventinus. Für ihn steht zwar fest, daß mit »Armenien« ein Schreibfehler unterlaufen sei, der das Wort »Hermenien« (= Böhmen) fälschte, doch vertritt Aventinus, den später kein Geringerer als Johann Wolfgang von Goethe hoch lobte, die Ansicht, Erzvater Noah habe nach der Sintflut einen Sohn namens Tuitsch oder Teutsch bekommen und diesen dann nach Europa geschickt, wo ihm alles Land zwischen Rhein und Don zuteil wurde; also auch wieder die historischen Zusammenhänge zwischen Bayern und der Landung auf dem Berge Ararat.

Nach so viel gelehrten Theorien, die alle mehr oder weniger mit der Arche Noah zusammenhängen, muß ja auch eine recht volkstümliche Ansicht über Bayern und den Erzvater Noah nicht mehr länger verschwiegen werden. Sie kommt aus Unterfranken, genauer gesagt aus der Gegend von Hammelburg, die geschichtlich sehr viel mit der einstigen Fürstabtei Fulda zu tun hat. Dort, bei Hammelburg, gibt es eine aussichtsreiche Erhebung, den Sodenberg. Und woher dieser seinen Namen hat, das weiß eine altverwurzelte Sage einleuchtend darzustellen. Sie, lieber Leser, werden es ja auch schon ahnen, daß danach die Arche Noah auf dem Sodenberg gelandet sein muß, also nicht in Armenien auf dem Ararat. Und als nun der Vater Noah seine Kajütentür öffnete und hinaussah, sagte er zu seinen Söhnen und seiner Frau recht befriedigt: »So, den Berg hätten wir!« Und seitdem habe dieser Berg diesen Namen. Der Noah habe dann alle seine Tiere aus der Arche ausziehen lassen, jede Gattung in ein bestimmtes Revier. Die Hammel zum Beispiel gleich einmal nach Hammelburg, die Füchse nach Fuchsstadt, die Säue nach Morlesau, die Schweine (feinere Säue!) nach Schweinfurt, die Geier nach Geiersthal, die Wölfe nach Wolfsmünster. Und alle diese Orte gibt es in mehr oder weniger großer Entfernung rund um den Sodenberg bei Hammelburg. Das Buch Moses berichtet, Noah habe nach der Sintflut einen Weinberg angelegt, sei beim Genuß der ersten Ernte betrunken geworden und sein Sohn Ham habe beim Anblick der betrunkenen Nacktheit des Vaters sehr lachen müssen, worauf er ihn verstoßen habe, im Gegensatz zu den zwei Brüdern Hams, die des Vaters Nacktheit ohne hinzusehen bedeckten und die er für ihren Takt belohnte. Nun, den Weinberg hätte Noah in Hammelburg anbauen können, wo es mit der Jahreszahl 777 den ältesten nachgewiesenen Weinbau in Franken und damit auch im heutigen Bayern gibt. Und betrunken kann man vom Hammelburger Wein ebenso werden wie von jedem anderen. Zu seinem nicht ganz respektvollen Sohn Ham und dessen Familie aber hätte Noah leicht sagen können: »Schert Euch weg, dort hinten ist künftig Euer Dorf!« Und dieses Euerdorf gehört natürlich auch zur Ausstattung der Umgebung des Sodenbergs, nur ist es so schön, daß es einem verstoßenen Sohn gewiß nicht als trauriger Ort der Verbannung vorkommen konnte.

Ein letzter Ausflug schließlich noch in eine recht phantasiereiche bayerische Geschichtsschreibung. Diese Exkursion hat ein ernst zu nehmender bayerischer Geschichtsfachmann und Journalist unternommen, der die bayerische Geschichte gern mit einem oder mehreren Augenzwinkern erklärt. Hans F. Nöhbauer berichtet in seinem Buch »Die Bajuwaren« von einer griechischen Amazone Hippolyte. Diesem kampfeslustigen Weibe wurde männlicherseits mit Schwert und Spieß nachge-

stellt, wie dies auch auf einigen antiken Bildern zu sehen ist. Eines dieser Bilder, die Darstellung einer Vasenmalerei, besitzt die Bayerische Staatsbibliothek, wohl vor allen Dingen wegen des Panzerhemdes der schönen Hippolyte. Das eherne Hemd zeigt nämlich ganz deutlich das Muster des bayerischen Rautenwappens. Eine griechische Amazone also, die erste Bayerin?

Nach solchen, durch entsprechende Belege doch ziemlich herausgeforderten Spekulationen nun zu den meßbaren Realitäten des heutigen Freistaates Bayern, eines Bundesstaates, dessen Parlament am 20. Mai 1949 nach stürmischen Debatten mit 101 gegen 63 Stimmen bei 9 Stimmenthaltungen das Grundgesetz der Bundesrepublik Deutschland abgelehnt hat. Dieser Beschluß ist auch bis heute nicht revidiert worden. Mit 97 gegen 6 Stimmen bei 70 Stimmenthaltungen wurde allerdings gleichzeitig beschlossen, die Rechtsverbindlichkeit des Grundgesetzes auch für den Freistaat Bayern anzuerkennen, falls das Gesetz in zwei Dritteln der Bundesländer angenommen werde. Fürwahr, ein bayerischer Beschluß, über den gelächelt werden kann? Nun, dem bayerischen Parlament war zu wenig Föderalismus im Grundgesetz, und so entschied sich eine Mehrheit dagegen.

Der Freistaat Bayern. Was ist das nun? Sein Gebiet umfaßt die Teile des ehemaligen Landes Bayern, soweit sie laut Proklamation Nr. 2 der Militärregierung vom 19. September 1945 als Bestandteil der amerikanischen Besatzungszone bezeichnet worden sind, sowie die Große Kreisstadt Lindau und den Landkreis Lindau am Bodensee, die beide der französischen Besatzungszone angehörten und erst 1956 wieder voll zu Bayern kamen. Verglichen mit dem Gebietsumfang Bayerns am 31. Dezember 1937, war der Regierungsbezirk Pfalz verlorengegangen, der auf Betreiben der französischen Besatzungsmacht auch verloren blieb. Hinzugekommen ist 1945 eine Enklave um Ostheim vor der Rhön, die bis 1933 zum Freistaat Thüringen gehörte. Sie ist seither nicht staatsrechtlich, sondern nur verwaltungsmäßig nach Bayern eingegliedert.

Mit einer Fläche von 70546 qkm ist Bayern heute der größte Bundesstaat. Seine rund 10,9 Millionen Einwohner machen ihn von der Bevölkerungszahl her zum zweitgrößten Land der Bundesrepublik Deutschland, nach dem Bundesland Nordrhein-Westfalen, das nach 1945 allerdings erst in dieser Form zusammengestellt wurde. Der Freistaat Bayern ist in sieben Regierungsbezirke mit eigener Selbstverwaltung, dem Bezirkstag, gegliedert: Oberbayern (München), Niederbayern (Landshut), Oberpfalz (Regensburg), Oberfranken (Bayreuth), Mittelfranken (Ansbach), Unterfranken (Würzburg) und Schwaben (Augsburg), wobei die Stadtnamen in Klammern den Sitz der jeweiligen Bezirksregierung bezeichnen. Nach einer 1978 abgeschlossenen Gebiets- und Gemeindereform im Freistaat Bayern gibt es nun in den sieben Regierungsbezirken insgesamt 25 kreisfreie

Städte und 71 Landkreise mit zusammen 2052 Gemeinden. Die durchschnittliche Größe eines bayerischen Landkreises umfaßt 967 qkm bei ebenfalls durchschnittlich 102 000 Einwohner. Kreisfreie Städte in Bayern, die also keiner Landkreisverwaltung unterstellt sind, sind: Ingolstadt, München, Rosenheim (Oberbayern); Landshut, Passau, Straubing (Niederbayern); Amberg, Regensburg, Weiden (Oberpfalz); Bamberg, Bayreuth, Coburg, Hof (Oberfranken); Ansbach, Erlangen, Fürth, Nürnberg, Schwabach (Mittelfranken); Aschaffenburg, Schweinfurt, Würzburg (Unterfranken); Augsburg, Kaufbeuren, Kempten, Memmingen (Schwaben). Von den 2052 bayerischen Gemeinden haben nur noch zwei weniger als 500 Einwohner. Nur eine einzige Gemeinde, die Landeshauptstadt München, hat über eine Million Einwohner. Weitere Großstädte sind Augsburg, Erlangen, Fürth, Nürnberg, Regensburg und Würzburg (alle über 100 000 Einwohner).

Was nun die Alterspyramide des Freistaates Bayern betrifft, so hat sie sich gegenüber etwa dem Jahr 1880 sehr

Der Löwe ist seit über achthundert Jahren das stolze Wappentier der Bayern. Im Jahre 1214 übernahm ihn Herzog Ludwig der Kelheimer von den Pfalzgrafen bei Rhein, als er mit deren freigewordenem Amt belehnt wurde. Die Pfälzer Linie der Wittelsbacher führte den Löwen auch weiter im Wappen. Vier erzene Prachtexemplare aus der Spätrenaissance bewachen die beiden Portale der Westseite der Residenz zu München. Sie waren eigentlich für Herzog Wilhelms V. Grabmal bestimmt.

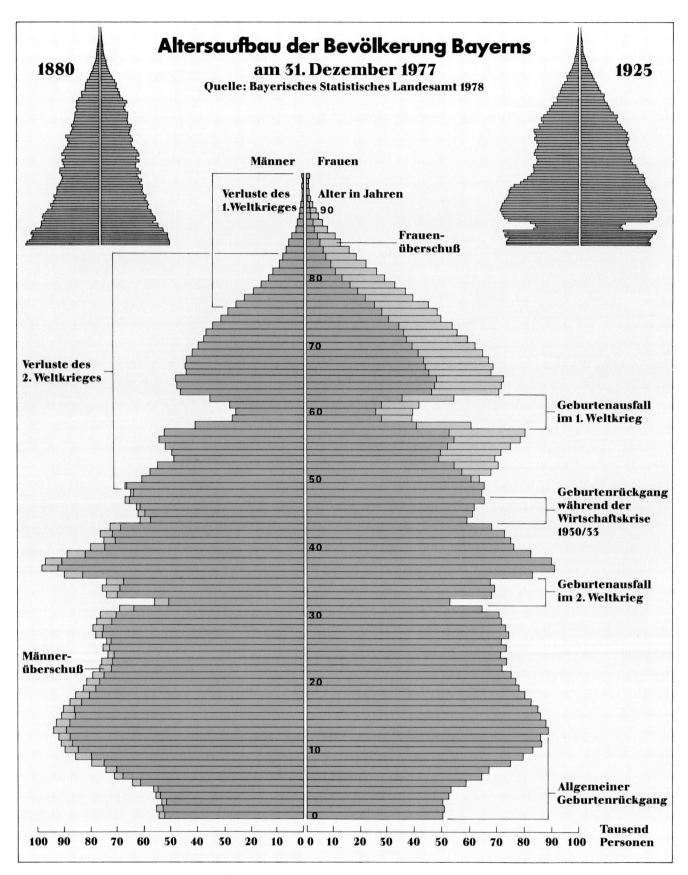

Altersaufbau der Bevölkerung Bayerns
am 31. Dezember 1977
Quelle: Bayerisches Statistisches Landesamt 1978

1880

1925

Männer   Frauen

Verluste des
1.Weltkrieges

Alter in Jahren
90

Frauen-
überschuß

80

70

Verluste des
2. Weltkrieges

60

Geburtenausfall
im 1. Weltkrieg

50

Geburtenrückgang
während der
Wirtschaftskrise
1930/33

40

Geburtenausfall
im 2. Weltkrieg

30

Männer-
überschuß

20

10

Allgemeiner
Geburtenrückgang

0

| 100 | 90 | 80 | 70 | 60 | 50 | 40 | 30 | 20 | 10 | 0 | 0 | 10 | 20 | 30 | 40 | 50 | 60 | 70 | 80 | 90 | 100 |

Tausend
Personen

Die derzeitige Alterspyramide zeigt recht deutlich, daß der Altersaufbau in Bayern keineswegs mehr
auf einer gesunden Basis steht. Im Vergleich zu 1880 ist der Umriß ein recht
zerzauster Kugelbaum mit geschwächter Basis, während er vor hundert Jahren noch einem recht harmonisch gewachsenen
Tannenbaum glich. Deutlich sind die Einschnürungen der Geburtenausfälle während der beiden
Weltkriege zu erkennen, ebenso der Knaben-Überhang in den letzten Jahren.

verwandelt. Damals glich sie einem beidseitig recht gesund und regelmäßig gewachsenen Tannenbaum, dessen größte Breite die Basis war, der allerunterste Jahresast. Für die heutige Zeit ergibt sich zwar noch kein wackeliges Pyramidengebilde, doch die breitesten Äste sind nicht mehr ganz unten, bei den Neugeborenen. Auch ist nun der bayerische Lebensbaum keine regelmäßig sich nach oben verjüngende Tanne, sondern eher ein wild beschnittener Kugelbaum, der an drei Stellen deutliche Einschnitte zeigt: die Geburtenausfälle der beiden Weltkriege und der wirtschaftlichen Krisenjahre 1930 bis 1933. Der Baum ist von oben bis unten, durch alle Jahrgänge, auf der weiblichen Seite voller gewachsen, was besonders bei den älteren Jahrgängen deutlich hervortritt, wo die Männerseite durch die Verluste zweier Kriege sehr geschmälert ist. Die unterste Stufe der Pyramide, diejenige der Kleinkinder, wäre eine noch weit schmälere Basis des bayerischen Lebensbaumes, ließe sich nicht bei den ausländischen Bewohnern des Freistaates eine ungeschmälerte Geburtenfreudigkeit beobachten.

Bewundert, viel und viel gescholten, um noch einmal Goethes Faust II-Wort über die schöne Helena zu benützen, ist nicht nur der Freistaat Bayern, sondern auch sein Wappen, das den aus dem Ausland Hereinkommenden zusammen mit dem der Bundesrepublik Deutschland begrüßt, wenn er bayerischen Boden betritt. Die Verärgerung macht sich an den bayerischen Grenzen oft Luft, die Bewunderung aber geht bis zum Raub des beliebten oder als kurios empfundenen Staatsemblems, so daß die Bayerische Grenzpolizei die Grenzschilder in besonders diebstahlsicherer Technik an die Grenzpfähle heften mußte.

Was den »Dieben aus Leidenschaft« an den bayerischen Grenzschildern so begehrenswert erscheint, ist das »Große Bayerische Staatswappen«. Es besteht aus einem von zwei Löwen gehaltenen gevierten Schild mit einem Herzschild. Das erste Feld (oben links) symbolisiert heute die Oberpfalz, da es auf schwarzem Untergrund den goldenen, rotbewehrten, aufgerichteten Pfälzer Löwen zeigt, der daran erinnert, daß der bayerische Herzog Ludwig der Kelheimer im Jahre 1214 mit der Pfalzgrafschaft bei Rhein (dieser Löwe war das Wappentier der Pfalzgrafen bei Rhein) belehnt worden ist. Das obere rechte Feld entlehnt den sogenannten »Fränkischen Rechen« aus dem Wappen des Fürstbischofs von Würzburg und steht damit heute für die Franken in Bayern, für die Regierungsbezirke Ober-, Mittel- und Unterfranken. Der blaue Panther, links unten, wurde ursprünglich im Wappen des niederbayerischen Dynastengeschlechts der Grafen von Ortenburg und der Herzöge von Kärnten (die ihre Vorfahren waren) geführt und nach dem Aussterben der Hauptlinie Ortenburg im Jahre 1248 in ein Nebenwappen der Wittelsbacher übernommen. Der blaue Panther steht heute für Ober- und Niederbayern im Großen Staatswappen. Für den Regierungsbezirk Schwaben sind die drei übereinander schreitenden Löwen (rechts

unten) im Wappen Bayerns. Diese drei Löwen sind das alte Wappen der Hohenstaufen, der einstigen Herzöge von Schwaben und späterer Kaiser. Als deren letzter, Konradin, am 29. Oktober 1268 am Strand von Neapel von seinem politischen Gegner, Karl I. von Anjou, geköpft wird, fällt ein beträchtlicher Teil des »Stauffererbes« an die Wittelsbacher, also an Bayern. Die weiß-blauen Rauten im Herzschild des Staatswappens sind bis zu deren Aussterben im Jahre 1242 das Wappen der mächtigen Grafen von Bogen gewesen, das mit deren reichem Besitz an die Wittelsbacher kam. Nach der Schlacht am Weißen Berg bei Prag im Jahre 1620, die der bayerische Herzog Maximilian I. gegen des Kaisers Widersacher, Kurfürst Friedrich V. von der Pfalz, gewinnt, wird dem »Winterkönig« Friedrich V. die Kurwürde abgenommen, die 1623 der bayerische Wittelsbacher Maximilian erhält. Er kann nun seinem Wappen das Herzschild der Kurwürde beifügen, das damals auch noch den Reichsapfel als Zeichen des Erztruchsessenamtes führt. Heute weist es lediglich die weiß-blauen Rauten oder auch »Wecken« auf, wie auch heute nur noch eine bescheidene »Volkskrone« auf dem Schild oben ruht, während das Königreich Bayern natürlich noch eine unübersehbare Königskrone auf das Wappen setzte.

Im »Großen Bayerischen Staatswappen« sind also die drei Stämme, die heute den Freistaat Bayern bewohnen, mit Symbolen vertreten: Franken, Schwaben und Altbayern. Nicht repräsentiert sind die rund zwei Millionen Heimatvertriebenen und DDR-Flüchtlinge (deren Kinder mitgerechnet), die also heute fast ein Fünftel der Bevölkerung Bayerns ausmachen. In Bayern leben außerdem an die 500 000 Ausländer und etliche hunderttausend »Neubayern«, die aus anderen Ländern der Bundesrepublik, besonders aus Berlin, zugezogen sind. In den meisten Fällen brachte ihr Beruf diese »Neubayern« ins Land südlich der Mainlinie, wobei vielfach auch ein starker Wunsch vorhanden war, in diesem Land zu leben, weniger wegen seiner Eigenschaft als hin und wieder als eigenwillig empfundener Freistaat, vielmehr wegen der Schönheit und landschaftlichen Vielfalt Bayerns, eines begehrten Lebensraumes, der – wie man sich heute ausdrückt – einen hohen »Freizeitwert« aufweist.

Am Ende der nun folgenden Kapitel wird zwar auch die Geschichte des Freistaates Bayern behandelt, doch wäre diese sehr kurz, da es den Freistaat erstmals mit der bayerischen Verfassung vom 14. August 1919 gibt. Es soll vielmehr der Versuch unternommen werden, die wesentlichen Ereignisse, Merkmale und Persönlichkeiten der Geschichte jener Gebiete und Stämme vorzustellen, die zur napoleonischen Zeit etwas willkürlich und zufällig unter einem Königreich Bayern zusammengefaßt wurden (ohne Berücksichtigung der Pfalz in diesem Buch) und die heute den Freistaat Bayern ausmachen: drei Regierungsbezirke Altbayern, drei Regierungsbezirke Franken und ein Regierungsbezirk Schwaben.

Vom Urmeer Tethys bis zur römischen Provinz

Nur ein Zweitausendstel der Landfläche der Erde macht den heutigen Freistaat Bayern aus. Trotzdem hat das Land eine sehr
interessante und vielseitige Erdgeschichte, wenn man in der
Geologie auch kaum auf Länderebene denken kann.
Immerhin hat Bayern an seinen natürlichen Ost- und Nordgrenzen
den Bayerischen und Oberpfälzer Wald, das Fichtelgebirge und den Frankenwald. Sie zählen zu den Urgebirgen
der Welt, wofür der mit Granitgeröll bedeckte
Gipfel des Lusen (Bild links) im Bayerischen Wald ein
markanter Zeuge ist. Den größten Teil des bayerischen
Territoriums aber haben die
Eiszeiten für den Einzug des Menschen vorbereitet. In der
letzten Zwischeneiszeit tritt dann auch der erste
Mensch in Bayern auf, zeigt bald mehr von seinen Lebensge-
wohnheiten in den steinzeitlichen Wohnhöhlen nördlich des Donautales und im Ries. Terrassenberge des
Jura und die Ebene von Manching bei Ingolstadt tragen im letzten vorchristlichen Jahrhundert die
großen Städte der Kelten, von denen die Bayern so
viel Blut übernommen zu haben scheinen. Diese schon hoch-
stehende menschliche Kultur mit ihrer Bronze- und
Eisenindustrie, mit ihren Kunsthandwerken wird dem
Erdboden gleichgemacht, als 15 v. Chr. die
Römer über die Alpen marschieren.

Der bayerische Boden festigt sich

Die Astronauten haben es aus ihren Raumkapseln und vom Mond aus sehen können, daß die Erde ein blauer Planet ist, ein blauer Planet mit 510 Millionen Quadratkilometer Gesamtfläche, wovon wiederum 29,2 Prozent Land sind, 149 Millionen Quadratkilometer. Ein Siebtel dieser irdischen Landfläche gehört den Bewohnern der Union der Sowjetrepubliken, räumlich der größte Staat auf unserem Planeten. Den Bayern gehört nur ein halbes Promille der Landfläche, doch mußte dieses Territorium keine erdgeschichtliche Sekunde länger auf das Verfestigen der Erdkruste warten als das Territorium der heutigen Union der Sowjetrepubliken. In beiden Fällen und rund um den Planeten Erde geschah das nach neuester Auffassung der Wissenschaft vor vier bis fünf Milliarden Jahren, wobei in all den Millionen Jahrtausenden diese Kruste kaum mehr als eine dünne Schale um einen immer noch glühenden Kern weitgehend unbekannten Inhalts geworden ist.

Vor viereinhalb Milliarden Jahren, so nehmen die Wissenschaftler weiter an, begann in einfachsten Formen das organische Leben auf der Erde, wenn sich ein solches auch erst in Gesteinen nachweisen läßt, die etwa eine Milliarde Jahre alt sind. In diesem Urzeitalter der Erde, dem Archaikum, und dem darauf folgenden Proterozoikum (= Zeit der ersten Lebewesen) bilden sich schon allererste Urgebirge, deren Gestalt unbekannt bleiben muß.

In der auf die Urzeit folgenden Altzeit der Erde, dem Paläozoikum, gibt es vor 600 Millionen Jahren in der Periode des Kambrium (so genannt nach Gesteinsvorkommen in Nord-Wales) schon ein reiches Leben in den Meeren, allerdings nur dort: Algen als erste üppige Pflanzenwelt, viele Arten wirbelloser Tiere. Die ersten Fische treten in der zweiten Periode des Paläozoikums, dem Silur, auf. In der dritten Periode, dem Devon (vor etwa 335 Millionen Jahren), bilden sich allmählich auf unserem Globus zwei Festländer heraus, ein nördliches und ein südliches. Dazwischen ergießen sich die Fluten eines Urmeeres Tethys, das während des ganzen Mittelalters der Erde in seinen ungeheuren Ablagerungen, den Sedimenten, praktisch für das ganze Festland der Erde landschaftsentwickelnd werden wird.

Die zwei letzten Perioden der Altzeit der Erde sind das Karbon und die Permzeit. Im Karbon gibt es auch in Bayern bizarre Wälder aus Bärlapp- und Schachtelhalmgewächsen, die Grundlage heutiger Steinkohlevorkommen. Die Permzeit, vor 230 Millionen Jahren, weist die ersten Nadelhölzer auf, die im Karbon entwickelte Welt der Kriechtiere bildet sich weiter aus. Für das Land Bayern (freilich nicht nur für diese Gegend) sind Karbon und Perm zwei wichtige Perioden der Erdgeschichte. In diesen beiden Epochen der Erdgeschichte wird das heutige Land Bayern, der Lebensraum für 11 Millionen Menschen, von den Eigenkräften der Erde vorgeformt.

Bild oben: Die Burgruine Weißenstein bei Regen im Bayerischen Wald auf einem hellen Quarzriff des »Pfahl«. – Bild unten: Solnhofener Plattenkalk hat Urtiere aus dem Erdzeitalter des Jura in Versteinerung bewahrt.

Bayerns Waldgebirge richten sich auf

Was schon im Kambrium, vor rund 500 Millionen Jahren also, begonnen hatte, vollendet sich nun vor gut 200 Millionen Jahren: Die sogenannten »Variskischen Gebirge« richten sich in Mitteleuropa zwischen dem französischen Zentralmassiv und den Sudeten auf. Dazu gehören in Bayern so herrliche Wander- und Urlaubslandschaften wie der Bayerische Wald, der Oberpfälzer Wald, das Fichtelgebirge und der Frankenwald, die alle zu den ältesten Gebirgen der Welt zählen. Sie sind einst viel höher gewesen und wären sicher in den 200 Millionen Jahren ihres Bestehens schon völlig abgetragen, hätten spätere Kräfte – in der Zeit der Alpenfaltung – nicht ihre Druckwellen auch in den Bereich dieser Grundgebirge geschickt und diese immer wieder durch Heben, Aufwölben und Auseinanderbrechen neu geformt. Zuletzt wirkten sogar noch die Kräfte einer Eiszeit in mehreren Perioden (in kleinerer Form als in den Alpen), um vor allem die wildromantische Welt der Granitblockfelder auszubilden. Die Druckwellen der Alpenfaltung riefen auch heute noch deutlich erkennbare Bruchlinien hervor, deren markanteste der sogenannte »Pfahl« im Bayerischen Wald ist, ein aufgebrochenes Quarzriff, das am »Großen Pfahl« zu Viechtach und im Burgfelsen der Ruine Weißenstein bei Regen besonders deutlich hervortritt.

Mit den Grund- oder Urgebirgen im bayerischen Land wurden die künftigen Arbeitsmöglichkeiten der Glashütten und Glasmacher vorbereitet. Diese benötigen neben der Energiequelle Holz eine Reihe jener Gesteine, die in unseren bayerischen Grundgebirgen so umfangreich vorhanden sind: vor allem den Quarz, der als feiner Sand das wichtigste Ausgangsmaterial der Glasmacher ist, die aber auch ohne das Flußmittel Pottasche nicht auskommen können, das von den vielen »Aschenbrennern« im Bayerischen Wald aus der Asche der Baumriesen gewonnen wurde. Um einen Kubikmeter Pottasche zu erhalten, mußte man an die 1200 Kubikmeter Fichtenholz verbrennen. Später, als das Herantransportieren nicht mehr so schwierig war, hat Soda das Flußmittel Pottasche ersetzt, ja die Pottasche mußte sogar jetzt nicht mehr über den rigorosen Weg des Kahlschlags gewonnen werden; sie wurde von der chemischen Industrie angeliefert. So beruht die heutige Glaskunst im Bayerischen Wald mit ihren Zentren in und um Zwiesel, Frauenau und Spiegelau in erster Linie auf der 650 Jahre alten Tradition und nicht mehr auf der Materialnähe von Quarz und Holz. Ebenso verhält es sich mit den Glashütten und Glasveredelungen (Bleikristall, Glasschleifen) im Oberpfälzer Wald, im Fichtelgebirge und im Frankenwald. Wie man später noch sehen wird, hat das Grundgebirge im Osten und Nordosten Bayerns durch staubfeine Abtragung dazu beigetragen, im Fränkischen Bruchschollenland jene Vielfalt an Bodenverhältnissen hervorzurufen, die später auch dem Frankenwein seine durch Bodenbeschaffenheit bedingte geschmackliche Vielfalt (Buntsandstein, Keuper und Muschelkalk als Geschmacksbildner) verschafften, so daß die Erdgeschichte in den Landen Bayerns gnädigerweise nebeneinander die Voraussetzungen für Glas und Wein ermöglichte. Ehe nun aber der Boden für die Winzer Unterfrankens und des Steigerwaldes vorbereitet wird, müssen wir das große Urmeer endgültig hereinlassen, die Tethys.

Bayern entsteht in Unterwasserarbeit

Schon in der mittleren Altzeit der Erde, im Devon, hat sich auf unserem Globus eine Art riesenhaften Mittelmeeres gebildet, das in West-Ost-Richtung verlaufend zwei große Landmassen im Norden und Süden voneinander trennte. Dieses Trennen darf man nur nicht zu wörtlich nehmen, denn dieses Urmeer, das den Namen Tethys erhalten hat, war all die Millionen Jahre seines Bestehens voller Launenhaftigkeit, schwappte einmal in dieser, einmal in jener Richtung aus, stieg an, fiel ab, bildete große und kleine Inseln, ja Buchten und Lagunen. Gerade durch diese »Launenhaftigkeit« aber wurde es zur vordersten Mitarbeiterin der großen Landschaftsarchitektin Natur, ließ hier Sedimente absinken, spülte dorthin Ablagerungen des Zufalls, sorgte für Austrocknung und neue Überflutung. Das ganze Mesozoikum über, das Mittelalter der Erde, war diese Tethys eifrig am Werk und besorgte in einer gigantischen Unterwasserarbeit einen Großteil jener »Erdbewegungen«, die notwendig waren, um das heutige Gesicht wenigstens der nördlichen Halbkugel entstehen zu lassen, besorgte damit auch die wahre Genesis der Landschaft von Bayern. Die Tethys ist das gewesen, was die Wissenschaft eine »Geosynklinale« nennt, eine markante, trogartige Senkung der Erdkruste, die im Verlaufe der Erdgeschichte – oder eines Teiles dieser Geschichte – immer mehr eingesunken ist. Die Tethys war sozusagen der Seeweg der nördlichen Hemisphäre, der in unserem Raum Europa von Afrika trennte, dann als verhältnismäßig schmaler Wassertrog sich über Kleinasien nach Nordindien und in den Bereich von Burma fortsetzte. Wie bereits gesagt, bildete sich dieses Meer in der Zeit des Devon, in der Altzeit der Erde, und hielt sich bis in die Kreidezeit hinein (vor etwa 70 Millionen Jahren). Während der Zeit der Tethys bildeten sich die meisten der heutigen Pflanzenformen, erhob sich der erste Vogel in die Lüfte, schleppten Saurier ihre massigen Leiber über das Land. Mammut, Rhinozeros und erste Pferde haben die Wasser der Tethys vielleicht noch zurückgehen sehen, nachdem dieses Meer große Gebirge der nördlichen Hemisphäre, vor allem die Alpen und den Himalaya, geboren hatte. Subtropische, ja fast tropische Klimaverhältnisse traten während der Existenz der Tethys immer wieder ein, auch im Gebiet des heutigen Bayern. Dieses warme Klima förderte die Bildung von Pflanzen- und Tierleben, besonders im Wasser selbst. Absterbend sanken diese

Pflanzen und Tiere (viele von ihnen hatten Kalkschalen) auf den Meeresgrund, der schon mit zunächst weichem Gesteinsschlamm bedeckt war. So bildeten sich die heutigen Sedimentgesteine der verschiedensten Erdformationen, vor allem diejenigen des Trias (Buntsandstein, Muschelkalk, Keuper), des Jura (Lias, Dogger und Malm) und der drei Schichten der Kreidezeit (Untere, Mittlere und Obere Kreide). Mit Trias, Jura und Kreide sind damit zugleich die drei Perioden des Mesozoikum, des Mittelalters der Erde, genannt. Da in der Zeit des Urmeeres Tethys nicht nur das Fränkische Schichtstufenland mit dem Jura, sondern auch die Alpen gebildet werden, ist dieses – zumindest gegen Ende zu sehr flache – Meer fast so etwas wie die große Mutter Bayerns, wenn auch nicht nur Bayerns, das ja nur (wenn man es so sehen will) eine kleine Raute auf der Landfläche der nördlichen Hemisphäre darstellt.

Die Alpen steigen aus dem Wasser empor

In den riesenhaften Trog des Tethysgrabens wurden in Millionen von Jahren neben direkt absinkenden Meerestieren und Meerespflanzen auch Gesteinsschutt aus benachbarten Gebieten angeschwemmt, Sand vom Ufer des Tethysmeeres, wenn man so will. Dieser Sand war verwittertes Gestein und wurde teilweise auch vom Wind auf das Meer getragen. Es bildeten sich auf diese Weise die oben schon erwähnten Sedimentgesteine, Ablagerungsformationen, die sich durch den Druck des Wassers und auch der darüber liegenden Schichten zu mehr oder weniger festem Gestein pressen ließen. Die wichtigsten Kalksteinschichten der Alpen – man kann sie auch in etwa mit den Korallenbänken südlicherer Breiten vergleichen – sind in den Perioden des Trias und des Jura entstanden. Die wichtigsten Schichten, die dann nach Jahrmillionen zusammengepreßt im heutigen Alpenraum unter dem Meeresgrund lagen, waren die Werfener Schichten, der Wettersteinkalk, der Hauptdolomit, der Dachsteinkalk und schließlich die sehr weichen, weil tonhaltigen Kössener Schichten.

Das Baumaterial der Alpen liegt also nun auf dem Grund der Tethys, sauber nach dem Alter geordnet, die jüngsten und damit weichsten Schichten ganz oben. Wer macht nun die Alpen daraus? Dafür sorgt ab der Zeit vor etwa 118 Millionen Jahren in erster Linie ein Sog aus dem Erdinneren. Die erkaltete Erdkruste schwimmt sozusagen als dünne Schale auf einem Geoplasma, das durch hohe Temperaturen noch mehr oder weniger flüssig ist. Das obere, schon kühlere Plasma, das der Erdkruste am nächsten ist, hat die Neigung, in das heißere, flüssigere Plasma abzusinken und möchte dabei gern die Erdkruste, unseren heutigen Grund und Boden, in die Tiefe ziehen. So entstehen Sog- und Druckkräfte, die nach Ausgleich verlangen. Dazu kommt noch, daß die Sedimentschichten am Boden des Meeres Tethys eine solche Last

Ein Bild wie ein Stück Schöpfungsgeschichte. Der Watzmann mit seinen vielen Gipfeln wächst aus
dem Dunst der Niederungen heraus, fotografiert vom Untersberg aus. Die Berge
des Berchtesgadener Landes, ein Teil der Ostalpen, zeigten sich gewiß in ähnlicher Weise, als sie vor 100 Millionen
Jahren sich durch Sog und Druck aus dem glühenden Erdinnern aus Sedimentgestein auffalteten
und aus dem Wasserspiegel der Urmeeres Tethys emporgestiegen sind.

bilden, daß der Meeresboden unter dieser Last immer tiefer einsinkt, also einen Trog bildet, eine Geosynklinale. Durch das Einsinken geraten die unteren Sedimentschichten (die Erdkruste ist ja noch dünner als heute) immer näher an die oberen flüssigen Geoplasma-Bereiche und werden auf diesem »rutschigen« Untergrund gleich in ganzen Decken zusammengedrückt, aufgefaltet und teilweise sogar so übereinander geschoben, daß die untersten, ältesten Gesteine nun plötzlich ganz oben zu liegen kommen. Ein gigantisches Inferno muß das gewesen sein, wenn man sich auch alle diese Vorgänge in der Zeitlupe von Jahrmillionen vorstellen muß.

Dieser Sog und Druck aus dem heißen Erdinnern ist die eine Kraft, die das Aufrichten der heutigen Alpen (noch unter dem Spiegel des Tethysmeeres) besorgt. Die zweite wirksame Kraft ist die sogenannte »Kontinentaldrift«, wobei der südliche Kontinent, nennen wir ihn etwas früh schon »Afrika«, und die nördliche Landmasse, das heutige Eurasien, aufeinander zutreiben und dabei ebenfalls wieder im Bereich des Tethys-Troges, der Geosynklinale, Druck und Schubkraft ausüben.

Die Alpen sind hiermit geschaffen, und sofort beginnt – noch während der weiteren Entwicklung – auch ihre Abtragung, teils noch unter dem Wasserspiegel, teils darüber, wo Wind und Wetter ihre Tätigkeit aufnehmen. Größere Ereignisse werden vorerst im bayerischen Alpenraum nicht eintreten, die Tethys wird durch Hebungen ihres Bodens flacher und kleiner werden, uns noch die Salzlager hinterlassen und dann als seichtes Binnengewässer seinen Salzgehalt verlieren und später auch für die Schichten der »Süßwassermolasse« sorgen, die unserer heutigen Vegetation entgegenkommen. Ansonsten wittern die Alpen langsam der Eiszeit entgegen, die aber fast schon dem erdgeschichtlichen Heute angehört. Im heute nördlichen Bayern aber haben sich während der Zeit der Alpenbildung Dinge ereignet, die es wert sind, daß man sich nun über die noch nicht vorhandene Donau hinweg begibt, ins heutige Franken, zu den künftigen Weinbergen.

Weinbergland entsteht aus steinernen Wogen

In der Zeit des Erdmittelalters, im Mesozoikum, tut sich auch nördlich des heutigen Donautales, im Gebiet des heutigen Franken, allerhand. Da hat sich vom Grundgebirge her, also vom Bayerischen bis zum Frankenwald, nach Westen zu ebenfalls eine Art Trog oder Kessel aus Grundgestein gebildet, der im Laufe des Mesozoikums vom Wind mit dem Abtragungsstaub des Grundgebirges angefüllt wird. Auch hier wirken flachere Arme des Urmeeres Tethys mit, die aber immer wieder austrocknen. War dieses Gebiet gerade ein flaches Meer, dann lagerten sich feinkörnige Sedimente ab, war es gerade vorübergehend Festland, sammelten sich gröbere Mergel und Sande an. Dies ging das ganze Erdmittelalter hin-

durch so weiter, in den Perioden des Trias (vor 200 Millionen Jahren), des Jura (vor 165 Millionen Jahren) und der Kreide (vor 130 bis 70 Millionen Jahren).

Man kann sich das sogenannte Fränkische Schichtstufenland als eine Art große Schüssel vorstellen, die auch heutige Teile der Oberpfalz umfaßt. Diese Schüssel wird in trockenen Zeiten mit Steinstaub zugeweht, in nassen Zeiten mit Schlammschichten bedeckt. Am Beginn der Erdneuzeit (Känozoikum), in der Periode des Tertiär, in der die Bildung der Alpen durch die Kräfte aus dem Erdinneren und aus der Kontinentaldrift abgeschlossen wird, erreichen diese Druckkräfte auch das nördliche Bayern, helfen dem Grundgebirge zu neuen Formen, lassen Spessart und Odenwald aufsteigen und sorgen dafür, daß die angewehten und angeschwemmten Schichten des Trias, des Jura und der Kreide im genannten Urgesteinsbecken nicht nur angehoben, sondern auch in eine Schräglage gebracht werden. Es bilden sich dadurch nach Nordwesten zu steile Abfälle der einzelnen Schichten. Die älteste Schicht tritt ganz im Westen zutage: der Buntsandstein im Odenwald und Spessart. Die zweitälteste Schicht des Trias ist der Muschelkalk, der die Weine im Maindreieck mit seinem besonderen Geschmack bedenkt, die jüngste Schicht des Trias aber, der Keuper, zeigt sich entlang der Frankenhöhe, des Steigerwaldes und der Haßberge, gibt unter anderem dem Iphöfer seinen extravaganten Geschmack, läßt den heutigen Steigerwaldwein etwas Besonderes sein. Die steinernen Wogen setzen sich nach Osten zu fort, zur Fränkischen Schweiz und Hersbrucker Alb, zum Oberpfälzer Jura.

Der Archaeopteryx entschwebt

Die Bildung des fränkischen Schichtstufenlandes hat uns nun schon in die Erdneuzeit, in die Periode des Tertiär, geführt, in der südlich der Donau, zwischen Lech und Inn, auch das »Tertiäre Hügelland« entstanden ist, das Hopfen- und Ackerland, dem die Eiszeit dann später noch den fruchtbaren Lößstaub zuwehen wird, damit die Bauern in und um den Gäuboden beste Bonitäten beackern können. Noch einmal aber müssen wir ins Erdmittelalter zurück, in die Erdperiode des Jura, des oberen Jura. Schließlich wollen wir ja dabei sein, wie sich das erste Kriechtier, sicher sehr mühsam und zunächst wenig elegant, zum Ikarus der Tiere verwandelt, zum Vogel, der mit einem frühen Federkleid in die Luft entschwebt. Vor ihm hat es auch fliegende Tiere gegeben, Flugechsen. Die aber hatten keine Federn, sondern nur schwerfällige Flughäute, den Fledermäusen gleich. Der Urvogel, von der Wissenschaft »Archaeopteryx lithographica« genannt, hat sein Abbild hinterlassen, und dieses Abbild ist in bisher vier kostbaren Exemplaren seit der Mitte des vorigen Jahrhunderts in den Steinbrüchen um Solnhofen im Altmühltal aufgefunden (und in zwei Fällen zwar teuer, aber unpatriotisch nach London und Berlin verkauft) worden. In den Museen von Solnhofen,

Der Plattenkalk von Solnhofen im Altmühltal hat bisher in vier unterschiedlich gut erhaltenen
Exemplaren den Urvogel »Archaeopteryx lithographica« glücklichen Findern preis-
gegeben. Der Archaeopteryx, der sein Bild im trocknenden Kalkschlamm des Oberen Jura hinterlassen hat, war sozusagen
der Ikarus unter den Vorwelt-Tieren. Wohl hat es vor ihm Flugechsen gegeben, aber er
hatte als erster richtige Federn, wenn er auch kein Kunstflieger war.

Pappenheim und Eichstätt kann man das Abbild des Ur-vogels und viele andere, echte Bilder seiner tierischen und pflanzlichen Zeitgenossen sehen. Die Plattenkalke des Jura, mit denen man die Kunst der Litographie be-treiben kann, haben sie alle so erhalten, wie sie zur Jura-periode als Bewohner einer flachen Lagune im Kalk-schlamm endeten. Ganze Tierschicksale lassen sich da besichtigen, auf dem Solnhofener Maxberg (Museum) etwa ein Pfeilschwanz namens »Kouphichnium walchi«, der im Kalkschlamm am Ende einer letzten, sicher ver-zweifelten Fluchtspur liegen blieb. So werden in diesem Teil des Jura viele Erkenntnisse über frühes Leben ge-wonnen, im Jura, der ja mit seinen 430 Kilometern Länge als jüngste und markanteste Stufe der Schichtstufenlän-der von der Französischen Schweiz über die Schwäbi-sche und Fränkische Alb bis zur Fränkischen Schweiz und zum Mainbogen bei Lichtenfels reicht.

Kleine Tüpfelchen und die Superbombe

Das Tertiär in der Neuzeit der Erde bereitet Bayern nicht nur als fruchtbares Bauernland vor, sondern sorgt auch für ein paar eigenwillige Tüpfelchen. Zum Beispiel für die Basaltkegel im nordoberpfälzischen Hügelland (Parkstein, Rauher Kulm etc.), die durch den Austritt flüssiger Magma entstanden sind; oder durch die Vul-kankatastrophen am Ende des Tertiär, die das Bunt-sandsteingebirge der Bayerischen Rhön gar so urgewal-tig gemacht haben. Und dann kommt so vor nicht ganz 15 Millionen Jahren, also auch noch im Tertiär, die Super-bombe. Brausend, weißglühend und in einer Sekunde ist er da, der Stern, der Meteor. Einen Kilometer mißt er im Durchmesser. Dort, wo heute das Ries ist, die fruchtbare Schüssel im nördlichen Schwaben, schlägt er ein, schmilzt, bringt zum Schmelzen, vergast, schleudert rie-sige und kleine Brocken bis zu 50 Kilometer hoch in die Atmosphäre, ja bis in die Stratosphäre. Der Meteorit hat die Energie von 250 000 Hiroshima-Atombomben. Zu-rück bleibt ein Krater von etwa 24 Kilometer Durchmes-ser, der dann voll Wasser läuft, das sich später, bei Har-burg, einen Ausweg zur Donau verschafft. Interessan-testes geologisches Gebiet ist dieses Ries heute, so auf-schlußreich, daß die US-Mondfahrer vor ihrer ersten Landung auf unserem bleichen Trabanten ins Ries zum Training gekommen sind, in einen Krater.

Der Mensch, der aus der Kälte kam

Jetzt sind wir da, in unserem Bayernland, können es aber noch nicht benützen, weil es zu kalt ist. Bis vor nahezu 10 000 Jahren und rund 600 000 Jahre vorher beginnend schickten vier Eiszeiten immer wieder Kälte, Schnee und bis zu tausend Meter mächtige Gletscher aus dem Gebirge im Süden ins Land. Vier Eiszeiten, benannt nach den Flüssen Günz, Mindel, Riß und Würm (an denen je-weils die Phänomene der jeweiligen Eiszeit am besten

Bild oben: Der »Große Pfahl« bei Viech-tach, das bedeutendste Hervortreten des aufgebroche-nen Quarzgangs im Bayerischen Wald. – Bild unten: Eiszeit-Überbleibsel: der Gletschergarten an der Deutschen Alpenstraße bei Inzell.

Eingerahmt von einer grandiosen Bergwelt liegt der Seealpsee zu Füßen des Kleinen und Großen See-
kopfes, nicht allzu weit von der Bergstation der Nebelhornbahn entfernt. Ein
kleines Juwel ist er, an den Bergwanderwegen der Allgäuer Alpen. Dieser Teil der bayerischen Bergwelt ist noch
sehr reich an seltenen Pflanzen. So gedeihen unter strengstem Naturschutz an den beiden
Seeköpfen überm Seealpsee der Südliche Tragant und die Schwarze Rauschbeere.

zu erkennen waren) kommen und gehen, dazwischen drei Warmzeiten (oder Zwischeneiszeiten) und am Ende die Frage, ob die vierte Zwischeneiszeit nicht gerade läuft und langsam der nächsten Eiszeit entgegengeht. Gletscher der Eiszeit, wie die des Inn, mit einer Stärke von gut 800 Meter, verändern nicht nur die Gestalt der Alpen und ihrer Täler, sondern auch die Landschaft vor den Bergen. Künftigen Urlaubern schaffen sie die Badeseen vor dem Gebirg' und die Fotografier- und Echo-Seen dazwischen. Zurückbleibende Eismassen, vom angeschwemmten Kies umgeben, schmelzen zu Toteis-Seen zusammen, bilden, wie um Eggstätt im Chiemgau und in den Osterseen, ganze Systeme von Seenplatten. Lieblichstes Alpenvorland entsteht aus Moränenhügeln, fotogenen Findlingen, die auf dem Rücken der Gletscher aus dem Gebirge weit herausgeritten sind. Auch das »Bayerische Meer« ist noch immer nicht versumpft, der Chiemsee, hat Moore und Filzen an seinem Rand, erfreut Segelsportler und Dampferbesitzer.

Irgendwann aber kommt der erste Mensch Bayerns aus dieser Kälte, aus diesem Wechselbad von Eis und Wärme. Bisher kann man sein Vorhandensein mit Hilfe eines aufgefundenen Faustkeils aus dem »Acheuléen« der Altsteinzeit beweisen. Bei Pösing hat man ihn gefunden, den Faustkeil, im oberpfälzischen Landkreis Cham. Aus der Riß-Würm-Warmzeit muß er stammen, also etwa 150 000 Jahre alt sein. Staat kann man mit diesem Relikt des Pösinger Menschen nicht mehr machen, hat man doch in Äthiopien unlängst eine Frau ausgegraben, die vor drei Millionen Jahren gelebt haben muß. Aber immerhin, da ist er, der Mensch in Bayern, mit einem Faustkeil bewaffnet! Lassen wir ihn nun aus der bayerischen Erdgeschichte hineinlaufen in die bayerische Vor- und Frühgeschichte! Ein wenig kann uns jetzt schon seine Rasse leid tun, daß sie in der belegbaren Geschichtszeit dann so viel leiden muß. Aber zu Vergnügen ist sie ja auch gekommen. Hin und wieder.

Auch Bayern hat sein Urstromtal: die Donau

Wo in Bayern vor ein- bis zweihunderttausend Jahren, in der Altsteinzeit, dem Paläolithikum, überall Menschen gelebt haben, wird man in Vollständigkeit nie erfassen können, ja selbst bis in die römische Zeit Bayerns, also in die Frühgeschichte, gibt es keine vollständigen Angaben, da Funde zwar anhand von geographischen und historischen Tatsachen aufgespürt werden können, letztlich – und dies trifft besonders für die vorgeschichtliche Zeit zu – aber doch auch stark vom Zufall abhängen. Freilich, die bayerischen Gebirgstäler nach altsteinzeitlichen Funden umgraben zu wollen, wäre vergebliche Mühe. Hier herrschten Eis und Kälte der vorletzten und letzten Eiszeit. Die Gletscher zogen sich erst endgültig vor 10 000 Jahren, am Beginn der Mittleren Steinzeit (ca. 8000 bis 4000 v. Chr.), ins Hochgebirge zurück und über-

Dank seiner Beschaffenheit war das Untere Altmühltal bei der Stadt Kelheim und beim Markt Essing bereits in der ausgehenden Altsteinzeit Wohnplatz von Menschen. Die Jurafelsen boten zahlreiche Höhlen als sicheren Unterschlupf an.

In einer der Klausenhöhlen bei Essing (unser Bild) fand man zahlreiche Spuren spätaltsteinzeitlicher Besiedlung, so auch einen »Kommandostab« mit der Ritzung eines Tierkopfes, und auf einem Stoßzahnfragment war ein Mammut eingeritzt.

ließen die Alpentäler und vor allem das Alpenvorland den Ureinwohnern Bayerns.

Aus dem Zufall der altsteinzeitlichen Fundstellen ergibt sich aber doch eine Tatsache von Gewicht: Die Funde häufen sich in den Flußtälern des heutigen mittleren und nördlichen Bayern, zwischen Main und Donau also, einem Gebiet, das während der Eiszeit zwischen den Gletschern Skandinaviens und denen der Alpen lag. Hier gab es in diesen kalten Tagen genügend Wild und Fisch für den Menschen der Alt- und Mittelsteinzeit, der ein Jäger und Sammler war, vom Ackerbau und Häuseraufrichten noch nichts hielt. Besonders häufig treten die Funde im Tal der Donau und ihren nördlichen Nebenflüssen, vor allem im unteren Tal der Altmühl, auf, dazu im Maintal und im Gebiet von Ries (bei Nördlingen), Frankenalb und der heutigen Fränkischen Schweiz. Es gab also so etwas wie ein bayerisches Urstromtal, das sich heute noch auf jeder Landkarte auf den ersten Blick ausmachen läßt: die Donau.

Die Menschen der Altsteinzeit fanden in diesen Flußtälern neben Nahrung auch das, was ihnen in zweiter Linie nötig war: Wohnungen in den Höhlen der felsigen Ufer, so etwa in den drei Klausenhöhlen und im Schulerloch bei Kelheim im Altmühltal, in den Ofnethöhlen und dem Hohlenstein bei Nördlingen im schwäbischen Ries, in den zahlreichen und ausgedehnten Höhlen der Fränkischen Schweiz. Der Mensch der frühen und mittleren Steinzeit verkroch sich aber nicht nur in seinen Höhlen; er nahm auch, wenn sich ihm geeignetes Gelände bot, unter freiem Himmel Quartier, wobei er sicher bald erste Hütten baute, die gewiß eher einem primitiven Zelt glichen. Der Lehrer und Forscher Hermann Josef Seitz konnte 1936 auf einer der sandigen und kiesigen Dünen des bei Ingolstadt und Neuburg an der Donau sich ausbreitenden Donaumooses die Spuren eines solchen mittelsteinzeitlichen Pfostenbaus sicherstellen, wie überhaupt das unwirtliche Donaumoos zur Steinzeit ganz offensichtlich den Menschen als sichere Wohnstätte erschienen ist, am Rand der Donau gelegen, die sich ihr heutiges Flußbett ja erst nach der allerletzten Eiszeit gesucht hat. Ähnliche Sicherheit mag den Menschen des Paläolithikums auch der Speckberg bei Zell a. d. Speck, im heutigen Gemeindebereich von Nassenfels, Landkreis Eichstätt, geboten haben. Hier haben reiche Funde bewiesen, daß dieser Berg mit seinen natürlichen Vorzügen (von seinem spornförmigen Rücken aus konnte man sowohl das Wild als auch eventuelle Feinde beobachten) seit den ältesten Abschnitten der Steinzeit immer wieder menschliche Siedlungsstätte gewesen ist.

Wie schwer es auch der modernen Wissenschaft noch fällt, das Alter einzelner Funde zu bestimmen, zeigt der in diesem Buch schon erwähnte »Faustkeil« von Pösing, einem im Regental zwischen den Städten Roding und Cham gelegenen Dorf im Vorderen Bayerischen Wald. Vier Autoren, darunter auch Naturwissenschaftler, nahmen sich des primitiven Geräts mit aller Sorgfalt an und identifizierten es als ein Stück aus der Steinzeitperiode des Acheuléen, die mindestens 90 000 bis 120 000 Jahre, wahrscheinlich sogar 200 000 Jahre zurückliegt. Somit ist es ein ganz einfaches Gerät, das der für uns älteste Mensch Bayerns zurückgelassen hat und das 1961 durch die Pflugschar eines Bauern der Welt wiedergegeben wurde.

Steinzeitmenschen bemalen Höhlenwände

Steinerne Gerätschaft aus den ersten Jahrtausenden bayerischer Menschheits-Vorgeschichte gibt es genug in den Museen, besonders in der Prähistorischen Staatssammlung in München. In den Vitrinen zeigt sich aber auch Wertvolleres, schon aus der Altsteinzeit: Zeugnisse dafür, daß der Mensch von Anfang an kreativ gewesen ist, daß es ihn zur Schönheit drängte und zur Darstellung jener Dinge, die seine Welt bedeutet haben. Freilich stammen diese Zeugnisse ausschließlich aus dem Ende der Altsteinzeit, sind also etwa 12 000 Jahre alt. In den meisten Fällen haben diese »Kunstwerke« ganz offensichtlich kultische Bedeutung gehabt, so etwa ein »Kommandostab« aus der mittleren der drei Klausenhöhlen bei Kelheim im Altmühltal. Der Stab trägt als Schmuck einen halb plastischen, halb geritzten Tierkopf. Die einzige und allererste Plastik der Zeit des Jungpaläolithikums ist die sogenannte »Rote von Mauern«. Diese mit roter Farbe bemalte kleine Kalkstein-Statuette ist eine Art zweigeschlechtliches Wesen, trägt sowohl weibliche als auch männliche Merkmale. Gefunden wurde sie in den altsteinzeitlichen Wohnstätten der »Weinbergshöhlen« bei Mauern, nahe Neuburg a. d. Donau. Die Prähistorische Staatssammlung in München bewahrt auch ein Stoßzahnfragment aus der Oberen Klause (bei Kelheim) auf, in das ein Mensch der jüngeren Altsteinzeit die Umrisse eines Mammuts mit einem spitzen Gegenstand eingezeichnet hat. Schließlich sei noch (in der gleichen Sammlung) eine Kalksteinplatte erwähnt, die im Hohlenstein bei Edernheim (Landkreis Donau-Ries) gefunden wurde. Sie zeigt nicht nur Wildpferde; es sind auch Umrisse von Frauengestalten zu erkennen.

Vom Stein zum Metall

Gegen den Menschen der Jungsteinzeit im heutigen Bayern war der Mensch der Alt- und Mittelsteinzeit ein wahrlich armseliger Tropf, der in einer unwirtlichen, von den Eiszeiten gezeichneten Landschaft als Jäger und Sammler umherirrte, der freilich seiner Sehnsucht nach Schönerem schon bescheidenen Ausdruck gab. Am Übergang von der Alt- in die Mittelsteinzeit stehen die Funde der nestartigen Schädelbestattungen in den Ofnethöhlen unweit von Nördlingen. Hier zeigt sich uns

Bild oben: Die »Rote von Mauern«, ein Fruchtbarkeitsidol aus den Weinberghöhlen bei Mauern, ist die älteste Plastik in Bayern (Jungpaläolithikum). – Bild unten: Steinzeitgefäß aus Hienheim.

zum ersten Mal anhand eines Fundes schon des damaligen Menschen Bedürfnis, sich zu schmücken. Neben den Totenschädeln fanden sich Ketten aus Hirschgrandeln und Schneckenhäusern.

Die Jungsteinzeit (ca. 4500–1800 v. Chr.) hat den bayerischen Menschen schon verfeinert. Freilich ist da das düster-blutrote Geschehen der Kulthandlungen in der bei Tiefenellen im Landkreis Bamberg gelegenen Jungfernhöhle. Untersuchungen ergaben, daß dort aus sicher kultischen Gründen 2 Männer und 36 Mädchen und Frauen im Alter von 1 bis 45 Jahren getötet und verspeist worden sind. Kannibalismus auf frühem bayerischen Boden also.

Neben dieser abscheulichen Gruselszene in der Jungfernhöhle bei Bamberg steht im bayerischen Alt-Neolithikum als freundlicher Gegensatz die erste Dorfidylle – wenn es eine solche war. Donauaufwärts nach dem heutigen Südbayern und von Thüringen her in das heutige Nordbayern waren um 4000 v. Chr. Stämme eingewandert, die der einheimischen, an Zahl sicher auch noch geringen Bevölkerung von Jägern überlegen waren: Sie waren bereits Bauern, bearbeiteten den Boden und siedelten in allerersten Dörfern, deren Häuser einen etwa 30 Meter langen, rechteckigen Grundriß hatten. Pfosten waren fachwerkähnlich verbunden, die Wände bestanden aus lehmverputztem Flechtwerk. Bei Hienheim im Landkreis Kelheim ist in den sechziger Jahren von Archäologen eine derartige Anlage untersucht worden.

Die ersten Bauern in Bayern konnten ihr Getreide zwischen flachen Reib- und Quetschsteinen, allerersten Handmühlen, mahlen, hatten steinerne Klingen, die in Holzschäfte eingesetzt als Sicheln bei der Ernte dienen konnten und verstanden sich aufs Töpfern, womit sie sich die lebensnotwendigen Gefäße zum Aufbewahren von Vorräten verschafften. Ihre Keramik haben diese Jungsteinzeitmenschen in verschiedener Weise geschmückt. Das Muster wechselt mit den Landschaften, vor allem aber mit den Zeiten. So spricht man heute – jeweils verschiedene Epochen der Jungsteinzeit meinend – von den Bandkeramikern, die man wieder in Linearband- und Stichbandkeramiker unterteilt, und von den Schnurkeramikern, womit die beiden hauptsächlichsten Gruppen genannt sind. Mit der Zeit werden auch die Steingeräte handlicher. Man durchbohrt sie bereits im Mittelneolithikum (ca. 3000 bis 2200 v. Chr.) und gibt ihnen Stiele.

Im heutigen Bayern lassen sich folgende Hauptkulturen zeitlich und landschaftlich für den weiteren Verlauf der Jungsteinzeit finden: Die »Münchshöfener Kultur«, benannt nach Münchshöfen im Gäuboden bei Straubing, die ihrer Keramik eine Flechtbandornamentik gibt, die große »Altheimer Kultur« (benannt nach dem wichtigen Fundort Altheim bei Landshut), die in mehrfach umwallten Dörfern lebt und der in Nordbayern die »Michelsberger Kultur« entspricht. Zur Zeit dieser Kulturen wird auch erstmals ein Metall als Material für Waffe und Werkzeug verwendet: Kupfer. Ehe aber Metall den Stein verdrängt, tauchen noch zwei wichtige Gruppen der frühmenschlichen Kultur auf: die »Pollinger Gruppe« (benannt nach einem Fundort bei Polling nahe Weilheim), die ihre Keramik mit feinen Mustern in textilhafter Art ritzt, und die »Chamer Gruppe« (Fundort Cham in der Oberpfalz), die am Ende der Jungsteinzeit, also um 1800 v. Chr., auftritt. Da sind schon große Praktiker am Werk, die ihre Ornamente mit Hilfe eines Stempels in die Keramikware drücken.

Bronze reizt zur Eitelkeit

Die »Glockenbecherleute« (benannt nach der glockenförmigen Keramik, die ihnen eigen ist), die von der Iberischen Halbinsel nach Mitteleuropa eingewandert sind, und die »Schnurkeramiker«, die aus östlichen Gegenden vorwiegend ins heutige Nordbayern kamen, beenden um 2000 v. Chr. die Steinzeit, leiten über zur Kupferzeit, die vom Jungneolithikum nicht zu trennen ist. Hier verwischen sich die Grenzen, zumal man ja bedenken muß, daß beim Ausklingen der Steinzeit auf bayerischem Boden die Ägypter seit Jahrhunderten (ab 2700 v. Chr.) an ihren Pyramiden bauen und eine hohe Kultur entwickeln.

Kupfer war nicht das ideale Material für Gerät und Waffen. Bald erkannte man, daß Kupfer mit Zinn verschmolzen die viel härtere Bronze ergibt. Das neue Material erleichterte das Leben der Menschen gewiß, verführte aber auch zur Eitelkeit. Nun konnte Feineres und Eleganteres als Schneckenhausketten den Hals der Frau schmücken. Das Ganze nahm sogar bald frühindustrielle Formen an. Die Nachwelt hat in unseren Tagen staunend ganze Horte von Bronzebarren als Rohware ausgegraben, wobei es nicht nur einfache Barren sein mußten, sondern auch das, was wir heute »Halbprodukte« nennen: Streifen von Bronzeblech, dünne Bronzestangen, die rasch weiterverarbeitet werden konnten. In den Horten findet man aber auch kleine Arsenale fertiger Beile, die nur noch des Stiels bedurft hätten, sowie – für die Waffen der Frau – sogenannte »Tutuli«, das sind Bronzehütchen, wobei diese sogar aus Bronzedraht gemacht sein konnten. Bei Langquaid im Landkreis Kelheim enthielt so ein Hort auch eine größere Menge von Armreifen, Gewand- und Nähnadeln.

Zur mittleren Bronzezeit (um 1600 v. Chr.) wurde das bedeutendste Ausrüstungsstück des Mannes das Schwert. Nur Vornehme durften oder konnten es sich leisten. Man muß sich das vorstellen, was so ein Mann wert war und wie er unter den schlecht oder gar nicht Bewaffneten herausragte, wenn er ein langes und scharfes Schwert trug!

Nur gute 500 Jahre währte das, was die Wissenschaft heute die Bronzezeit nennt, von etwa 1800 bis etwa 1250 v. Chr. Dennoch spricht man von drei Perioden, der frühen, der hohen und der späten Bronzezeit. Während die

Menschen der frühen Bronzezeit ihre Toten in Flachgräbern beisetzten, ändert sich das in der mittleren oder hohen Bronzezeit (um 1600 v. Chr.). Die Toten ruhen nun in ebenerdigen Grabkammern, die meist mit Steinen umwölbt sind und mit Erde bedeckt werden. Auf diese Weise sind jene oft recht wuchtigen Grabhügel entstanden, die zum Teil noch heute erhalten sind, dort, wo sie weder der Ackerbau noch die Kiesgewinnung vernichtet haben, in erster Linie in den Wäldern. Sie stehen meistens in Gruppen, und die größten Grabhügelfelder zählen bis zu zweihundert solcher Erhebungen, von denen Laien oft annehmen, es handle sich – wenn sie im Alpenvorland zu finden sind – um kleine Moränenhügel. Der Durchmesser eines dieser Grabhügel geht in den meisten Fällen nicht über drei Meter hinaus, kann aber auch bis zu zwanzig Meter betragen. Da den Toten zahlreiche Grabbeigaben in ihr letztes Gehäus' gelegt wurden, sind die Grabhügel natürlich der heutigen Archäologie und Geschichtswissenschaft wahre Schatzkammern, aus denen sie die Zeichen damaliger Zeiten ablesen kann. Die Sammlungen und Museen in vielen bayerischen Orten, besonders aber die Prähistorische Staatssammlung in der Lerchenfeldstraße in München, zeigen in Vitrinen auf, was alles an Kunstfertigem in dieser frühen Zeit entstanden ist.

Ein großer und ein kleiner Wagen

Rechnet man heute der ersten Menschheitsperiode, der Altsteinzeit, fast an die 200 000 Jahre zu, gibt man der Mittleren Steinzeit immerhin noch gut fünf Jahrtausende, so verkürzen sich die »Metallzeiten« immer mehr und verkünden damit eine entsprechend dynamischere Entwicklung des technischen Fortschritts dieser vorgeschichtlichen Zeit. Es ist fast so, als hätten es nun auch die Menschen Mitteleuropas – mit ihnen die Urbayern – sehr eilig, gleich den Bewohnern des Mittelmeerraumes in das zu gelangen, was man Geschichte nennen kann. Auf die gut 500 Jahre während Bronzezeit folgt ab etwa 1200 v. Chr. die Urnenfelderzeit. Der Name sagt es schon, was diese Periode in erster Linie kennzeichnet: die Toten werden nicht mehr in Grabkammern beigesetzt, sondern verbrannt. Aus dem Donaubogen zwischen Kelheim und Straubing, aber auch in der Umgebung Münchens sind zahlreiche Friedhöfe dieser Epoche bekannt. Die Überreste der Toten – meist mit den ebenfalls verbrannten Beigaben – wurden in Urnen und in kleinen, dicht aneinandergereihten Grabgruben bestattet. Bis an die 250 solcher Urnengruben konnte so ein Gräberfeld aufweisen. In Nordbayern hat es Abweichungen von dieser Begräbnissitte der Urnenfelderzeit gegeben. Dort hat

Der »Kultwagen von Acholshausen« ist im Mainfränkischen Museum auf der Würzburger Marienfeste zu sehen. Seine Ausmaße sind gering: 18 Zentimeter lang und 12 Zentimeter hoch. Er wurde als Grabbeigabe aus der Urnenfelderzeit in der Nähe von Ochsenfurt gefunden. Man vermutet, daß er die kleine Nachbildung eines großen Kultwagens darstellt, eines »Glockenwagens«, wie er schon im alten Griechenland in der Stadt Krannon verwendet wurde, um Regen herbeizuflehen.

man die Toten mitunter noch in den großen Grabhügeln beigesetzt, wobei im Gebiet zwischen Erlangen und Forchheim die Besonderheit der »Zeichensteine« auftritt. Die Prähistorische Staatssammlung in München hat in ihrer Urnenfelderabteilung so ein Hügelgrab im Modell aufgestellt. Neben originalen Zeichensteinen kann man auch sehen, wie diese kreisförmig um den Hügel angeordnet waren. Es ist bis jetzt nicht gelungen, die Steine und ihre Symbolik zu deuten. Vielleicht war das Ganze auch nur die Laune und Gepflogenheit einer örtlich begrenzten Sippschaft.

Daß Buben große Lust zum Graben von Löchern empfinden, gereiche der bayerischen Archäologie der Urnenfelderzeit im Jahre 1953 zum Segen. Ein Schulbub in Hart an der Alz (Landkreis Altötting) wollte damals nur ein kleines Loch im Garten graben, stieß aber dabei bald auf seltsame Bronzestücke. Er zeigte sie seiner Lehrerin, diese verständigte die Archäologen, die dann das ausgegraben haben, was heute in der Prähistorischen Staatssammlung München (in Überresten) als »Wagengrab von Hart an der Alz« (aus der Zeit um etwa 1200 v. Chr.) im Katalog steht. Es handelt sich dabei um einen Grabhügel, in welchem die Überreste eines offenbar hochrangigen Mannes und seiner Grabbeigaben lagen. Die größte Beigabe war ein mehrere Meter langer vierrädriger Wagen, auf dem der Tote verbrannt worden war. Aus den aufgefundenen Bronzeteilen konnten die Wissenschaftler das erste bayerische Rad rekonstruieren. Es ist anzunehmen, daß dieser Wagen vorher nicht dem Gebrauch diente (dafür waren die Verkehrswege der damaligen Zeit ungeeignet), sondern eigens zur Bestattung des toten »Häuptlings« angefertigt wurde. Schon der allererste Wagen der Welt, der um 3500 v. Chr. nachweisbare Wagen eines Sumerers, war ja gewiß nur ein Totenwagen. Bald nach der Zeit des Grabwagens zu Alz haben es die Kelten zur römischen Zeit in der Kunst des Wagenbaus zur anerkannten Meisterschaft in Europa gebracht, wenn auch die dazugehörigen 85 000 Kilometer brauchbarer Straßen die Römer selbst bauten.

Im großartigen Mainfränkischen Museum auf der Festung Marienberg zu Würzburg steht in einer Vitrine ein kleiner Wagen, 18 Zentimeter lang und 12 Zentimeter hoch, ebenfalls aus der Urnenfelderzeit und ebenfalls aus einem Grabhügel. Diesmal jedoch zu Acholshausen, Gemeinde Gaukönigshofen, Landkreis Würzburg. Eine Bäuerin hatte beim Aushub zu ihrem Aussiedlerhof ein waches Auge und erkannte das Brandgrab. Neben Schmuck und allerlei dem Toten mitgegebenen Gegenständen des Alltags fand sich im Aushub wohlerhalten die besondere Kostbarkeit des »Kultwagens von Acholshausen«. Vier Rädchen und eine einfache Karosserie tragen ein Kesselchen, das natürlich auch als eine auf dem Kopf stehende Glocke bezeichnet werden könnte. Das Wagengestell selbst endet in vier Wasservogelköpfen. Solche »Kesselwagen«, größtenteils ebenfalls mit Vogelköpfen verziert, finden sich in der Urnenfelderzeit des öfteren als Grabbeigaben, in Mecklenburg, Dänemark, Schweden, Böhmen und Ungarn. Diese kleinen Kultwagen, so wird angenommen, sind die Nachbildungen großer Kultwagen dieser Art, wie sie beispielsweise auf dem Wappen der griechischen Stadt Krannon, das auf Münzen aufgeprägt ist, zu sehen sind. Der Erzgießer und Schriftsteller Antigonos von Karystos berichtet im 3. Jahrhundert v. Chr. in seinen »Historiarum mirabilium« von einem in Krannon tatsächlich vorhandenen heiligen Wagen und zwei heiligen Raben. Den Wagen versetzten nach seinem Bericht die Leute von Krannon »immer, wenn Dürre herrschte, in Schwingungen und bitten auf diese Weise den Gott um Wasser«. Man simulierte also mit dröhnendem Lärm ein Gewitter und hoffte, daß sich das kesselartige Gefäß füllte.

Rätselhaft: die Kelten und ihre große Stadt

Rätselhaft ist die Herkunft der Kelten, die etwa ab dem 5. vorchristlichen Jahrhundert Bayern bewohnten und in ganz Mitteleuropa verbreitet waren. Mag sein, daß die Illyrer der Hallstattzeit (750 – 500 v. Chr.) schon ein keltischer Vorstamm waren, mag sein, daß die Theoretiker recht haben, wenn sie die Kelten erst nach den Illyrern, den »Hallstattleuten«, aus der Lausitz oder aus Ungarn einwandern lassen. Da man bis jetzt annehmen muß, daß die Kelten trotz ihres hohen Kulturstandes keine Schrift besaßen, wird vieles um sie noch lange im Dunkeln bleiben, vielleicht für immer.

Den Auftakt zum Einzug der Kelten in die bayerische Vorgeschichte bilden also jene Leute, die man heute Illyrer oder Hallstattleute nennt. In Hallstatt hat im Jahr 1846 ein österreichischer Bergrat namens Georg Ramsauer bei Öffnung einer Schottergrube ein vorgeschichtliches Gräberfeld entdeckt, das nach Beendigung aller Grabungen am Ende über 2000 Gräber umfaßte. Dieser Riesenfund hat der Epoche den Namen gegeben und zugleich darüber aufgeklärt, daß in der Hallstattzeit die Toten wieder in fast allen Fällen unverbrannt bestattet wurden, mit dem Gesicht nach Süden schauend, wobei man annimmt, daß diese Richtung entweder dem Mittagspunkt der Sonne oder einer mythischen südlichen Heimat galt.

Die also nach dem gleichnamigen Ort am Hallstätter See benannte kurze Menschheitsepoche brachte einen entscheidenden Wandel im Gebrauch der Metalle. Bronze verlor mehr und mehr an Bedeutung, das Eisen, zunächst so kostbar, daß man es nur für Einlagen in Bronzegegenständen verwendete, stand bald in großer Menge zur Verfügung. Die Hallstattzeit nennt man deshalb auch die Ältere Eisenzeit, im Gegensatz zur Jüngeren Eisenzeit, der darauffolgenden Zeit der Kelten.

Der große Platz der Hallstattzeit im heutigen Bayern ist ein romantischer Marktflecken in der Oberpfalz: Kallmünz. Hier, im Ortsteil Schirndorf, wurde in den Jahren

1964 bis 1975 der einzige große, vollständig erforschte Bestattungsplatz in Bayern aus der Hallstattzeit freigelegt. Die Grabkammern in den Hügeln (bis zu 14 m Durchmesser) wiesen sowohl Brand- als auch Körperbestattungen auf. Unter den 224 untersuchten Gräbern gab es auch kleine Urnengräber von nur einem halben Meter Durchmesser. Die Menschen der Hallstattzeit, das erwies sich auch bei den Kallmünzer Grabungen, müssen angenommen haben, daß im Jenseits große Gelage an der Tagesordnung seien, gaben sie doch ihren Toten ganze Sätze von Geschirr allerlei Art mit, damit es ihnen drüben an nichts fehle. Den toten Kindern aber hat man in Kallmünz (und nicht nur hier zur Hallstattzeit) ihr Spielzeug mitgegeben: Rasselkugeln und kleine Schüsselchen, in deren hohlem Fuß kleine Tonkügelchen eingesetzt waren, mit denen man auch ganz hübsch klappern konnte. Ob es in der frühen Zeit der Kelten (oder der späten der Illyrer) schon so liebe Mütter gab, die ihrem Nachwuchs das vom Spiel doch abhaltende Essen durch derartige Scherze zu erleichtern suchten? ... Vielleicht waren diese Hallstattleute auch ein besonders friedlicher Menschenschlag, wofür eigentlich die Tatsache spricht, daß in den 224 Gräbern von Kallmünz nur ganze fünf Schwerter als Beigaben gefunden wurden.

Etwa vom Jahr 500 v. Chr. ab blieb den Kelten nur ein halbes Jahrtausend in Bayern, bis ihre hohe Kultur durch den Einmarsch der Römer (15 v. Chr.) zerstört und ihre Stammeseigentümlichkeiten verwischt wurden. Es ist allerdings anzunehmen, daß schon vor dem Feldzug der Römer ins heutige Südbayern den Kelten einige germanische Stämme zu schaffen machten. Geblieben ist freilich von ihnen nicht nur das, was heute in Museen und Sammlungen zu sehen ist. Geblieben sind viele Orts- und fast alle Flußnamen, einschließlich von Donau und Isar, die alle illyrisch-keltischen Ursprungs sind. Darüber hinaus läßt sich in Bayern noch das keltische Erbe in Temperament und Veranlagung feststellen. So gehört Bayern zusammen mit Irland, Schottland, Wales und der Bretagne zu den letzten Trägern eines keltischen Erbes. In den fünfhundert Jahren ihrer Existenz lernten die Kelten, die offenbar von naturwissenschaftlich äußerst gebildeten Priestern geistig geführt wurden, den Menschen im Mittelmeerraum das Fürchten. Im Jahre 386 v. Chr. haben die keltischen Gallier die große Stadt Rom erobert und zerstört, 279 v. Chr. tauchten Kelten vor dem Orakel zu Delphi auf, und 277 v. Chr. drangen sie gar in Kleinasien ein, hielten sich dort als jene Galater, denen später der Apostel Paulus einen Brief schreiben wird. Die Kelten also sogar im Neuen Testament.

Die fünfhundert Jahre Keltenzeit werden auch Latènezeit genannt, nach einem einschlägigen Fundort am Neuenburger See in der Schweiz. In der frühen Latènezeit gibt es in Bayern zahlreiche Höhensiedlungen der Kelten, besonders im Donauraum, im Maingebiet, in Nordschwaben und in der Frankenalb. Diese Siedlungen befinden sich ausnahmslos an markanten Stellen der bayerischen Landschaft: Kallmünz in der Oberpfalz ist wieder zu vermerken, diesmal auf dem strategisch bedeutenden Schloßberg über dem Zusammenfluß von Naab und Vils, der Staffelberg bei Staffelstein im Obermaintal, die Ehrenbürg, auch »Walberla« genannt (wegen der alljährlich im Mai dort stattfindenden Walberlas-Kirchweih), bei Forchheim und Ebermannstadt, die »Houbirg« bei Happurg im Pegnitztal und der ebenfalls recht markante Sporn der Vogelsburg an der Volkacher Mainschleife.

Die keltischen Wanderungen, die etwa mit dem Jahr 400 v. Chr. einsetzen und letzten Endes auch zur Eroberung Roms führen, bringen auch den auf bayerischem Boden angesiedelten Kelten viel Unruhe. Sie verlassen ihre Höhlensiedlungen am Ende der Frühlatènezeit und besiedeln bisher von ihnen unberührte Gebiete. Eine Beruhigung der Verhältnisse tritt im 3. und 2. Jahrhundert auf, verbunden mit einer handwerklichen Sensation: die Töpferscheibe tritt nun an die Stelle des Handgeformten. Das 2. vorchristliche Jahrhundert bringt dann die ersten keltischen Münzen in den Handel, die »Regenbogenschüsselchen«, wie sie später der Volksmund nennt, weil sie mitunter ein wenig konkav sind und weil man meinte, der Regenbogen lasse sie zurück, wenn er sich tränke. Mit zunehmendem Handel richten sich die Kelten im heutigen Bayern in den »oppida« ein. Julius Caesar, der Gallienkämpfer, beschreibt solche oppida als Sitz des Adels, der Priesterschaft und des Handels. Die oppida werden zum Teil wieder auf jenen Höhen gebaut, die schon zur Frühlatènezeit die keltischen Siedlungen getragen haben, zum Teil entstehen sie aber an ganz neuen Plätzen.

Die zwei wichtigsten oppida in Bayern befinden sich auf dem Michelsberg in Kelheim und in Manching bei Ingolstadt; letzteres ist das größte, bisher in Deutschland untersuchte, jedoch namenlos gebliebene oppidum. Das oppidum auf dem Michelsberg über Kelheim muß das »Alkimoennis« des Geographen Ptolemäus (ca. 85–160 n. Chr.) sein. Dort wurde hinter dem Schutz einer keltischen Mauer und eines 3,5 Kilometer umfassenden Außenwalles Erz abgebaut und an Ort und Stelle verhüttet, was zahlreiche kleine Gruben im Wald hinter der Kelheimer Befreiungshalle noch deutlich nachweisen. Eine Industriestadt der Kelten also, dieses frühe Kelheim. Das oppidum auf dem Michelsberg setzte sich am anderen Donauufer, beim heutigen Kloster Weltenburg fort. Dort hat 1948 ein Mädchen auf einer Wiese das schönste Stück keltischer Kunst gefunden, das in Bayern vorhanden ist (Prähistorische Staatssammlung München): den »Weltenburger Stier«, eine 11,5 cm lange Bronzeplastik der späten Latènezeit.

Das größte und bedeutendste oppidum der Kelten in Bayern war zweifelsohne dasjenige beim heutigen Manching, acht Kilometer südlich von Ingolstadt. Seit mehr als hundert Jahren finden dort in Abständen immer wieder Ausgrabungen statt, die besonders in jüngerer Zeit

durch große Systematik auch den entsprechenden Erfolg haben. Es konnte festgestellt werden, daß dieses oppidum von einer über 7 km langen Mauer in der Art umgeben war, wie sie Julius Caesar als »murus Gallicus«, als Gallische Mauer, beschreibt. Diese Mauer, heute noch als vier Meter hoher Wall erhalten, bestand aus einem etwa drei Meter breiten Balkengerüst, ähnlich einer Tribünenkonstruktion. In den unteren Teilen war das Gerüst durch Eisennägel zusammengehalten. Sichtbar waren nur die Balkenköpfe in der Fassade aus aufgeschichteten Jurakalksteinplatten. An der Innenseite, bequem für die Verteidiger, schloß sich eine flache Rampe an. Die technische Leistung, die hinter diesem Mauerbau steckt (allein 84 000 Kilogramm Eisennägel waren notwendig, dazu 17 000 Kubikmeter Holz, 7000 Kubikmeter behauene und 70 000 Kubikmeter unbehauene Steine sowie 420 000 Kubikmeter Erdbewegungen!) kann heute nicht genug bewundert werden.

Es läßt sich vermuten, daß dieses oppidum bei Manching die Hauptstadt von Vindelizien war, dem Gebiet des Stammes der Vindeliker, dessen Name für das letzte vorchristliche Jahrhundert vor allem durch römische Schriftsteller verbürgt ist, der einzige Name eines Keltenstammes in Bayern. Obwohl erst ein Bruchteil der 360 Hektar großen Fläche des oppidums erforscht und untersucht ist, steht fest, daß mindestens an die 10 000 Menschen in dieser Stadt lebten, daß die Anlage der Straßen und Häuser nach einer bestimmten Ordnung erfolgt war und daß neben Händlern auch viele geschickte Handwerker ansässig waren, die sogar den wunderschönen Glasschmuck selbst herstellen konnten, was aufgefundene Rohglasbrocken beweisen.

Keltenwälle ohne Siedlungshintergrund sind die Vierecksschanzen, von denen man – im Gegensatz zu den oppida – viele im südlichen Bayern findet. Diese meistens etwa 100 m im Quadrat messenden Schanzen waren Kultstätten der Spätlatènezeit. Eine dieser Anlagen (bei Holzhausen, Gemeinde Straßlach, Landkreis München) wurde in den vergangenen Jahren eingehend untersucht. Dabei stellte man fest, daß in der Nordwestecke der Schanze ein hölzerner Tempel gestanden haben muß. Außerdem fand man drei Schächte, zwischen 6 und 35 Meter tief. Es muß sich dabei um Opferschächte – und nicht, wie früher angenommen wurde, um Brunnen – gehandelt haben, da sich darin Lagen aus Brandresten, Fleischopfern und sterilen Erdschüttungen fanden.

Die Vindeliker, die keltischen Vor-Bayern, sind im Jahre 15 v. Chr. der letzte Keltenstamm Europas gewesen, der den Interessen des Römischen Weltreiches zum Opfer gefallen ist. Die ungleich besser ausgerüsteten Römer haben dabei weit mehr an keltischer Kultur und an keltischem Leben mit brachialer Gewalt zerstört, als es die Kriegsführung erfordert hätte. Bei diesem Feldzug wurde wahrscheinlich auch die Hauptstadt der Vindeliker, das oppidum bei Manching, dem Erdboden gleichgemacht.

Bild oben: Der Michelsberg bei Kelheim, der heute die Befreiungshalle trägt, war einst ein oppidum der Kelten, die hier Erz schürften und verarbeiteten. – Bild unten: Der »Weltenburger Stier« und ein Kultwidder (Bronzezeit).

Gut erhalten ist ein Stück der Römerstraße in der Nähe von Klais bei Mittenwald. Unter Kaiser
Claudius hatten die Römer bereits in den Jahren 46/47 n. Chr. einen Hauptverkehrs-
weg von Italien über den Reschen- und Fernpaß nach Augusta Vindelicum (Augsburg) ausgebaut, die »Via Claudia«.
Im 2. Jahrhundert wurde eine Römerstraße von Vipitenum (Sterzing) über den Brenner und
Mittenwald nach Raetien eingerichtet, die auch bei Klais vorbeiführte.

Erste Einteilung des Landes: Raetia und Noricum

Als Julius Caesar im Jahre 52 v.Chr. das keltische Gallien erobert hatte, war dieser neue Teil des Römischen Imperiums nur dann gesichert, wenn Rom auch die Alpenpässe und das nördlich vor den Alpen gelegene Land kontrollieren konnte. Zunächst standen dieser Forderung die Ereignisse der Bürgerkriege nach Caesars Ermordung entgegen. Als wieder Ruhe eingetreten war, konnte Kaiser Augustus an die Verwirklichung dieser Pläne herantreten, wobei die Endabsicht gewesen sein muß, das Römische Reich nach Germanien hinein bis an die Elbe zu erweitern. In diesem Fall hätte sich der Untergang Roms vielleicht verzögert. Was nun erfolgte, war eine Art Blitzfeldzug des Jahres 15 v. Chr. Die beiden Stiefsöhne des Kaisers Augustus, die jungen Feldherrn Drusus und Tiberius, marschierten mit ihren Soldaten übers Gebirg'. Drusus kam kämpfend durch die Tridentiner Berge das Etsch- und Eisacktal herauf, besiegte dabei wilde raetische Bergvölker, gewann über den Brennerpaß das Inntal und zog ins Voralpenland hinaus, wo er sich mit seinem Bruder Tiberius und dessen Armee vereinigte. Tiberius selbst war über die Nordschweiz zum Bodensee gelangt, wo er die einzige Seeschlacht in der Geschichte dieses »Schwäbischen Meeres« schlug und auch gewann und erreichte schließlich nach seiner eigenen Aussage die Quellen der Donau. Noch ein »grave proelium« – ein »schwerer Kampf« – am 1. August dieses fünfzehner Jahres, und auf dem eigens errichteten Triumphdenkmal des »Tropaeum Alpium« beim heutigen Ort La Turbie, zu Füßen der französischen Meeralpen, konnten alle Stämme des Alpen- und Voralpenlandes eingemeißelt werden, die von den Brüdern Drusus und Tiberius unterjocht worden waren, auch der Name der Vindeliker, der bayerischen Kelten. Die Wissenschaft konnte bis heute nicht klären, ob die Römer damals auch der Vindeliker Hauptstadt, das oppidum von Manching, eroberten und zerstörten, oder ob diese keltische Großstadt schon vorher durch eindringende Germanen oder gar durch innerkeltische Kämpfe untergegangen war.

Drusus und Tiberius, nach ihnen dann ihr Neffe Germanicus bekämpften von ihren neuen Militärbasen im Voralpenland aus die Germanen, besonders die Markomannen unter ihrem König Marbod. Dieser wich mit seinem Volk nach Böhmen aus, so daß im heutigen Nordbayern ein gewisses Vakuum entstand, das mit ausdrücklicher Billigung der Römer vom Germanenstamm der Hermunduren besetzt wurde. Diese hatten mit Rom eine Art Klientelvertrag, der sie auch zum Betreten des neuen römischen Legionslagers Augsburg-Oberhausen ermächtigte. Ähnlich gute Beziehungen hatten schon hundert Jahre vor Drusus und Tiberius die Noriker mit Rom geknüpft, jenes illyrisch-keltische Volk, das östlich des Inns zwischen Vindelizien und Pannonien hauste, also

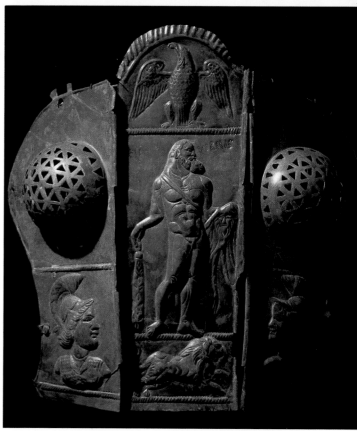

Bei festlichen Paraden trugen römische Reitersoldaten vergoldete Rüstungsteile. Bild oben: Gesichtsmaske eines Reiters. – Bild unten: Kopfschmuckplatte für ein Pferd aus dem sogenannten Schatzfund von Eining bei Kelheim.

etwa auf dem Gebiet des heutigen Österreich (ohne Tirol und Vorarlberg).

Die Stationierung von ein oder gar zwei römischen Legionen auf dem Gelände von Augsburg-Oberhausen läßt darauf schließen, daß Rom das Alpenvorland zwischen Iller und Lech wirklich als Basis für große Pläne gegen Germanien benützen wollte. Verschiedene Ereignisse, besonders aber die verlorene Schlacht des Varus im Teutoburger Wald gegen die Cherusker (9 n. Chr.), ließen die römischen Elb-Pläne verdorren. Als Tiberius schließlich Kaiser geworden war (14 – 37 n. Chr.), berief er seinen Neffen Germanicus und den Großteil des Militärs zu anderen Aufgaben zurück. Das Oberhausener Lager bei Augsburg wurde also aufgegeben, die militärischen Aufgaben wurden von kleineren Garnisonen im Landesinneren übernommen, wie etwa von Bregenz, Kempten, dem Auerberg bei Schongau, Epfach am Lech oder Gauting.

Kaiser Claudius war es, der große Entscheidungen für das eroberte Gebiet traf. Er faßte Raetien und Vindelizien zu einer Provinz Raetia zusammen, während die Lande östlich des Inn die Provinz Noricum bildeten. Entwikkelte sich in Noricum das heutige Salzburg und damalige Juvavum bald zu einer wichtigen Römersiedlung, so stieg das heutige Augsburg als Augusta Vindelicum zur Hauptstadt nicht nur des vindelizischen Teiles, sondern von ganz Raetia auf. Jenseits der Alpen und östlich des Rhein war somit eine erste römische Stadt im Entstehen, der es an Glanz nicht fehlen sollte. Das Land zwischen Iller und Lech erfuhr durch die Gründung des Kaisers Claudius eine Blüte, die durch den Ausbau der Via Claudia Augusta (Italien – Reschenpaß – Fernpaß – Füssen – Augsburg – Donauufer) noch verstärkt und durch erste Kastellbauten an der Donau gesichert wurde. Östlich des Lech aber gab es zunächst kaum römische Aktivitäten.

548 km langes Baudenkmal: der Limes

Die chaotischen letzten Regierungsjahre und der Selbstmord des Kaisers Nero (54 – 68 n. Chr.) hatten das Römische Reich in Aufstände, innere Kämpfe und Verwüstungen auch in Raetien gestürzt. Aus den Wirren ging Kaiser Vespasian, der Favorit des römischen Ostheeres im Jahre 69 als stärkster Mann hervor. In den nur zehn Jahren seiner Regierung sorgte er für den Wiederaufbau, ließ in Rom den Monumentalbau des Kolosseums errichten und schickte seinen Sohn Titus in die aufständische Provinz Judäa, wobei dieser Jerusalem zerstörte. Titus wurde im Jahre 79 Vespasians Nachfolger. Er schob in Raetien die Reichsgrenze vorsichtig nach Norden vor und ließ Kösching (bei Ingolstadt) als erstes Kastell am nördlichen Donauufer errichten. Das geht aus einer auf das Jahr 80 verweisenden Bauinschrift hervor. Nur zwei Jahre, bis 81, währte Titus' Regierungszeit, und doch errichtete Rom nach seinem Tod den nach ihm benann-

Augsburg, das als »Augusta Vindelicum«
die Hauptstadt der römischen Provinz Raetien gewesen
ist, war besonders reich an hochwertigen
Kunstschätzen. Unser Bild: Genius aus dem Römischen
Museum der Städt. Kunstsammlungen (2./3. Jh.).

ten Triumphbogen. Der Zerstörer Jerusalems ging sogar als »amor et deliciae generis humani«, als »die Liebe und das Ergötzen des Menschengeschlechts« in die Geschichte ein, und zur Empirezeit Napoleons ließen sich die Damen ihr Haare gern als »Tituskopf« frisieren, eine Mode, die bis heute noch nicht ausgestorben ist.

Nahm man bisher an, daß unter Kaiser Vespasian bereits die römischen Befestigungen in Raetien an der Donau bis Passau vorgeschoben wurden, so erhärten sich die Beweise dafür, daß es erst Vespasians zweiter Sohn auf dem Kaiserthron, Domitian (81 – 96), war, der die Reihe der kleineren Kastelle zwischen dem schon bestehenden Oberstimm bei Ingolstadt und der Ostgrenze Raetiens bei Passau anlegen ließ: Abusina (Eining, an der Mündung der Abens, heute das am vollständigsten ausgegrabene Kastell), Regensburg/Kumpfmühl (ein erstes Kohortenlager), Sorviodurum (Straubing), Quintana (Künzing bei Osterhofen) und Boiodurum (Passau, das etwa ab 150 n. Chr. ein weiteres Auxiliarkastell erhält, das nach den germanischen Batavern, aus denen sich seine Besatzung rekrutierte, »Batavis« genannt ist). Unter Domitian wird auch die Nordgrenze über die Donau vorangetrieben. Auf bayerischem Boden entstehen die Kastelle Celeusum (Pförring an der Donau, nahe Eining), Vetoniana (das am Altmühlübergang gelegene Pfünz mit seinem späteren Hilfskastell Böhming), Biriciana (Weißenburg) und Mediana (Gnotzheim). Hier deutet sich schon die künftige ausgebaute Reichsgrenze, der »Limes«, an.

Der Limes ist nicht von Anfang an das erstaunliche, 548 km lange militärische Baudenkmal gewesen, das heute in vielen, mehr oder weniger deutlichen Spuren zwischen Andernach am Rhein und der Donau bei Hienheim erhalten ist. Das Wort wurde damals der Fachsprache römischer Landvermesser als »Grenzlinie« entnommen. Hat man zunächst im alten Rom dem Gedanken einer genau gezogenen Grenze weit ferngestanden, so zwang vor allem die Germanengefahr die Römer dazu, gegenüber diesen unruhigen Volksstämmen eine scharfe Grenze zu ziehen: den »Obergermanischen Limes«, der vom Rhein bei Andernach durch den Taunus an den Main vordrang, diesen später bis Miltenberg als »nassen Limes« benützte, durch den Odenwald sehr gerade südwärts bis Lorch führte und dort nach Osten zum »Raetischen Limes« abschwenkte. Teile des Obergermanischen Limes befinden sich bei Miltenberg und im Odenwald auf heute bayerischem Gebiet, der Raetische Limes verläuft östlich von Aalen auf nahezu seiner ganzen Strecke im heutigen Bayern.

Die Anfänge des Limes hat also Domitian mit seinen neuen Kastellen im Altmühlbereich gelegt. Unter den Kaisern Traian (98–117) und vor allem Hadrian (117–138) wurde der Limes dann zur eigentlichen Befestigung, wobei er zunächst eine Art geflochtener Palisadenzaun gewesen ist, wie man ihn an der Traiansäule in Rom dargestellt sehen kann. Dieser Zaun verband einzelne Wach-

Bild oben: Ein Gastwirt auf einem römischen Grabstein in Augsburg (Röm. Museum). – Bild unten: Römische Münze mit Kopf des Kaisers Marcus Aurelius, des Gründers von »Castra Regina« (Museum der Stadt Regensburg, 2. Jh.).

türme mit Signaleinrichtungen. Der Spielberg bei Gunzenhausen/Gnotzheim, der heute ein Schloß der Fürsten Oettingen trägt, soll seinen Namen zum Beispiel von »Spiegelberg« ableiten, also von einer Signalstation.

Der Nachfolger Hadrians, Kaiser Antoninus Pius (138 – 161), ließ den Limes durch weitere Kastelle und durch Wall und Graben verstärken. Der Raetische Limes bekam dabei sogar eine Mauer, ein gewaltiges Werk, wobei es bei den Verantwortlichen nicht an der gehörigen Portion Korruption fehlte. Grabungen haben ergeben, daß die vorgeschriebene einheitliche Ausführung an manchen Stellen in billigerer Weise umgangen worden ist. Am Ende war immerhin ein 548 km langer Grenzwall mit gut 1000 Wachtürmen und rund 100 Kastellen im nächsten Hinterland entstanden. Eine dieser römischen Niederlassungen am dichten Straßennetz unmittelbar hinter dem Limes war zum Beispiel das heutige Nassenfels, zwischen Ingolstadt und Eichstätt gelegen.

Der Raetische Limes, den die Menschen vergangener Jahrhunderte auch die »Teufelsmauer« genannt haben, nahm auf heutigem bayerischen Boden folgenden Verlauf: Hienheim (nahe dem Kastell Eining) – Böhming/Pfünz – Weißenburg – Theilenhofen – Gunzenhausen – Hesselberg – Wörnitzüberschreitung bei Weiltingen – Mönchsroth (Landesgrenze nach Baden-Württemberg). Kaiser Antoninus Pius und seine Vorgänger hatten gut daran getan, alles, was den Römern in Germanien lieb und wert war, also vornehmlich ihre Provinzen Raetien und Obergermanien, hinter einer durchlaufenden Befestigungsanlage zu bergen. Schon Antoninus Pius' Adoptivsohn Mark Aurel (161 – 180), der Philosoph auf dem römischen Kaiserthron, konnte den Limes und die neuen Kastelle gut gebrauchen, als er 15 Jahre lang Krieg gegen einen von den Markomannen angeführten germanischen Feind zu führen hatte. Mark Aurel gab nach fast 150 Jahren der Provinz Raetien auch wieder eine eigene Legion, die III. Italische. Er ließ für sie beim heutigen Regensburg, also gegenüber der Regenmündung, ein großes Castrum errichten, das später »Castra Regina« genannt wurde. Ehe dieser bedeutendste Militärstützpunkt Süddeutschlands fertig war, hatte er die Legion einstweilen im Lager Eining stationiert. Ein Modell in einer Vitrine des großartigen Museums der Stadt Regensburg zeigt die technischen Einzelheiten des Legionslagerbaus.

Waren die Markomannen Roms gefährliche Gegner der zwei ersten Jahrhunderte nach Christi Geburt, so traten im dritten und vierten Jahrhundert die Alamannen und ab 357 die Juthungen als unerbittliche Feinde an dieser Nordgrenze auf. Alamannen und Juthungen fielen mitunter weit in das Land ein, zerstörten Kempten und andere Orte. Rom verkleinerte seine Kastelle und verringerte deren Zahl, verlor schließlich das ganze, vom »trockenen Limes« zwischen Donau und Rhein umschlossene germanische Vorfeld. Das Römerreich wurde geteilt, die römischen Truppen 402 schließlich von Raetien

abgezogen. Ein Weltreich hatte verspielt und wartete auf Odoaker, einen germanischen Söldnerführer im Dienste Roms, der 476 den letzten weströmischen Kaiser Romulus Augustulus absetzte und erklärte, er verwalte nun Italien als »Patricius« des Kaisers von Ostrom. Odoaker seinerseits wurde 493 vom Ostgotenkönig Theoderich dem Großen besiegt und ermordet. Theoderich, der als »Dietrich von Bern« in die deutsche Heldensage einging, ersetzte das Römische Reich nun durch das Ostgotenreich.

Römerstädte überleben den Untergang

Sämtliche ältesten Städte Bayerns beginnen ihre Geschichte mit den Römern: Augsburg, Kempten, Regensburg, Passau. Salzburg müßte man noch dazunehmen, das ja in den Anfängen bayerisch gewesen ist, ehe es ein eigenes Fürsterzbistum werden konnte. Alle diese römischen Großorte haben den Untergang ihrer Gründer überlebt, wenn auch die Alamannen, Markomannen und Juthungen viel an und in diesen großen Römersiedlungen zerstörten. Kempten, das schon nach dem großen Alamanneneinfall von 233 auf die Enge der dortigen Burghalde zurückgenommen werden mußte, überlebte am wenigsten, wurde aber dann doch später zweifach reichsunmittelbar bedeutend: als Reichsstadt und als Fürstabtei. Die anderen vier großen Römersiedlungen in Bayern, Augsburg, Salzburg, Regensburg und Passau, wurden mit der Christianisierung bedeutende Bischofssitze, angeführt von Salzburg, wo der Metropolit saß.

Augsburg hat seine Stadtlaufbahn als römisches Heerlager begonnen; im heutigen Stadtteil Oberhausen standen zwei Legionen in Alarmbereitschaft, seitdem Drusus und Tiberius im Jahre 15 v. Chr. Raetien erobert hatten. Schon im Jahre 17 n. Chr. aber hätte Augsburgs römischer Anfang zu Ende sein können, als Kaiser Tiberius die dortigen Legionen abrief. Doch waren ja nun die ersten Straßen schon da, die von Rom und von Salzburg an dieses augsburgische Lechufer führten. Und so wurde Augsburg zu »Augusta Vindelicum«, zur Provinzhauptstadt der unter Kaiser Claudius geschaffenen Provinz Raetia. Selbst als unter Kaiser Diokletian (284 – 305) Raetia in je einen Teil »Prima« (mit Chur als Hauptort) und »Secunda« geteilt wurde, ging vom Glanz des römischen Augsburg als Hauptstadt des »zweiten Raetien« nichts verloren.

Der große römische Freund des damaligen Augsburg war zweifelsohne Kaiser Hadrian (117 –138), der in den Jahren 121/122 die ganze Provinz Raetia inspizierte und dem sein Augsburg so gefiel, daß er es für würdig befand, zur richtigen römischen Stadt rechtlich aufzurücken, zum »Municipium Aelium Augustum«. Eine schöne Stadt muß dieses römische Augsburg gewesen sein, das zeigen die teils prachtvollen Reste, die im »Römischen Museum« in der ehemaligen Dominikanerkirche ausgestellt sind. Eine Verwaltungsmetropole war das Augs-

Eine Schauspielermaske, aufgefunden auf dem Gelände des Lagerdorfes des ersten Kohortenkastells
in Regensburg (Kumpfmühl). Das eindrucksvolle Stück erinnert daran, daß auch
römische Soldaten eine Art »Fronttheater« hatten, bei dem die Schauspieler mit vorgebundenen tönernen Masken auftraten.
Die hier abgebildete Maske muß einem sogenannten »Pantomimen« gehört haben, der stumm
(daher der fast geschlossene Mund) agierte, mit komischen Gebärden.

Der Apis-Stier aus dem Museum der Stadt Regensburg wurde auf dem Gelände eines römischen Gutshofes
bei Niedertraubling (Landkreis Regensburg) gefunden. Er ist ein Zeichen dafür,
daß zur Römerzeit im heute bayerischen Land auch Religionen des Ostmittelmeerraumes eifrige Anhänger hatten. Der nur
7 Zentimeter hohe Bronzestier war das Abbild lebender Exemplare, die besonders in Ägypten als schwarze
Stiere (Apis) göttliche Verehrung fanden, als Zeichen von Tod und Wiedergeburt.

burg der Römerzeit und eine Stadt des blühenden Handels, an dem auch freundliche germanische Nachbarn, wie die Hermunduren, beteiligt waren. Gute Straßenverbindungen waren die Voraussetzungen für diesen Handel. Steinerne Zeugnisse gibt es in der Stadt, daß schon zur Zeit der Römer das Tuchmachergewerbe und der Fernhandel mit Wolle und Textilien hier zu Hause gewesen sind. So ist die heutige Textilindustrie im modernen Augsburg weiter nichts als die Fortführung einer zweitausend Jahre alten Tradition.

Gleichsam das Gegenstück zu Augsburg, der vornehmlich zivilen römischen Stadt in Bayern, ist Regensburg, dessen spätrömischer Name »Castra Regina« schon ankündet, daß hier Militärisches im Spiel gewesen sein muß. Der Vater Regensburgs ist schließlich Kaiser Mark Aurel (161–180), der in seinen Markomannenkriegen die III. Italische Legion in ein schier uneinnehmbares steinernes Lager am Donauufer, gegenüber der Regenmündung, verlegte. 6000 Soldaten lebten auf einer ummauerten und mit vier großen Toren versehenen Lagerfläche von knapp einem Viertel Quadratkilometer. Der Stadtplan des modernen Regensburg zeigt mühelos und auf den ersten Blick den Umfang dieses Legionslagers; Bauherren haben es im Bereich der Regensburger Altstadt schwerer als in irgendeiner anderen Stadt: Nahezu jede Baugrube wird zunächst einmal ein mehr oder weniger ergiebiges Arbeitsfeld für Archäologen. Besonders in der letzten Zeit hat sich durch Grabungsfunde das Bild des römischen Regensburg sehr abgerundet. So muß nun mit einiger Sicherheit angenommen werden, daß kurz vor Ende des 1. Jahrhunderts unter Kaiser Domitian (81–96 n. Chr.) im heutigen Stadtteil Kumpfmühl ein Kohortenlager errichtet worden war, zu dem bald auch eine zivile Ansiedlung, ein »vicus«, gehörte. Bei den Markomanneneinfällen, ab 166, muß sowohl dieses Lager als auch der dazugehörige Vicus zerstört worden sein. Als strategische Antwort auf den Überfall der Markomannen holte Kaiser Mark Aurel dann die III. Italische Legion und ließ aus mächtigen Quadersteinen das große Legionslager erbauen. Zu diesem wichtigsten Militärstützpunkt ganz Raetiens gehörte bald auch wieder eine Zivilsiedlung, eine »canabae«, mit Handwerkern, Wirtshäusern, Bädern, Villen von hohen Offizieren, die nicht in der Kaserne wohnen mußten, Lagerhäusern und öffentlichen Einrichtungen. Waren die Gebäude zunächst aus Holz erbaut, wurden sie nach einem Brand um das Jahr 244 in Stein erneuert. Wer sich so eine »canabae« mit ihrem Völkergemisch, mit Glücksrittern, Wirtsstuben, halbseidenen Damen und erlebnishungrigen Soldaten vorstellt, wird vielleicht ein wenig an den »Wilden Westen« Amerikas erinnert, wobei die Parallelen gar nicht so sehr an den Haaren herbeigezogen sind, als man beim ersten Gedanken vermuten möchte. Die Römische Abteilung des Stadtmuseums in Regensburg bewahrt ein recht eindeutiges (wenn auch angesichts der weit wertvolleren Schätze recht untergeordnetes) Zeugnis

**Stumme Zeugen der römischen Vergangenheit der Stadt Regensburg als »Castra Regina«, als Legions-
lager. Bild oben links: Kopf des Kriegsgottes Mars (Anf. 3. Jh.); Bild unten links: Eine
Hälfte der »Porta Praetoria« des ursprünglich doppelten Nordtores des Legionslagers Castra Regina (179 n. Chr.);
Bild rechts: Die Bronzestatue des Gottes Merkur mit Flügelhut, Flügelschuhen und Schlangen-
stab (und abgebrochenem Geldsack), im Museum der Stadt Regensburg.**

eines bunt-fröhlichen Treibens in dieser »canabae«: ein Steinrelief, das eine Gesellschaft froher Zecher bei aufgereihten Weinkrügen zeigt. Einer der Zecher aber hat sich von hinten einer Dame genähert und zwickt sie ganz eindeutig in ihr Hinterteil. Lebensübermut am Ende einer Weltepoche.

Von Göttern und ersten Christen

In dieser gewiß recht turbulenten spätrömischen Welt im heutigen Bayern, die selbst hier den alten Göttern Roms in den Tempeln vor den Kastellen und Zivilsiedlungen Ehrerbietung und Tribut zollte, lebten erste Christen. Hatte die römische Besatzung Raetiens schon einige alte Keltengötter nicht vertrieben, sondern sie in Verbindung mit ihren heimischen Gottheiten gebracht (so nennt sich die römische Siedlung Seebruck am Chiemsee »Bedaium« nach dem Keltengott »Bid«, den man in einen »Jupiter-Bedaius« umwandelte; des weiteren hat die keltische Pferdegöttin Epona auch ihren römischen Reliefstein in Cambodunum-Kempten), so waren eben auch viele Römer und solche, die es werden wollten, Anhänger der neuen Lehre des Christentums.

Da ist die frühe Christenlegende von der heiligen Afra zu Augsburg, der angeblichen Tochter des Königs von Zypern, die ihr Leben dem Dienst der Venus weiht, in Augsburg ein entsprechendes Haus eröffnet, in das, auf seiner Flucht vor der Christenverfolgung des Diokletian, Narzissus, ein Bischof, unwissend einkehrt. Von seinem Tischgebet erschüttert, bekennt sich Afra von nun an zum Christentum und wird, 304, auf dem Lechfeld, an einen Baumstamm gebunden, verbrannt.

Bild oben: Der »Hinternzwicker« in der Szene eines Weingelages, das auf einem römischen Grabstein abgebildet ist, der in Regensburg aufgefunden wurde. Ein Bild römischer Lebensfreude und Sinnenlust (Museum d. Stadt Regensburg).

In Regensburg gibt es einen schlichten Grabstein, gefunden im großen römischen Gräberfeld bei Kumpfmühl, der berichtet: »Sarmannine quiescenti in pace martiribus sociatae« – Für Sarmannina, die in Frieden ruht, vereint mit den Märtyrern. Ob diese frühe Christin in Bayern (4. Jh.) gleich Afra den Märtyrertod erlitten hat? Oder ob man nur in der Freude des neuen Glaubens dem Vorübergehenden mitteilen wollte, daß hier die Christin Sarmannina liege, der Weltangst und allen Qualen in die Geborgenheit des Märtyrerhimmels entronnen?

Sarmannina lebte jedenfalls in der späten Welt der Römer in Bayern. Eine böse Zeit. Was einst so wohl geordnet war, wurde zerstört, die Verbindungen zu Rom brachen ab, Germanenstämme beherrschten das Voralpenland ab der Zeit um 450. Da war nun seltsamerweise aber einer, dem auch die germanischen Eroberer Respekt zollten: der heilige Severin, ein Mönch, der auf dem Boden von Boiodurum (Passau-Innstadt) ein Kloster gründet und ein zweites in Fabiano bei Wien. In der römischen Provinz Noricum und im östlichen Raetien (Passau war durch seine Lage am Grenzfluß Inn zu beiden Provinzen gehörig) wirkte er als die große Zufluchtsperson. In der »vita Severini«, die sein Schüler Eugippius, der 511 als Bischof von Neapel bezeugt ist, geschrieben hat, wird von einem Alamannenkönig Gibuld erzählt, der in Noricum eingebrochen war. Durch die Autorität des Severin wird dieser König nicht nur am weiteren Vormarsch gehindert, sondern stellt auch die Plünderungen ein.

Am frühesten sind die rein militärischen Posten der Römer im heutigen Bayern verödet. Wo es eine zivile Siedlung gab, setzte sich das Leben meistens fort. So haben zum Beispiel Grabungen unter der Niedermünsterkirche in Regensburg ergeben, daß die Militärbaracken des Legionslagers im 5. und frühen 6. Jahrhundert von Germanen bewohnt waren. Das bezeugen schon entsprechende Funde an Töpferei. Auch für Augsburg gibt es eine Fortsetzung des urbanen Lebens, was der Afra-Kult beweist. Salzburg und Passau – womit wieder die vier späteren bayerischen Bischofssitze (mit Ausnahme von Freising) beisammen sind – haben zwar ebenfalls nicht im alten Glanz überlebt, starben aber immerhin nicht völlig aus. Durch die Vermittlung des heiligen Severin und auf Anordnung des Odoakers, nun Machthaber in Rom, wurden viele Romanen am Ende des 5. Jahrhunderts aus Raetien und Noricum nach Italien zurückgeführt. Die aber im Lande blieben, waren sicher nun unter den Germanen die Unterprivilegierten. Man nannte sie »Walchen«, woran, besonders im Chiemgau und im Salzburgischen, viele Ortsnamen erinnern. Dieses »Walchen« aber kann sehr wohl ein Spottname gewesen sein, ein Spottname für diejenigen, die fünf Jahrhunderte die Herren gewesen waren in Raetia und Noricum, in zwei Provinzen, von denen nicht unbeträchtliche Teile das Land Bayern geworden sind.

Vom Herzogtum zum Königreich

Es ist schon gesagt worden, daß der
Freistaat Bayern das älteste in Europa erhaltene Staatsgebilde ist. Die Geschichte dieses
Landes nimmt ihren Anfang bei dem Geschlecht der Agilolfinger, das von den Frankenkönigen aus dem Haus der
Merowinger über den Stamm der Bayern als Herzöge eingesetzt
wurde. Schon unter dem Agilolfinger Tassilo III.
findet ein erster Versuch statt, aus einem abhängigen
Herzogtum Bayern ein Königreich zu machen, das
weitgehende Selbständigkeit besitzt. Gleich Tassilo gelingt es auch späteren Bayernfürsten nicht, diesen Traum zu
verwirklichen. Selbst als aus Bayern im
19. Jahrhundert wirklich ein Königreich geworden war, ist es
ein abhängiges Königtum gewesen, erst von
Napoleon, dann von Preußen. Noch heute gibt es in Bayern
Kräfte, denen es eine schmerzliche Wahrheit ist, daß
auch ein demokratisches Bayern sich zwar Freistaat
nennen kann, keineswegs aber auch nur den
Anschein von Selbständigkeit vorweisen kann. So zieht sich
ein roter Faden von den ersten Herzögen Bayerns,
die das zweitausend Jahre alte Regensburg (Bild links) zu
ihrer ersten Hauptstadt machten, bis zu den födera-
listischen Politikern unserer Tage, die
keineswegs nur in einer einzigen Partei des
weiß-blauen Staates daheim sind.

König Autharis romantische Brautfahrt

Müßig ist es, sich am Disput der Geschichtswissenschaft zu beteiligen, der immer noch darüber geführt wird, woher die Bayern am Ende der Völkerwanderung gekommen sind. Die eine Seite läßt sie aus Böhmen über die Further Senke einwandern (weil sie ja auch die »Boier« genannt wurden), die anderen vermuten einen Einmarsch aus den Ebenen Pannoniens, also aus dem heutigen Ungarn. Es scheint sich eine Einigung dahingehend anzubahnen, daß die Baiern, Boier oder auch Bajuwaren eine Mischung vieler Völkerschichten sind: aus dem, was die Römerzeit an Menschen im heute südbayerischen Raum zurückgelassen hat und dem, was am Ende der Völkerwanderungszeit von irgendwoher aus dem Osten dazugekommen ist.

In die Geschichte Altbayerns – und nur um diese geht es in den nächsten Kapiteln – kann man sich am besten mit dem lapidaren Satz des Bischofs und Geschichtsschreibers Jordanis aus dem Jahre 551 einführen lassen: »Regio illa Suavorum ab oriente Baibaros habet« – Im Osten der Schwaben sitzen die Bayern. Kaum hatte Jordanis aus dem süditalienischen Croton diese Erkenntnis gewonnen, haben diese »Baibaros« auch schon einen Herzog: Garibald I. Er ist der erste, namentlich bekannte Bayernherrscher aus dem Hause der Agilolfinger, deren Herkunft die zweite große Unbekannte am Anfang einer Geschichte Altbayerns ist. Franken sollen sie gewesen sein, meint der eine Teil der Wissenschaft, für Burgund als Heimat der Agilolfinger tritt der andere Teil ein. Vom Volk gewählt waren diese Agilolfinger, sagt eine Lehrmeinung, von den fränkischen Merowingerkönigen eingesetzt, meint die Gegenpartei.

Eines steht fest: Schon der erste bekannte oberste Bayer, eben jener Garibald, war gegen das, was man bei guten Bayern heute noch ist: gegen den Zentralismus. Das war in seinem Fall: gegen die Vormundschaft der Frankenkönige. So tat sich Garibald mit den 568 auf fränkische Veranlassung hin in Oberitalien einmarschierten Langobarden zusammen, die sich in der italienischen Luft ebenfalls von den Frankenkönigen emanzipieren wollten. Liebe flocht das Band der dezentralistischen Politik des frühen bayerischen Staates und des Langobardenreiches in Oberitalien, das damals gerade erst an die zwanzig Jahre bestand. Der Langobardenkönig Authari (was für ein schöner Name!) ging auf Brautschau zum Bayernherzog Garibald, seinem politischen Verbündeten. Er kam mit Begleitung, gab sich aber nicht als Bräutigam zu erkennen, um die Tochter Garibalds, Theodolinde, unverbindlich sehen zu können. Sie gefiel ihm so sehr, daß er sie das Jahr darauf, 589, ehelichte. Unerkannt zog er mit seinen Landsleuten wieder von Garibalds Hof, eskortiert von einer Gruppe Bayern. An der Grenze beider Stämme hielt Authari sein Pferd an, hob sich hoch im Sattel empor und hieb seine Streitaxt tief in den Stamm eines Baumes. »Solche Hiebe führt Authari«, soll er dabei gesagt haben. Und nun wußten die bayerischen Geleitgeber, wen sie vor sich hatten. Ist es nicht so gewesen, so ist es doch wunderschön erfunden von den alten Geschichtsschreibern. Nur sechzehn Ehemonate blieben Authari und Theodolinde. Dann starb Authari, in der Blüte der Jahre, an Gift, wie gesagt wurde. Theodolinde aber blieb die verehrte Königin der Langobarden, bekehrte diese vom arianischen zum katholischen Christentum, erhielt deshalb von Papst Gregor I. wertvolle Geschenke. Dieser Papst widmete der bedeutenden Frau aus Bayern auch die vier Bücher seiner »Dialoge«. Theodolinde, die sich wieder verheiratete und bis 628 lebte, stiftete nach Autharis Tod den Dom zu Monza, in dem sie begraben liegt. Der Dom von Monza birgt auch die Eiserne Krone der Langobarden, mit der später die deutschen Kaiser zu Königen von Italien gekrönt worden sind.

Das Herzogsgeschlecht der Agilolfinger brachte also von Anfang an bedeutende Persönlichkeiten hervor. Sie, die Agilolfinger, bildeten nicht den einzigen Hochadel im Stammesherzogtum. Da waren die fünf bayerischen Uradelsgeschlechter der Faganen, Anionen, Drozza, Hachilinga und Huosi, die beim Aufbau des Staates mitwirkten. Dazu kam niedriger Adel, vielleicht waren es auch nur Sippenführer. Sie haben zur Zeit der »Bajuwarischen Landnahme« den vielen sogenannten »echten -ing-Orten« den Namen gegeben, wie etwa Giesing (von einem Kieso) oder Chieming (von einem Chiemo), wobei ein Ortsname wie Chieming soviel wie »bei den Leuten des Chiemo« bedeutet hat.

Unter den fünf Uradelsgeschlechtern waren die Huosi zweifellos die bedeutendste Familie. Ihr Kernland lag im heutigen Pfaffenwinkel zwischen Isar, Lech und dem Gebirge. Sie traten später als die Gründer und Stifter mehrerer Klöster auf, so vor allen Dingen Benediktbeuerns (747). Bisher hat man die Stifter des Klosters Tegernsee (ebenfalls 747), die Brüder Adalbert und Oatker, ebenfalls als Huosi gesehen, doch eine Öffnung des Tegernseer Stiftergrabs im Jahre 1962 ließ die Erkenntnis gewinnen, daß es sich bei diesen beiden Männern wohl um Agilolfinger handeln muß.

Herzog Garibalds Hochzeitspolitik zum Zwecke der größeren Unabhängigkeit von den Merowingerkönigen Frankens war vergeblich gewesen. 591 schlossen Franken und Langobarden Frieden, und Frankenkönig Childebert II. enthob Garibald seines Herzogsamtes und setzte dafür Tassilo I. ein, mit aller Wahrscheinlichkeit ein Sohn Garibalds. Tassilo I. (gestorben 610) und sein Sohn Garibald II. (610 – 660) hatten große Mühe, die von Osten andrängenden Slawen, besonders die Awaren, abzudrängen, was ihnen letzten Endes offenbar nur mit fränkischer Hilfe gelungen ist. Die Kämpfe fanden vorwiegend in den östlichen Tälern des heutigen Tirol und Südtirol statt. Es wird angenommen, daß bei diesen Kriegszügen die Bajuwaren gleichzeitig in Südtirol Fuß faßten. Um 670 wird jedenfalls schon ein bajuwarischer Grenzgraf zu Bozen erwähnt. Unter Tassilo I. ist es in Bayern

Über dem Grab des Märtyrers Emmeram, der von einem Sohn des Bayernherzogs Theodo erschlagen wurde,
ließ dieser Herzog um die Wende des 7. zum 8. Jahrhunderts ein Kloster in
seiner Hauptstadt Regensburg errichten, das bald zu großer Blüte kam. Von hervorragender Bedeutung ist der Kreuzgang
der Benediktinerabtei, der sowohl romanische als auch gotische Elemente aufweist.
Unser Bild: Romanisches Portal an der Nordseite des Westflügels, entstanden um 1240.

übrigens schon königlich zugegangen. Der Geschichtsschreiber der Langobarden, Paulus Diaconus, schreibt über den Machtwechsel von 591: »In diesen Tagen wurde Tassilo vom Frankenkönig Childebert in Baiern als König eingesetzt.« Ein König der Bayern also.

Während der Regierungszeit Garibalds II. hat der letzte tatkräftige Merowingerkönig, Dagobert I., von vermutlich an seinem Pariser Hof lebenden Gelehrten das bajuwarische Volksrecht zusammentragen lassen. Dabei entstand die erste Fassung der um 740 noch einmal herausgebrachten »Lex Baiuvariorum«. Darin sind die Agilolfinger, deren Residenz das von den Römern verlassene »Castra Regina«, das heutige Regensburg gewesen ist, als Stammesherzöge mit Erbrecht ausgewiesen. Es heißt: »Der Herzog aber, der dem Volke vorsteht, er war immerdar aus dem Geschlecht der Agilolfinger und soll es sein. Denn so haben es die Könige, unsere Vorfahren, jenen zugestanden, als sie denjenigen aus ihrem Geschlecht, der dem König treu und klug war, zum Herzog einsetzten, jenes Volk zu regieren.« Da steht es nun recht eindeutig, daß es die Frankenkönige, die Merowinger, waren, die das Land vergeben und die Agilolfinger eingesetzt haben. Freilich werden es in erster Linie die Herzöge in ihrer Regensburger Residenz gewesen sein, die die Abhängigkeit zu spüren hatten, während Volk und eingesessener Uradel diesem Verhältnis zwischen Frankenkönigen und Bayernherzögen mehr oder weniger unbeteiligt zugesehen haben.

Herzog Theodo und die drei Heiligen

Heller wird es in der Geschichte des altbayerischen Stammesherzogtums mit dem vierten Agilolfinger: Herzog Theodo, dessen Vater im Jahr 660 starb. Während seiner langen Regierungszeit, er starb erst 717, haben sich im Frankenreich die schwachen Merowingerkönige nicht mehr gegen ihre höchsten Hof- und Kriegsbeamten, die »Hausmeier« aus dem Geschlecht der Arnulfinger/Karolinger, durchzusetzen vermocht, so daß von nun an das Frankenreich entweder Schattenkönige hat oder gleich von den Hausmeiern regiert wird, bis der Hausmeier Pippin III., Karls des Großen Vater, seinen König Childerich III. mit Zustimmung des Papstes absetzt und sich 751 zum König ausruft.

Als Herzog Theodo in Bayern regierte, kamen gegen Ende des 7. Jahrhunderts drei heilige Männer in sein Land, um die entweder noch heidnische oder nur arianische Bevölkerung zum Katholizismus zu missionieren: Rupert, der Sohn des Grafen von Worms, Emmeram von Poitiers und (erst um das Jahr 700) Korbinian von Arpajon bei Melun. Alle drei werden in bischöfliche Funktionen eingesetzt: Rupert in Salzburg, Emmeram in Regensburg, Korbinian in Freising. Herzog Theodo unternahm 716 eine Reise nach Rom, wo er mit Papst Gregor II. die Organisation der Kirche in Bayern bespricht, deren

Emmerams-Plastik in der Vorhalle der St. Emmeramskirche zu Regensburg. Der Heilige war zunächst Bischof in Poitiers, ehe er als Bischof und Missionar in der Hauptstadt des Herzogtums Bayern, Regensburg, tätig wurde.

48

wirkliche Ausführung dann in den Jahren 738/39 der angelsächsische Missionar Bonifatius übernimmt.

Der Einzug des später heiliggesprochenen Emmeram in der Herzogstadt »Reganespurc« endet in einem blutrünstigen Drama. Herzog Theodos Tochter Uta wurde im unverheirateten Zustand von einem Adeligen namens Segebot geschwängert. Uta beschuldigte, mit dessen Einverständnis offenbar, Emmeram der Vaterschaft. Dieser war gerade zu einer Romfahrt aufgebrochen und vermeinte offenbar, daß sich die Wogen über den Vorfall daheim glätten könnten bis zu seiner Rückkehr. Es kam aber anders. Als Emmeram mit seiner geistlichen Begleitung gerade in der Einsiedelei von Kleinhelfendorf (östlich von München) zur Andacht eingekehrt war, holte ihn der rasende Bruder Utas, der junge Herzog Lantpert ein, stieß Emmeram nieder, ließ ihn an eine Leiter binden und seine Glieder bei lebendigem Leib abschneiden. Emmerams Leiche wurde zunächst in der hölzernen Kirche zu Aschheim beigesetzt (wo Münchner Archäologen in der dortigen Peterskirche tatsächlich vor einigen Jahren sein leeres Grab auffanden) und nach vierzig Tagen zu Schiff isarabwärts und donauaufwärts nach Regensburg gebracht. Dies berichtet Bischof Arbeo von Freising (723–783), der Biograph Emmerams und Korbinians. Herzog Theodo erwartete den Trauerzug am Regensburger Donauufer und geleitete ihn zur Begräbnisstätte, der sicher schon spätrömischen Sankt-Georgskirche, die den Kern des um 690 gegründeten Klosters und späteren Reichsstiftes Sankt Emmeram darstellt. Das frühe Herzogtum hatte mit dem Martyrium Emmerams einen ersten Landesheiligen gewonnen.

Drei erste Landesbischöfe in Bayern, Rupert, Korbinian und Emmeram, legten also den Grund zur Organisation der Kirche. Papst Gregor II. vereinbarte 716 mit Herzog Theodo diese kirchliche Organisation, und der angelsächsische »Apostel der Deutschen«, der heilige Bonifatius, richtete dann unter Herzog Odilo in den Jahren 738/39 endgültig die vier bayerischen Diözesen Salzburg, Regensburg, Passau und Freising ein.

Herzog Theodo hatte in seinen späten Jahren einen Teil der Macht an vier Söhne abgegeben, von denen ihn nur einer, Grimoald, überlebte. Dessen Neffe Hucbert meldete aber Rechte an, die er mit Hilfe des Karolingers Karl Martell auch durchsetzte. Am Ende ließ er 728 seinen Onkel Grimoald ermorden, regierte dann wegen der fränkischen Hilfe, im Gegensatz zu seinem Großvater Theodo, in großer Abhängigkeit. Hucberts Nachfolger wurde 737 Odilo, der Gründer des Klosters Niederalteich bei Deggendorf, in welchem um 740 die »Lex Baiuvariorum« ihre endgültige Fassung erhielt. 748 starb Odilo, seinen sieben Jahre alten Sohn und Erben Tassilo III. hinterlassend. Tassilo III. hätte dazu bestimmt sein können, aus dem Herzogtum Bayern ein selbständiges Königreich zu machen, wäre nicht zugleich mit ihm im Reich der Karolinger ein anderer mit hohem Flug heraufgekommen: Karl der Große.

»Zuerst Herzog, dann König, zuletzt ein Mönch«

Tassilo III. ist der letzte Agilolfinger und zugleich das tragischste Schicksal dieser ersten bayerischen Herrscherfamilie. Der Siebenjährige hatte seine Mutter Hiltrud, die jedoch bald starb, zum Vormund, dann versah dieses Amt Karl Martells Sohn und Hiltruds Bruder Pippin der Kurze, der Zahl nach Pippin III. Durch diese Vormundschaft geriet der junge Herzog freilich in eine besondere Abhängigkeit zu Karolingern, erschien als erster Bayernherzog auf den fränkischen Reichstagen, schwor immer wieder Treuegelöbnisse und Vasalleneide. Obwohl Bayern zwar immer noch kein fränkisches Lehen war und Tassilo III. im Inneren schalten und walten konnte, mußte er alle Augenblicke zu Hof reiten und an den vielen Reichskriegen teilnehmen. 763 kam es aber zum Bruch, als Tassilo mit seinem bayerischen Kontingent auf dem vierten aquitanischen Feldzug das Frankenheer verließ und dafür in der Zukunft die Ostgrenzen seines Herzogtums gegen die drohende Gefahr der Avaren, eines hunnisch-tartarischen Steppenvolks, erfolgreich verteidigte. 772 konnte er die slavischen Karantanen durch einen Sieg über die Avaren endgültig auf die bayerische Seite bringen. Tassilos Klostergründungen zu Innichen im Pustertal und auch zu Kremsmünster zielten darauf ab, diese östlichen Landesteile auf Dauer für das Abendland zu kultivieren.

Segensreiche Jahre waren das für Bayern. Doch das Unglück bahnte sich seinen Weg. Eine Tafel an der Kirche des Tassiloklosters Mattsee (Land Salzburg) kündet es an: »Tassilo, zuerst Herzog, dann König, zuletzt ein Mönch«. Das soll heißen: Nachdem aus dem Herzog nahezu ein selbständiger bayerischer König geworden war, mußte er zum Mönch werden. Ein großer, zu großer Gegner war ihm erstanden: König Karl, Pippin des Kurzen Sohn, der spätere Kaiser Karl der Große. Er demütigte Tassilo III. zuerst auf diplomatischem Weg, und als er gar mit einem Heerbann anrückte und den Bann des Papstes noch auf Tassilo lenkte, mußte dieser wieder einmal den Vasalleneid leisten und Geiseln stellen, darunter auch einen eigenen Sohn. Das war im Herbst des Jahres 787.

Im nächsten Jahr erschien Tassilo auf dem Reichstag von Ingelheim, wurde dort entwaffnet, des Hochverrats angeklagt, zum Tode verurteilt und zur lebenslangen Klosterhaft begnadigt. Auch seine Gemahlin Liutbirga und die Kinder wurden gefangen herbeigeschleppt und gleich Tassilo für immer in Klöstern zum Schweigen gebracht. Man weiß nur, daß Tassilo an einem 11. Dezember gestorben ist, kennt aber nicht das Jahr. In den von ihm gegründeten Klöstern (und das ist mehr als ein Dutzend) hat man an jedem 11. Dezember den Jahrtag Tassilos in Gebet und Gottesdienst begangen. Und die noch bestehenden Klöster halten diesen Brauch noch heute. Im großartigen Kremsmünster bewahrt man gar den Tassi-

Der »Tassilokelch« des Klosters Kremsmünster (Oberösterreich) aus dem Jahr 768 (unser Bild zeigt die »Heilandsseite«) war der Hochzeitskelch Herzogs Tassilo III. und der langobardischen Prinzessin Liutpirc.

lokelch auf, seinen und Liutbirgas Hochzeitskelch, und ein Leuchterpaar stellt in Wirklichkeit das 788 von Karl dem Großen zerbrochene Zepter dar, das die treuen Mönche auf diese Weise verbargen. Als Einhard, einst Karls des Großen Berater und Diplomat, in der Zurückgezogenheit des von ihm gegründeten (828) Odenwaldklosters Steinbach seine Vita Caroli Magni, die Lebensbeschreibung seines Kaisers also, verfaßte, notierte er für die Ingelheimer Vorgänge von 788 schlicht: »Tassilo wurde später vor den König geladen und ihm nicht erlaubt, zurückzukehren...«

Die Ungarn stürmen durch das Bayernland

Karl der Große blieb nach Tassilos Verbannung selbst Herr über das Land Bayern. An ihn erinnert, neben den zahlreichen Königshöfen im Lande, die seine Reisen und sein Regieren im Herumziehen erleichterten, das Dorf Graben bei Treuchtlingen. Hier kann man den Anfang eines allerersten Rhein-Main-Donau-Kanals sehen, Kaiser Karls des Großen Versuch, Altmühl und Retzat, die sich hier bis auf wenige Kilometer nahe kommen, mit einem Durchstich zu verbinden und so eine schnelle Verbindung für sich selbst, für seine Truppen und für

Güter zwischen Rhein und Donau herzustellen. Ein paar Monate haben die damaligen Bewohner dieses Landstrichs an diesem Graben (nach dem der Ort nun so heißt) geschaufelt. Was sie aber am Tag an Erdreich bewegten, hat ihnen der dauernde Regen immer wieder weggespült. Die Arbeiter sahen darin ein Gottesurteil, und Karl der Große mußte seinen Plan nach ein paar Monaten aufgeben.

Als Karl der Große 814 zu Aachen starb, teilte sein Sohn und Nachfolger Ludwig der Fromme (817 – 840) sein Reich unter seine Söhne als Mitregenten auf, wobei sein Sohn Ludwig Bayern bekam und sich das mauerumwehrte Regensburg als Königspfalz einrichtete. »Ludwig, von Gottesgnaden König von Baiern«, nennt er sich in den Urkunden. Als er später im Vertrag von Verdun (843) das Ostfränkische Reich zwischen Nordsee und Wien bekam, nannte er sich »Ludwig, der Deutsche«. Seine Gemahlin Hemma entstammte dem Geschlecht der Welfen. Sie brachte eine Erbkrankheit in die Familie der Karolinger, die Arteriosklerose. Ihr fiel die später seliggesprochene Tochter Irmingard in jungen Jahren zum Opfer, der Ludwig das Kloster Frauenchiemsee erbauen ließ, dessen verehrte Domina sie wurde. Erst in den letzten Jahren sind die aus karolingischer Zeit erhaltenen Bauten auf der Fraueninsel, vor allem der Torbau, als sol-

Das Kloster Wessobrunn im Pfaffenwinkel (südlich des Ammersees) soll der Legende nach von Herzog Tassilo III. gegründet worden sein, dürfte aber in Wirklichkeit schon vor ihm bestanden haben (um 753). Das zur Barockzeit als Künstlerdorf berühmt gewordene Wessobrunn wurde zur Zeit der Säkularisation des Großteiles seiner Klosterbauten beraubt. Aus romanischer Zeit der Abtei ist noch der Wehrturm (13. Jh.) erhalten, den man den »Grauen Herzog« nennt.

che erkannt und restauriert worden. Das zweite Opfer der von Hemma (die ebenfalls seliggesprochen ist) eingeschleppten Krankheit wurde Ludwigs Sohn Karlmann, der sein Bayern sehr liebte und 880 als erster Herrscher Bayerns in seiner Pfalz im Gnadenort Altötting beigesetzt wurde, an dem Ort, an dem später die bayerischen Wittelsbacher ihre Herzen bewahren lassen.

In Regensburg residierten die letzten Karolinger: Karlmanns unehelicher Sohn Arnulf, vor seiner Königswürde Markgraf von Kärnten, und zuletzt, nach Arnulfs Tod (899), sein siebenjähriger Sohn Ludwig das Kind, der letzte Karolinger in deutschen Landen. Die Geschicke Bayerns hatte zu dieser Zeit schon ein Verwandter König Arnulfs in Händen: Markgraf Luitpold. Er sah 900 den ersten Reitersturm der Ungarn über die Enns kommen und stellte sich 907 zur Schlacht von Preßburg, die für ihn eine vernichtende Niederlage und seinen und fast des ganzen bayerischen Adels Tod brachte. Sein Sohn und Nachfolger Arnulf betrieb trotz der fortwährenden Ungarngefahr wieder die alte bayerische Unabhängigkeitspolitik gegenüber dem fränkischen König Konrad und dessen Nachfolger, dem Sachsen Heinrich. Erst Kai-

Findlingsstein mit dem Anfang des »Wessobrunner Gebets« unter der Wessobrunner Tassilolinde. Der Hymnus, im Original eine Handschrift des 8. Jahrhunderts, ist die älteste christliche Dichtung in althochdeutschen Stabreimen.

ser Otto I. gegenüber ließ er Loyalität walten. Zwischen 909 und 913 hatte Herzog Arnulf die Ungarn dreimal geschlagen: 909 an der Rott, 910 bei Neuching und 913 am Inn. Diese Siege begründeten seine, allerdings erfolglosen, Ansprüche auf den deutschen Königsthron. Als Arnulf 937 starb, vertrieb König Otto I. dessen Sohn und Nachfolger Eberhard und setzte zunächst Arnulfs Bruder Berthold als Herzog in Regensburg ein. Nach dessen Tod aber bekam Ottos Bruder Heinrich das Land Bayern, dazu 952 auch das »Herzogtum Friaul«, womit Bayern bis an das Ufer Venedigs, bis an die Adria reichte und für kurze Zeit seine größte Ausdehnung hatte. Bayern waren auch dabei, als Kaiser Otto der Große, wie man Otto I. bald nannte, im Jahre 955 die Ungarn auf dem Lechfeld bei Augsburg vernichtend schlug. Nun war wieder Ruhe im Land. Der Wiederaufbau der von den Ungarn verwüsteten und ausgeraubten Klöster und Orte konnte beginnen.

Otto des Großen Nachfolger, Kaiser Otto II., hatte nicht wenig Schwierigkeiten mit seinem in Bayern regierenden Vetter Heinrich II., den die Geschichte den »Zänker« nennt, weil dieser verbissen an der Idee eines süddeutschen Königtums festhielt. So kam der Zänker in den Jahren 976 bis 985 vorübergehend um seinen Thron. In dieser Zeit herrschten in Bayern Herzog Otto, der zugleich Herzog von Schwaben war und der Luitpoldinger Heinrich III. Heinrich der Zänker, der 985 bis zu seinem Tod im Jahre 995 wieder als Herzog eingesetzt war, ließ seinen Sohn Heinrich vom großen Regensburger Bischof Wolfgang erziehen, dem Mann, der das Bischofsamt in Regensburg vom Amt des Abtes von St. Emmeram und im Jahre 973 das Bistum Prag von Regensburg abtrennte. Aus seinem Schüler Heinrich aber wurde der große Kaiser Heinrich der Heilige, der Gründer des Bistums Bamberg.

Wieder ein Bayer gegen das Reich: Heinrich der Löwe

An die zehn Herzogsnamen aus den verschiedensten Häusern kennt die Geschichte Altbayerns, beginnend bei Heinrich dem Heiligen bis zum Jahre 1070, in welchem Herzog Welf I. zu Goslar von Kaiser Heinrich IV. (dem Canossa-Gänger) Bayern übertragen wurde, nach Meinung der Zeitgenossen »die glänzendste und am höchsten geachtete Würde im Reich«. Das Welfengeschlecht, dem auch die selige Königin Hemma, Ludwigs des Deutschen Gemahlin, entstammte, saß ursprünglich in der Gegend von Metz, hatte seinen Stammsitz aber mittlerweile in den Raum Weingarten/Ravensburg (heute Baden-Württemberg) verlegt. Im Mannesstamm waren diese Welfen schon 1055 ausgestorben. Welf I. war der Sohn der Welfin Kunizza und des Markgrafen Azzo II. von Este, halb süddeutsch, halb norditalienisch also. So versteht man es auch besser, wenn schon mit Welf I., kaum daß ihm ein deutscher König das bayerische Amt

Ausschnitt aus der Bildwand des Nordportals der Jakobskirche in Regensburg. – Iroschottische
Mönche erbauten im 12. Jahrhundert mit Hilfe reicher Spenden eine großartige
Kirche in Regensburg, deren figurenreiches Nordportal um 1180 entstanden ist. Die einzelnen Figuren, Fratzen und
Mysterientiere versinnbildlichen die frühmittelalterliche Heilserwartung. Man
könnte sagen, diese Wand sei ein steingewordenes Spiel vom Antichrist.

gegeben, das Löcken wider den Reichsstachel anhebt. Durch geschickte Heiraten sichern sich die Welfenherzöge von Bayern auch Rechte im Herzogtum Sachsen, welches dann am 4. Dezember 1137 von König Lothar von Süpplingenburg an den Welfen Heinrich den Stolzen übergeben wird. Nun hält das Geschlecht gleich zwei Herzogtümer in Händen. Heinrich der Stolze, der zusammen mit den reichen Kaufleuten von Regensburg dort den Bau der Steinernen Brücke beginnen läßt, macht sich durch seine Bewerbung um den Königsthron (nach Lothars Tod) zum Gegner des Staufen Konrad, den man zum König gewählt hatte, obwohl Heinrich der Stolze von der Fülle seiner Macht her gewiß der mindestens ebenbürtige Kandidat gewesen ist. Nach Heinrich des Stolzen Tod im Jahre 1139 zu Quedlinburg, kommt es mit seiner Witwe zum Vergleich in Frankfurt, wobei dem jungen Sohn Heinrich, den man später den Löwen nennen wird, wenigstens Sachsen bleibt, während Bayern schon ab 1139 an den Babenberger Leopold IV., den staufentreuen Markgrafen von Österreich gegeben wird. Nach Leopolds baldigem Tod bekommt sein Bruder Heinrich »Jasomirgott« (weil er angeblich immer die Wendung »ja, so mir Gott...« aussprach) die bayerische Herzogswürde. Ein anderer Babenberger, Heinrich Jasomirgotts Bruder Otto, war bereits seit 1137 Bischof in Freising.

Der junge Welfe Heinrich, temperamentvoll und von kühnem Stolz wie alle seine Vorfahren, erweist sich bald als »Löwe«. Er kämpft um sein bayerisches Erbe und setzt König Konrad III. nicht wenig zu. Dessen Nachfolger, Friedrich I., der »Barbarossa« (1152 – 1190), sucht deshalb, den Frieden zwischen den Welfen und den Babenbergern herzustellen. Auf einem großen Reichstag zu Regensburg gibt dann 1156 Heinrich Jasomirgott seinem Neffen Heinrich dem Löwen das Herzogtum Bayern zurück. Dafür wird die bis dahin bayerische Markgrafschaft Österreich aus der »Heerfolge« Bayerns entlassen. Damit ist das heutige Österreich zu Regensburg auf dem Reichstag von 1156 endgültig gegründet. Für Heinrich den Löwen aber bedeutet das eine starke Einengung in seinem bayerischen Machtbereich. So muß er zusehen, wo er bleibt.

Und er sieht zu! Da ist beim heutigen Münchner Vorort Oberföhring eine Zollbrücke über die Isar, verbunden mit einer Marktstätte. Brücke und Markt gehören aber nicht dem Bayernherzog, sondern seinem Onkel, dem Bischof Otto von Freising. Eine einträgliche Einnahmequelle ist dieser Platz, an einer alten Salzstraße gelegen. Herzog Heinrich der Löwe, noch jung in seinem Amt, brennt des Bischofs Brücke nieder und verlegt den Übergang und den Markt ein paar Kilometer flußaufwärts zu einem Gutshof oder Dorf, das den Tegernseer Mönchen gehört und das deshalb »ad Munichen«, bei den Mönchen, genannt wird. Die künftige Stadt München ist damit entstanden, ein großer Aufschwung kann beginnen. Die gewaltsame Verlegung der Isarbrücke von Oberföhring zum heutigen München muß im Jahr 1157, spätestens im Frühjahr 1158 erfolgt sein; denn für den 14. Juni 1158 steht dann der eigentliche Gründungstag Münchens fest. An diesem Tag setzt Kaiser Friedrich Barbarossa Siegel und Unterschrift unter eine Urkunde, die das Fortbestehen des neuen Isarüberganges und Marktes zu München festlegt. Barbarossa hat auf diese Weise zwischen seinem Vetter, Heinrich dem Löwen, und seinem Onkel, Bischof Otto von Freising, vermittelt. Der Freisinger Bischof geht auch nicht leer aus: Er bekommt von den Münchner Münz- und Zolleinnahmen ein Drittel. Als Herzog Heinrich der Löwe im Jahr 1180 abgesetzt wird, will man München fast schon zerstören und den Oberföhringer Übergang wieder herstellen. Man entschließt sich (auf einem Reichstag zu Regensburg) aber doch anders: München kommt von Bayern in das Eigentum des Freisinger Bischofs. 1240 können aber die Wittelsbacher dies wiederum ändern, erhalten München zurück, und München muß dafür wieder eine jährliche Entschädigung an Freising zahlen, dies in Form einer Pauschale bis 1803. In diesem Jahr wird das Hochstift Freising im Zuge der Säkularisation aufgelöst. München zahlt aber weiter und zwar nun an den bayerischen Staat. Erst 1852 kann sich die Stadt mit einer einmaligen Zahlung von 987 Gulden endgültig von dieser 700 Jahre alten Verpflichtung lösen.

München war also gegründet und konnte sich im Laufe der Zeit zu Bayerns Hauptstadt entwickeln, die 1158 freilich immer noch Regensburg war. Herzog Heinrich der Löwe aber baute seine Macht in den zwei Herzogtümern Sachsen und Bayern immer weiter aus, handelte dabei – vor allem in Sachsen – oft impulsiv und nicht immer legal, so daß er sich den Haß des einsässigen Adels zuzog, auch den der kirchlichen Herren. Am Ende kam es auch noch zum Konflikt mit Kaiser Barbarossa. Begleitete Herzog Heinrich seinen Vetter und Kaiser am Anfang noch auf seinen vielen Italienzügen, in denen Barbarossa vor allem die lombardischen Städte wieder zur Botmäßigkeit bringen und die Wirrungen eines päpstlichen Schismas lösen wollte, so versagte er ihm bald die Heeresfolge auf diesen Zügen. Im Jahre 1176 bat der Kaiser seinen Vetter, angeblich sogar auf Knien, um Waffenhilfe, erhielt aber ein schroffes Nein. Damit hatte Heinrich der Löwe den Bogen überspannt. Aus einer Machtfülle im Reich, wie sie bisher nicht erreicht worden war, wurde er nach einem nach dem Land- und Lehensrecht geführten Prozeß, bei dem auch die Adeligen und Kirchenfürsten seiner beiden Herzogtümer Klagen führten, auf dem Reichstag zu Regensburg im Jahre 1180 abgesetzt. Die stärkste Persönlichkeit auf dem mittelalterlichen Herzogsthron Bayerns war ausgeschaltet. Am 16. September 1180 belehnt Kaiser Friedrich Barbarossa seinen alten Waffengefährten, den bayerischen Pfalzgrafen Otto von Wittelsbach mit dem Herzogtum Bayern. Die Geschichte des Landes ist nun bis 1918 auch die Geschichte des Hauses Wittelsbach.

Ein alter Haudegen erhält seinen Lohn

Die Geschichte der Dynastie Wittelsbach im Lande Bayern beginnt also am 16. September des Jahres 1180, als Kaiser Friedrich Barbarossa den bisherigen Pfalzgrafen Otto von Wittelsbach mit dem Herzogtum Bayern belehnt. Kartenspielern sagt der Ort der Handlung einiges: Altenburg in Thüringen. Hier wurde im 19. Jahrhundert das Skatspiel entwickelt.

»Otto comes palatinus de Guitelinespac erat magne stature.« Otto, Pfalzgraf von Wittelsbach war also von großer Statur, dazu auch schön, mit langem, fast schwarzem Haar; auch sei er tapfer, sprachgewandt und pflichtgetreu gewesen. So schildert ihn Acerbus Morena aus Lodi in Italien, und der Chronist Rachwin von Freising vermeldet, daß dieser Otto von Wittelsbach allzeit dem Kaiser Friedrich Barbarossa als einer seiner engsten Räte zur Seite gestanden habe und daß ohne ihn und den Kanzler, den Mainzer Erzbischof Rainald von Dassel, keine wichtige Entscheidung getroffen worden sei. Dabei hatte alles mit einer handfesten Feindschaft begonnen. Im Streit der Welfen mit dem Stauferkönig Konrad III., dem Onkel und Vorgänger Friedrich Barbarossas, standen die Wittelsbacher auf der Seite der Welfen. König Konrad verhängte deshalb auf dem Reichstag zu Regensburg im Jahre 1151 die Reichsacht über die Wittelsbacher und belagerte sie in ihrer Burg zu Kelheim. Die Wittelsbacher ergaben sich nach einigen Wochen; und König Konrad verzieh dem alten Pfalzgrafen, seinen ältesten Sohn Otto aber nahm er als Geisel an seinen Hof. Die schöne Folge dieser Geiselnahme war eine lebenslange Freundschaft zwischen dem künftigen Kaiser Friedrich Barbarossa und dem künftigen Bayernherzog Otto I.

Der junge Pfalzgraf (diese Würde erbte er mit seines Vaters Tod im Jahr 1156) begleitete Kaiser Friedrich Barbarossa auf seinen Italienzügen, geriet im Papststreit mit in den Bann und rettete dem Kaiser sogar einmal das Leben und das Heer, als er auf dem Heimweg vom ersten dieser Italienzüge (1154) in der Veroneser Klause einen Überfall des Raubritters Alberich vereitelte. Dieser hatte an der Engstelle des Etschtales einen Hinterhalt gelegt, den Pfalzgraf Otto aber mit Hilfe ortskundiger Führer zusammen mit zweihundert seiner Bayern umging und siegreich von oben über die Wegelagerer herfiel.

In der Veroneser Klause hat sich Otto von Wittelsbach in jenem Zorn gezeigt, der ein Teil des keltischen Erbes der Bayern ist. Drei Jahre später, 1157, entlädt sich dieser Zorn schon wieder. Auf dem Reichstag zu Besançon behauptet der päpstliche Legat, Kardinal Roland, der Kaiser verdanke seinen Rang ja nur dem Papst im Rom. Da stürzt sich Pfalzgraf Otto mit blankem Schwert auf den Kirchenmann. Barbarossa wirft sich zwischen die beiden Gegner und rettet so dem Legaten, der später Papst Alexander III. und des Wittelsbachers Feind wurde, das Leben. Otto von Wittelsbach, der als Graf in der Genealogie als der Achte, als Herzog aber als der Erste bezeichnet wird, macht sich weiterhin um den Kaiser verdient. Auf dem zweiten Italienzug nimmt er zusammen mit dem Kanzler und Erzbischof Rainald von Dassel im Handstreich die Stadt Ravenna, dem Papst Hadrian überbringt

Die Gemahlin des Pfalzgrafen Otto II. von Scheyern, Haziga, hatte um 1075 ein Kloster in Bayrischzell gegründet, das über Fischbachau und den Petersberg bei Dachau schließlich um 1120 in Scheyern endgültig angesiedelt wurde, wo bis dahin die Stammburg der Scheyern stand. Die Grafen hatten sich in »Witelinespach«, dem heutigen Oberwittelsbach bei Aichach, angesiedelt und ließen sich in ihrem Kloster Scheyern nur noch eine Grablege einrichten.

er ein Ultimatum, ist bei der Einnahme von Mailand dabei, teilt mit seinem Kaiser die Nachteile des durchaus rein politischen Kirchenbanns, unternimmt zusammen mit dem österreichischen Herzog Heinrich Jasomirgott eine diplomatische Reise an den Hof des oströmischen Kaisers Komnenos zu Konstantinopel. Man kann also sagen, daß an jenem 16. September 1180 zu Altenburg ein guter Freund, aufrichtiger Berater und alter Haudegen mit dem Herzogtum Bayern nicht nur belehnt, sondern auch belohnt worden ist.

Aus welcher Familie kam nun dieser treue und höchst zornige Pfalzgraf und neue Herzog? Zwar nicht völlige (diese ist gar nicht möglich), aber doch einige Aufklärung erhält der Betrachter der sogenannten »Genealogie« der Wittelsbacher, jener zwanzig Fürstenbilder in der Grabkirche der Wittelsbacher im Kloster Scheyern bei Pfaffenhofen an der Ilm. Die ersten sechs Bilder zeigen auf, daß die Wittelsbacher vom Geschlecht der Luitpoldinger stammen, die sich als Markgrafen und Herzöge im 10. Jahrhundert bei der Abwehr der Ungarneinfälle auszeichneten. Die Nachkommen dieser Luitpoldinger (bewiesen ist das aber nicht) nannten sich nach ihrer Stammburg zu Scheyern die Grafen von Schyren.

Um nun von den Schyren zu den Wittelsbachern zu kommen, ist ein Ausflug ins bayerische Gebirge notwendig, nach Bayrischzell. Dort gründeten in der zweiten Hälfte des 11. Jahrhunderts zwei adelige Einsiedler die »Margarethenzelle«, die aber bald talauswärts nach dem heutigen Fischbachau verlegt wurde. Gönnerin und Stifterin dieses kleinen Klosters war Gräfin Haziga von Schyren, die mit Graf Otto II. von Scheyern in zweiter Ehe verheiratet war. Unter den Nachkommen Ottos und Hazigas wurde das Kloster von Fischbachau um 1104 auf den Petersberg bei Dachau verlegt. Dort aber klagten die Benediktinermönche über Wassermangel. So erhielten sie um 1116 die Stammburg der Schyren, eben das heutige Kloster Scheyern, als endgültigen Ort ihrer Niederlassung. Die Schyren aber zogen auf ihre neue Burg Wittelsbach bei Aichach und nannten sich bald nach diesem Sitz.

Mit dem Wittelsbacher Otto I. hat Kaiser Barbarossa einen guten Freund auf den wichtigen Bayernthron gebracht, einen, der auch nicht zu begütert war und der dem Königshaus nicht mehr so gefährlich werden konnte wie zuvor die Welfenherzöge. Freilich kam da auch kein Niemand auf den Thron. Die bayerische Pfalzgrafenwürde war ja schon eine Auszeichnung für die Wittelsbacher gewesen (wobei nun ein Bruder des neuen Herzogs die Pfalzgrafschaft übernahm), und der Bruder des neuen Herzogs, Konrad, war nicht zuletzt durch seine Gelehrtheit (er hatte in Paris studiert) und Weltgewandtheit zum Erzbischof von Mainz, dann von Salzburg und am Ende wieder von Mainz und zur Würde eines Kardinals aufgerückt. Dieser erste wittelsbachische Kardinal begleitete Herzog Otto I. auf dessen Huldigungsreise durch sein neues Land. Otto I. sollte nicht

Zwei Ausschnitte aus den »Scheyerner Fürstenbildern«; Bild oben: Pfalzgraf Otto III., der die Benediktiner auf Scheyern ansiedelte.
Bild unten: Herzog Otto I. von Wittelsbach, der 1180 mit dem Herzogtum Bayern belehnt worden ist.

Nach Herzog Ludwigs des Kelheimers Ermordung im Jahre 1231 stiftete seine Witwe Ludmilla von Bogen in Landshut das Kloster Seligenthal, wo in der Afrakapelle das Herzogspaar in einer frühgotischen Plastik zu sehen ist.

mehr lange regieren dürfen. Auf der Heimreise von Konstanz, wo sein Kaiser Barbarossa den Frieden mit den lombardischen Städten unterzeichnet hatte, ist er im oberschwäbischen Pfullendorf am 11. Juli 1183 gestorben. Sein Sohn und Erbe Ludwig, den die Geschichte wegen seines Sterbeortes »den Kelheimer« nennt (und der wahrscheinlich auch dort geboren ist), war damals etwa zehn Jahre alt, da man vermuten muß, daß er 1173 geboren ist. Seine Mutter, die Brabanterin Agnes van Loon, vor allem aber sein Onkel und Vormund, Kardinal Konrad von Mainz (vorher von Salzburg), sorgten unermüdlich dafür, daß dem kleinen Ludwig das eben vom Vater gewonnene Herzogtum erhalten blieb.

Ein weiß-blaues Himmelbett und zwei Fürstenmorde

1187, im Alter von 14 Jahren, hat Ludwig I. sein bayerisches Herzogsamt angetreten. Die Zeit war nicht danach, daß ihm daraus eitel Wonne hätte entspringen können. Während seiner Regierungszeit stritten Staufer und Welfen wieder einmal um die deutsche Königskrone. Seine bayerische Hauptstadt Regensburg strebte mit kaiserlicher Unterstützung (warum sollte ein Kaiser die Regensburger Pfeffersäcke nicht lieben wollen?) und kraft ihres enormen Handelsreichtums in die Reichsunmittelbarkeit, die sie um die Mitte des 13. Jahrhunderts auch erreichte. Die großen Adelsgeschlechter des Landes, allen voran die mächtigen Grafen von Bogen, denen fast der ganze Bayerische Wald gehörte, wollten ebenfalls reichsunmittelbare Fürsten werden, ebenso die Bischöfe im Lande, von denen kein Herzogtum in Deutschland so viele hatte wie der Herzog von Bayern: Salzburg, Passau, Regensburg, Freising, dazu noch Landesteile im Gebiet der Bischöfe von Eichstätt, Bamberg und Augsburg. Der junge Herzog war also von vielen Seiten bedroht, es wurde gekämpft und intrigiert. Das Geschick meinte es allerdings gütig mit den Wittelsbachern. Im Laufe des 13. Jahrhunderts starben die stärksten und ältesten Geschlechter des Landes aus: die Sulzbacher, die Burggrafen von Regensburg, die Vohburger, Wasserburger, Neuburg-Falkensteiner (im Inntal), dann die gefährlichen Grafen von Bogen und 1248 schließlich die größten Widersacher, die Andechser, die seit dem Jahr 1180 mit ihren dalmatinischen Ländern an der Adria Herzöge von Meranien waren, einem Gebiet, das mit Meran in Südtirol nebenbei gesagt in keiner Beziehung gestanden hat.

In all diesen Kämpfen und Reibereien mit dem geistlichen und weltlichen Adel Bayerns muß es eine große Sensation gewesen sein, als Ludwig I. sich im Jahr 1204 auf seiner Burg zu Kelheim mit der Witwe des Grafen von Bogen verheiratete. Die Braut Ludmilla, Nichte des böhmischen Königs Ottokar I., brachte ihm den ganzen Donaugau ins Brautbett mit, zumal des letzten Bogeners Söhne später kinderlos starben. Das Brautbett war übrigens ein weiß-blaues Himmelbett, kam doch mit der Heirat auch das Wappen der Bogener, die weiß-blauen Wecken, an das Haus Wittelsbach und an Bayern. Benützt wurde dieses Wappen bei den Wittelsbachern etwa seit dem Jahr 1240.

Die Hochzeit von Ludwig dem Kelheimer und der Gräfin Ludmilla von Bogen hatte – zumindest in der Legende – ein recht amüsantes Vorspiel. Als Herzog Ludwig, damals ein gestandenes Mannsbild von dreißig Jahren, wieder einmal stürmisch um Ludmilla warb und ihr alle Ehre und Treue versprach, wenn sie ihn nur erhören wolle, da deutete die junge Witwe auf einen Wandteppich, auf dem drei Ritter abgebildet waren. Sie ließ den Herzog »angesichts der drei Ritter« schwören, daß er seine Versprechen ernst meine. Der Herzog schwor ernste und eheliche Absichten und siehe da: Hinter dem Teppich kamen drei wirkliche, lebendige Ritter hervor, die nun echte Zeugen des Schwurs waren. Der Herzog Ludwig aber, so heißt es, habe sich daraufhin längere Zeit nicht mehr bei Ludmilla blicken lassen, sei aber schnurstracks und in sichtlicher Verärgerung aus dem Zimmer geeilt. Vielleicht haben die drei versteckten Herren ein wenig zu viel von der Liebesleidenschaft ihres Landesherrn vernommen.

Zwei Jahre nach der Eheschließung brachte Ludmilla das einzige Kind dieser Ehe zur Welt, den späteren Herzog Otto II. Wiederum zwei Jahre darauf, 1208, geschah am 21. Juni zu Bamberg der erste Fürstenmord dieser Zeit. Pfalzgraf Otto von Wittelsbach, ein Vetter Herzog Ludwigs des Kelheimers, tötete in einem Anfall von Jäh-

zorn den Stauferkönig Philipp von Schwaben. Dies geschah bei den Hochzeitsfeierlichkeiten des Herzogs Otto VII. von Andechs-Meranien und der Burgund-Erbin Beatrix, einer Nichte König Philipps. Gastgeber war der Bruder des Bräutigams, Bambergs Bischof Ekbert. Der Täter, Pfalzgraf Otto (den die Genealogie verwirrenderweise ebenfalls den Achten nennt), hatte aus verletztem Stolz gehandelt. König Philipp hatte ihm zuerst die Hand einer seiner Töchter verwehrt und dann noch den schlesischen Herzogshof vor Otto gewarnt, als dieser dort Brautschau halten wollte. Dies ließ den Pfalzgrafen in wittelsbachischem Jähzorn zum Königsmörder werden.

Für Bayernherzog Ludwig den Kelheimer war der Königsmord von Bamberg von Vorteil. Er erkannte zunächst einmal den welfischen Gegenkönig Otto von Braunschweig an und verhinderte mit seinem Beispiel eine nochmalige Doppelwahl. Zum Dank übergab ihm König Otto sowohl die Güter des mörderischen Vetters, des Pfalzgrafen, als auch diejenigen des Markgrafen Heinrich von Istrien. Dieser Markgraf war, zusammen mit seinem Bruder Ekbert, dem Bischof von Bamberg (beide waren Andechser), Augenzeuge des Königsmordes gewesen und wurde mit seinem Bruder der Mitwisserschaft geziehen. So kamen der Mörder und die beiden Andechser, letztere unschuldig, in die Reichsacht, zu deren Vollstrecker Herzog Ludwig der Kelheimer bestellt wurde. Die zwei Andechser flohen zu ihrer Schwester Gertrud an den ungarischen Königshof und konnten sich später rechtfertigen. Der Mörder aber wurde vom Reichsmarschall von Kalden in einer Scheune beim heu-

Zu den beliebtesten Ausflugszielen in der Umgebung Münchens gehört das Kloster Andechs auf dem »heiligen Berg« der Altbayern, hoch über dem Ammersee. Andechs war bis zu deren Aussterben (1248) der Stammsitz der Grafen von Andechs, die zugleich den Titel der »Herzöge von Meranien« trugen. Zur Wallfahrt der »heiligen Hostien« auf dem Berg stiftete Herzog Ernst 1438 ein Kollegiatstift, das sein Sohn Albrecht 1451 in ein Benediktinerstift umwandelte.

Ehe sie 1132 das Augustiner-Chorherrenstift Dießen gründeten und selbst in ihre Burg Andechs zogen, waren die Grafen von Dießen-Andechs in Dießen ansässig. In den Jahren 1733–1739 baute Johann Michael Fischer die barocke Stiftskirche, deren Fresken Johann Georg Bergmüller schuf. Das Hauptfresko zeigt die Geschichte der Klostergründung (unser Bild), ein Fresko im Chorraum öffnet den »Andechser Himmel« mit 28 Heiligen und Seligen des Andechser Grafengeschlechts.

tigen Bad Abbach entdeckt, auf der Stelle geköpft, das Haupt in die Donau geworfen und der Leichnam verscharrt. Die Legende erzählt, daß Herzog Ludwig den Leichnam seines unglückseligen Vetters in aller Stille habe ausgraben und in das Kloster von Indersdorf bringen lassen, dessen Stifter ihre gemeinsamen Vorfahren gewesen sind.

Eine Hochzeit, ein Königsmord und das Aussterben seiner politischen Rivalen hat Ludwig den Kelheimer also begünstigt. Er hatte 1204, im Jahr seiner Hochzeit, die Stadt Landshut gegründet, da ihm seine bisherige und traditionelle Hauptstadt Regensburg mehr und mehr in die Reichsfreiheit entglitt. 1218 gründete er dann Straubing und 1224 Landau an der Isar. Ein Städtegründer also. Das Heiraten aber hielt er nach wie vor (und sicher keineswegs irrigerweise) für eine ganz wunderbare politische Möglichkeit. So verlobte er seinen sechs Jahre alten Sohn Otto mit Agnes, der Erbin der Pfalzgrafschaft bei Rhein, der einzigen Pfalzgrafenwürde, mit der auch größerer Besitz verbunden war. Als diese Pfalzgrafschaft bei Rhein, die zur »Pfalz« schlechthin wurde, dann mit dem Tod von Agnes' Vater (1213) frei war, wurde Ludwig für seinen kleinen Sohn Otto mit dieser fetten, guten Pfalz belehnt. Ein außerordentlicher Gewinn, und jedermann konnte sehen, daß das Herzogtum Bayern mit seinem Wittelsbacher Ludwig auf dem direkten Weg war, ein Territorialfürstentum zu werden.

Ludwig der Kelheimer, Sohn eines schwertstarken, kriegerischen Vaters, war gewiß mehr Politiker als Mann des Eisens. So muß es auch nicht verwundern, daß er in seinem weiteren Leben mehrmals mit dem Schwert arg daneben geschlagen hat. So mußte er einmal gegen ein hohes Lösegeld aus der Gefangenschaft des Fürstenbundes der Niederlande freigekauft werden, und ein anderes Mal, 1227, machte er von seinem versprochenen Kreuzzug aus einen kriegerischen Abstecher nach Ägypten, bis nach Kairo, den er als volle Niederlage verbuchen konnte.

Beim großen Staufenkaiser Friedrich II., der ja einen Großteil seiner Regierungszeit in Sizilien verbrachte, stand der Kelheimer offenbar in Ansehen. Der Kaiser machte den Herrscher des wichtigsten deutschen Herzogtums (und dies war Bayern gewiß) zum Reichsverweser und zum Vormund seines Sohnes Heinrich, zu dem aber Ludwig der Kelheimer kein besonders gutes Verhältnis finden konnte, auch nicht als sein Mündel als Heinrich VII. den deutschen Königsthron bestiegen hatte. Da wurde er sogar verdächtigt, beim Papst gegen den 1227 ernannten König intrigiert zu haben, was freilich auch der Wahrheit hat entsprechen können.

Am 15. September 1231 verließ Ludwig der Kelheimer seine Wasserburg zu Kelheim durch das »Alte Donautor«. Da sprang ihn ein Unbekannter mit einem Dolch in der Hand an und ermordete ihn. Das Volk und die Begleitung Ludwigs haben den Mörder auf der Stelle getötet. So konnte man nie erfahren, wer den Mann mit dem Dolch

Ob Bayerns zweiter Wittelsbacher-Herzog, Ludwig der Kelheimer, in der niederbayerischen Donaustadt
geboren ist, läßt sich nicht nachweisen. Seinen Beinamen erhielt er, weil er,
der Kelheim zu seinem Hauptsitz erkoren hatte, am 15. September 1231 auf dem Brücklein der »Alten Donau« ermordet
wurde. Eines der »Scheyerner Fürstenbilder« in der Wittelsbacher-Grabkirche zu Scheyern
zeigt die Tat des unbekannt gebliebenen, sofort erschlagenen Mörders.

im Gewande nach Kelheim geschickt hat. War es gar der Kaiser selbst, der den Mörder gedungen?

Ludwigs Sohn und Nachfolger Otto II., den die Geschichte den Erlauchten nennt, hat das Donautor zumauern und in eine Sühnekapelle verwandeln lassen. Er zog fort von Kelheim, dem für ihn nun bitteren Ort, residierte vornehmlich zu Landshut, das dadurch einen ersten großen Aufschwung nahm. In Kelheim aber ist noch heute ein Kreuz im Pflaster und ein selbiges am Wege, die Todesstelle des Herzogs bezeichnend. Eine Inschrift meldet, daß hier Herzog Ludwig »durch einen Narrn erstochen worden«.

Kelheim, so kann man spekulieren, hat durch die blutige Tat die Eigenschaft einer möglichen späteren Hauptstadt Bayerns eingebüßt. Des Herzogs Witwe, Ludmilla, wandte der Stadt ihrer Hochzeit ebenfalls den Rücken und ließ zu Landshut den Zisterzienserinnen das Kloster Seligenthal bauen als ihre eigene Wohnung und zum ewigen Gedächtnis an den Mann, den sie so seltsam gewonnen und so rätselhaft verloren hatte. Als »Seelgerät« (Stiftung zur Erlangung ewigen Heils) für ihren jäh aus dem Leben gerissenen Mann und auch als ihr eigenes, hat sie das heute noch blühende und die Töchter Niederbayerns erziehende Kloster errichtet. Eine spätere Künstlerhand hat für die Grabtumba die Figuren der Stifterin Ludmilla und des Herzogs Ludwig geschnitzt, fein und vornehm und mit dem weiß-blauen Rautenschild. Seit dem 17. Jahrhundert zieren diese zwei spätgotischen Standbilder nun die Emporenbrüstung der uralten Afrakapelle von Landshut-Seligenthal.

Vom verträumten Staufen Konradin und seinem bayerischen Großvater

Der dritte Wittelsbacher auf dem bayerischen Herzogsthron, Otto II. (1231 – 1253), wird von der Geschichte »der Erlauchte« genannt, warum, weiß eigentlich niemand. Mit seiner Gemahlin Agnes von der Pfalz, einer Welfin, die ihm nach ihres Vaters Tod die Pfalzgrafschaft bei Rhein eingebracht hatte, war Otto am Hof des Vaters aufgewachsen, hatte die Schaukelpolitik Ludwigs des Kelheimers kennengelernt und war mit der mangelnden Treue des Landesadels vertraut geworden. Vielleicht gab er sich deshalb in der freien Zeit, die ihm die Politik ließ, den Genüssen der Kunst hin, lud Minnesänger an den Hof zu Landshut, unter anderem den vielgerühmten Tannhäuser, Neidhart von Reuenthal und Reinbot von Dürne. Vielleicht war es sein Kunstverstand, der ihn in den Augen seiner Zeitgenossen zum »Erlauchten« gemacht hat, zu einem Landesherrn, dem sogar die alteingesessenen Dynastien und der Kirchenadel großen Respekt zollten.

In den 22 Jahren seines Regierens stellte er sich nach anfänglichen (vom Vater überkommenen) Schwierigkeiten mit dem in Deutschland eingesetzten Kaisersohn Heinrich (VII.) auf die Seite des Staufers Friedrich II., der

1235 von seinem Italien ins Reich nördlich der Alpen zog und im gleichen Jahr auf der Landshuter Trausnitz mit Herzog Otto II. seinen endgültigen Frieden besiegelte. Damals verbanden sich beide Häuser auch durch eine politische Verlobung zwischen der acht Jahre alten Wittelsbacherin Elisabeth und dem sieben Jahre alten Kaisersohn Konrad, dem nachmaligen Kaiser Konrad IV. Aus der Ehe, die dieser Verlobung nach einigen Jahren folgte, ging der letzte Hohenstaufe hervor, Konradin, der 1252 auf der heute verschollenen Burg Wolfstein bei Landshut das Licht der Welt erblickte.

Während der Regierungszeit Ottos des Erlauchten kamen durch das Aussterben der Grafen von Bogen deren weite Besitzungen an das Haus Bayern, konnten auch Wolfratshausen und Wasserburg am Inn, Andechs und Dießen, Schärding und Neuburg am Inn dazugeschlagen werden. Die bisherige Hauptstadt Bayerns, das durch Handel und Politik reich gewordene Regensburg, aber ging verloren, wurde 1245 von Kaiser Friedrich II. in die Reichsfreiheit entlassen. Der Herzog selbst handelte sich durch sein Zusammengehen mit dem Staufenhaus den päpstlichen Kirchenbann ein. Ein jäher Tod – nach einem festlichen Gelage auf der Burg Trausnitz – raffte den 47jährigen im November 1253 dahin, gerade als der Bußprediger Berthold von Regensburg nach Landshut gekommen war, um zwischen dem Papst und dem Herzog zu vermitteln. Ungelöst vom Bann konnte Otto der Erlauchte erst zwölf Jahre nach seinem Tod in der Wittelsbachergruft des Klosters Scheyern beigesetzt werden. Immerhin hinterließ Otto II. aber ein Herzogtum Bayern und Pfalz, das nun seinen Besitzstand gegenüber dem Antrittsjahr der Wittelsbacher (1180) verdreifacht hatte.

Ottos Sohn, Ludwig II., übernimmt nun mit 24 Jahren die Herrschaft in Bayern. Da der Vater durch sein plötzliches

Herzog Ludwig »der Strenge« mit seinen drei Gemahlinnen. Neben ihm Mechtild von Habsburg, ganz rechts die enthauptete Maria von Brabant, links daneben seine zweite Frau Anna von Schlesien-Glogau, die Vorgängerin Mechtilds.

Ableben seine Dinge in dieser Welt nicht mehr ordnen hatte können, regierte Ludwig zunächst gemeinsam mit seinem jüngeren Bruder Heinrich. Am 28. März 1255 teilten dann die zwei Brüder das Herzogtum unter sich. Ludwig II., der bis zur Volljährigkeit seines damals gerade dreijährigen Neffen Konradin Reichsverweser war, nahm sich die Pfalzgrafschaft bei Rhein und das westliche Herzogtum Bayern, das nun Oberbayern genannt wurde. Heinrich aber erhielt Niederbayern. Obwohl er eigentlich der erste Heinrich unter den Wittelsbacherherzögen war, nennt man ihn doch Heinrich XIII., weil er, über die ganze Zeit des Herzogtums gesehen, der dreizehnte Herzog dieses Namens gewesen ist. Heinrichs Hauptstadt war nun Landshut, während Ludwig II. nach München umsiedelte, in die heutige »Alte Hofhaltung«. Daß er in die Geschichte als »Ludwig der Strenge« eingegangen ist, rührt von einer schrecklichen und blutigen Tat: In der Nacht des 18. Januar 1256 ließ er im heutigen Donauwörth seine Gemahlin Maria von Brabant auf einen bloßen eifersüchtigen Verdacht hin, der sich bald als völlig unbegründet herausstellte, enthaupten. Zur Sühne für seine entsetzliche Tat stiftete Ludwig 1263 »in campum principum« das Zisterzienserkloster Fürstenfeld, das später zusammen mit dem Markt Bruck das heutige Fürstenfeldbruck ergab.

Als im Jahre 1254 Ludwigs Schwager, der deutsche König Konrad IV., in Italien plötzlich gestorben war, übernahm der Herzog die Vormundschaft über Konrads zwei Jahre alten Sohn Konradin, das Kind von Ludwigs älterer Schwester Elisabeth. Erst zu Landshut, dann zu München ist Ludwig dem letzten Hohenstaufen ein fürsorglicher Onkel, sichert ihm das Herzogtum Schwaben. Konradin verkehrt mit Minnesängern, macht selbst Minnelieder auf den steingrauen Bodenseeburgen Arbon und Meersburg, wird später (um 1300 – 1340) in einer Miniatur in der »Großen Heidelberger Liederhandschrift« des Züricher Patriziers Manesse verzeichnet. Mit 14 Jahren klagt Konradin: »Ich weiß noch nicht, was Liebesfreuden sind. Mich läßt die Schöne sehr entgelten, daß ich an Jahren bin ein Kind.« Ein Empfindsamer in der unruhigen und harten Zeit des Interregnums, der kaiserlosen Zeit. »Corradino«, wie Konradin von den Italienern zärtlich genannt wird, hat nicht mehr viel Zeit, die Freuden der Liebe kennenzulernen. Mit 15 Jahren zieht er über die Alpen, um das sizilianische Reich seines Großvaters Friedrichs II. zurückzuerobern. Der Papst, den Staufen nicht hold, hat das Südreich an Karl von Anjou, den Bruder des französischen Königs, gegeben. Konradins Onkel und Vormund Ludwig rät ab vom Krieg, begleitet den Neffen aber bis Verona. Im Zug ist auch der Mann, der 1273 durch seine Wahl zum deutschen König das Interregnum mit der Stimme Herzog Ludwigs beenden wird: Rudolf von Habsburg. Konradin, der jugendliche Held, wird in Italien teilweise stürmisch begrüßt, verliert aber am 23. August 1268 gegen den Anjou die Schlacht von Tagliacozzo (nordöstlich von Rom), flieht, wird ge-

faßt, vor ein Scheingericht gestellt und am 29. Oktober des gleichen Jahres mit zwölf Kampfgefährten auf dem Marktplatz von Neapel geköpft. Ludwig der Strenge aber tritt die »Konradinische Erbschaft« an, Gebiete und Orte in der heutigen Oberpfalz und um Schongau. Nürnberg hingegen, das auch zu der Erbschaft gehört hätte, läßt sich nicht fassen.

Als der bis dahin weitgehend unbekannte Graf Rudolf von Habsburg 1273 zur Königswahl ansteht, gibt ihm Ludwig II. seine Stimme, stellt sich auf die Habsburger Seite und heiratet in dritter Ehe eine Tochter des neuen Kaisers. Sie schenkt ihm 1282, am 1. April, den Thronerben Ludwig, den später, als er deutscher König und Kaiser ist, sein Todfeind Papst Johannes XXII. im Spott »Ludovicus Bavarus« nennen wird. Und mit diesem Namen, wenn auch ganz ohne bösen Stachel, ist er in die deutsche Geschichte eingegangen: Ludwig der Bayer.

König Konradin, der letzte Hohenstaufe, auf der Falkenjagd. Die Miniatur aus der Manessischen Liederhandschrift beweist, daß der auf Wolfstein bei Landshut geborene Konradin trotz seiner Jugend Minnesänger gewesen ist.

Auf der Gickelfehenwiese vor Mühldorf: die letzte Ritterschlacht

»Jetzt, Schreiber, schärfe Deinen Geist, denn ein schweres Stück Arbeit harrt Deiner, willst Du schildern den langen und langsamen Flug eines gewaltigen Adlers, der töricht zugleich und klug, achtlos und sorgenvoll, träge und ungestüm, niedergeschlagen und heiter, kleinmütig und tapfer, bei allem Unglück doch glücklich noch aufstieg, als ihm die Flügel schon versengt waren.« So beschreibt Matthias von Neuenburg, ein Zeitgenosse, den neuen Herzog Ludwig, den späteren König und Kaiser. Alles recht keltisch-bayerische Merkmale, die da aufgezeichnet werden. So hat der Papst Johannes XXII. in seinem Avignon, ohne es zu wollen, doch ins Schwarze getroffen, als er Ludwig 1324 den Kirchenbann auferlegt und ihn nun nicht einmal mehr »Ludovicus Rex«, sondern nur noch »Ludovicus Bavarus« nennen will.

Zur herzoglichen Würde in Oberbayern und der Rheinpfalz war zunächst nicht Ludwig bestimmt, sondern sein 1274 geborener Bruder Rudolf der Stammler, der nach dem Tod Ludwigs des Strengen (1294) zusammen mit der gemeinsamen Mutter, Mechtild von Habsburg, die Vormundschaft über den gerade zwölfjährigen Ludwig übernimmt. Da Rudolf, offenbar ein unguter Mensch von Haus aus, die habsburgische Gegenpartei ergreift, setzt sich Mutter Mechtild mit dem kleinen Ludwig an den heimatlichen Wiener Hof ab, wo Ludwig Seite an Seite mit seinem Vetter Friedrich erzogen wird, den man später »den Schönen« nennen wird und der sein Gegner werden soll.

Ludwig trotzt seinem Bruder Rudolf die Mitregentschaft ab. Man teilt die Herrschaft, vereinigt sie wieder, bis Rudolf, der sogar noch Ludwigs Gegenkönig die Stimme gibt, im Jahre 1317 gegen eine Abfindung endgültig auf die Mitregierung verzichtet und zwei Jahre später an einem unbekannten Ort stirbt. Während ihrer gemeinsamen Regierungszeit haben Ludwig und Rudolf im Jahre 1302 in einem Ort namens »Snaitbach« (vermutlich Oberschneitbach bei Aichach) die »Schnaitbacher Urkunde« unterzeichnet, in der sich die Stände des Herzogtums, der Adel, die Geistlichkeit und die Ritter, Bürger und Städte verpflichteten, eine Viehsteuer zuzulassen, die aus der großen Finanznot helfen sollte. Diese Urkunde ist der Anfang eines bayerischen »Parlaments«, da künftig die drei Stände ihre Vertreter in die »Landschaft« schicken werden, einer Art Regentschaftsrat. Im Jahre 1311 unterzeichnet auch der Vetter der oberbayerischen Herzöge, Otto III. von Niederbayern, ein gleiches Dokument, die »Ottonische Handfeste«, die, mehr noch als die Schnaitbacher Urkunde, die Bildung von Hofmarken mit eigener niedriger Gerichtsbarkeit fördert. Otto III., der ein abenteuerliches Leben hinter sich hat und auch einige Zeit unter dem Namen Beda König der Ungarn war (seine Mutter war Ungarin gewesen), stirbt ein Jahr nach der Unterzeichnung dieser, das gesellschaftliche

Bild des damaligen Bayern verändernden Urkunde. In Niederbayern gibt es nun drei unmündige Prinzen, deren Vormundschaft zwei Onkel in Anspruch nehmen wollen: Herzog Ludwig von Oberbayern und Herzog Friedrich der Schöne von Österreich.

Wer sollte nun in Niederbayern Vormund werden, Habsburg oder Wittelsbach, Friedrich oder Ludwig? In der Schlacht von Gammelsdorf (zwischen Moosburg und Landshut) am 9. November 1313 konnte Ludwig mit Hilfe der ihm treu und tapfer zur Seite stehenden Bürger seiner Städte und gegen den eigenen Landesadel von Niederbayern, der auf der Seite Friedrichs stand, diese Frage für sich entscheiden. Dieser Sieg war so beeindruckend, daß Ludwig, da 1314 der deutsche Königsthron wieder einmal verwaist war, von der Mehrzahl der Kurfürsten zum deutschen König gewählt wurde. Eine kleinere Gegenpartei, darunter der eigene Bruder Rudolf, wählte hingegen Friedrich den Schönen zum König, der den Vorteil hatte, die echten Reichsinsignien in Händen zu haben, dem aber am falschen Platz, in Bonn, immerhin aber vom richtigen Mann, dem von alters her dazu legitimierten Erzbischof von Köln, die Krone aufgesetzt wurde. Ludwig und seine schlesisch-glogauische Gemahlin Beatrix hingegen wurden am 25. November 1314 vom dazu nicht berechtigten Erzbischof von Mainz gekrönt, allerdings am richtigen Ort, nämlich im Dom zu Aachen. Zwei Könige. Die Entscheidung brachte das Schwert, die letzte Ritterschlacht der abendländischen Geschichte. Im Spätsommer 1322 sammelte Ludwig ein großes Heer bei Regensburg, dem sich auch der Burggraf von Nürnberg anschloß. Die Gegenpartei, Friedrich der Schöne und dessen Bruder Leopold, hielten es für taktisch richtig, in zwei Blöcken vorzugehen: Friedrich kam mit seiner Gefolgschaft von Österreich her, Leopold zog aus den Besitzungen im Elsaß und in Schwaben seinen Heerbann zusammen. Die drei Ritterschaften näherten sich dem östlichen Bayern. Bald standen sich die zwei Heere Ludwigs und Friedrichs auf der Gickelfehenwiese nahe. Mühldorf und Ampfing gegenüber, wo Friedrich den Kampf für den 28. September 1322 annahm, nachdem ihm Ludwig einen Herold geschickt hatte. Nach anfänglichen Verlusten neigte sich das Glück dieser letzten Ritterschlacht Ludwig dem Bayern zu, nachdem Friedrich der Schöne vergeblich auf den Entsatz durch seinen Bruder Leopold gehofft hatte. Friedrichs Boten, Tage zuvor ausgeschickt, waren auf ihrem Weg zu Leopold von den Mönchen des Klosters Fürstenfeld ihrer Pferde beraubt worden, und so weilte der ahnungslose Leopold fern vom tatsächlichen Geschehen. Friedrich der Schöne wurde gefangen vor Ludwig geführt, der ihn mit den Worten begrüßt haben soll: »Herr Vetter, wir sehen Euch gern.«

Friedrich der Schöne wurde in die abgelegene oberpfälzische Burg Trausnitz im Tal als Gefangener gebracht, Ludwig aber zog als Triumphator in seine Stadt München ein, was ein von König Ludwig I. im 19. Jahrhundert

Zweimal mußte Ludwig der Bayer seinen politischen Kontrahenten Friedrich den Schönen aus dem
Hause Habsburg-Österreich im Ritterkampf besiegen: 1313 bei Gammelsdorf, einem
Ort zwischen Moosburg und Landshut, und 1322 endgültig in der Schlacht von Mühldorf und Ampfing. In der Gemälde-
galerie des Palas im Hauptteil der Burganlage von Burghausen ist die Schlacht von Mühldorf und
Ampfing (Bilder oben und folgende Doppelseite) dargestellt, gemalt von Hans Werl.

Für den Herkulessaal der Münchner Residenz schuf Hans Werl (gestorben 1608) einen Bilderzyklus, der die Taten bayerischer Herzöge ins rechte Licht rückt. Die Gemälde sind nun in der Gemäldegalerie auf der Burg zu Burghausen zu sehen. Hans Werl hat mit gewaltigem Pinsel auch die letzte Ritterschlacht der europäischen Geschichte dargestellt, die Schlacht von Mühldorf und Ampfing des Jahres 1322 (Bilder oben und Seite 65) zwischen Ludwig dem Bayern und Friedrich dem Schönen.

in Auftrag gegebenes Fresko am Isartor zu München aufzeigt. Nach fast zweieinhalb Jahren Gefangenschaft erbot sich Friedrich der Schöne zum Einlenken, durfte zu seinem Bruder Leopold reisen, den er vergeblich umzustimmen suchte. Getreu seinem Wort wollte er wieder in die Gefangenschaft Ludwigs des Bayern zurückkehren, dieser aber gab ihm die Freiheit, machte ihn sogar zum Mitregenten, wenn es freilich auch nur ein Schattenkönigtum war, was Friedrich 1330 mit seinem Tod beendete.

Ludwig, seit 1324 nun schon der vom französisch beeinflußten Papst zu Avignon mit dem Bannfluch beladene »Bavarus«, war durch den Sieg von Mühldorf und Ampfing endgültig zur Macht aufgestiegen und holte sich nun auf einem längeren Italienzug in Mailand die Eiserne Krone der Langobarden (allerdings wieder einmal vom falschen Bischof) und wurde anschließend von den Römern stürmisch begrüßt und am 18. Januar 1328 im Petersdom gekrönt. Eine ganz neue Kaiseridee war das: Das Volk war die Grundlage der Herrschaft, und im Namen der Römer setzte der Patrizier Sciarra Colonna dem Kaiser und der Kaiserin die Krone auf. Am 22. Mai des gleichen Jahres 1328 machte Ludwig auf dem Petersplatz den Franziskanermönch Pietro Rainaluci zum Gegenpapst, und dieser krönte ihn dafür noch einmal zum Kaiser. Ludwig erließ auch ein Gesetz, wonach ein Papst einzig und allein in Rom sein Amt ausüben könne. Freilich bleiben solche Dinge ohne besondere Wirkung. Der Papst Kaiser Ludwigs, mit Namen Nikolaus V., reiste bald in der Büßerkutte zum Kniefall an den Hof des Papstes Johannes XXII. nach Avignon, und die Römer bereiteten Ludwig dem Bayern am Ende einen Abschied mit Schimpf und Spott.

Auf seinem Heimweg von Rom schließt Ludwig der Bayer mit seinen Neffen, den Söhnen seines verstorbenen älteren Bruders Rudolf, den »Hausvertrag von Pavia« (1329). Darin wird festgelegt, daß seine eigene Linie Oberbayern und einigen Besitz gleich hinter Regensburg behält, daß aber die Linie Rudolfs die Pfalz und fast alle Besitzungen auf dem »Nordgau« bekommt. Auf diese Weise entsteht neben der Rheinpfalz eine »Obere Pfalz« um Amberg und Neumarkt. Die Kurwürde aber, so wird ausdrücklich bestimmt, soll zwischen den beiden Häusern hin und her wandern: Als später, 1346, von einigen Kurfürsten in Rhense Karl von Böhmen (Haus Luxemburg) zum Gegenkönig gewählt wird und dieser dann 1356 in der »Goldenen Bulle« die Kurwürde ein für allemal bei den Pfälzern festlegt, ist dieser Punkt des Hausvertrags von Pavia allerdings erledigt.

Auf seiner weiteren Heimreise von Italien gründet Ludwig 1330 das Kloster Ettal bei Oberammergau. Ein Kloster im reinen Sinn des Wortes war es zunächst gar nicht, sondern ein »got zu lob und unser frawen zu ern« errichtetes Stift für 13 Ritter, deren Frauen und sechs Witwen, dazu auch ein Benediktinerkloster für 22 Mönche. Man sagt, Kaiser Ludwig habe dabei an Wolfram von Eschen-

bachs Gralsburg im »Parzival« gedacht. Das Ritterstift hat sich nicht lang halten können; das Kloster jedoch blühte, nicht zuletzt wegen des Gnadenbilds aus Marmor, einer Madonna, die dem Kaiser auf seinem Zug durch Italien ein Mönch gegeben haben soll.

Immerhin, an Kaiser Ludwig, der fast schon das war, was man heute »bürgernah« und liberal nennen würde, hielten sich die fortschrittlichen Geister seiner Zeit. In Italien war bereits der Minorit Johannes von Jandun im Gefolge Ludwigs, und bei seinem Heimzug schlossen sich so fortschrittliche und vom Papst verfolgte religiöse Geister wie Marsilius von Padua und William Occam, beide ebenfalls »Minderbrüder«, an, die dann am Münchner Hof wirkten. Sie gaben dem Kaiser geistige Wehr, er beschützte sie leiblich. Darüber hinaus war Ludwig der Bayer ein Mann der Städte und Märkte, schuf ihnen neue Rechte und Privilegien, ließ auch ein neues Landrecht niederschreiben, das er 1340 sanktionierte, ebenso auch das geltende Münchner Stadtrecht.

In der Erweiterung seiner Macht ist Ludwig nicht zimperlich. In zweiter Ehe heiratet er Margarethe von Holland und bringt dadurch für ein gutes Jahrhundert Holland in den Besitz der Wittelsbacher. Seinem ältesten Sohn Ludwig verleiht er schon 1323 die frei gewordene Mark Brandenburg und verheiratet ihn 1346 noch mit der Erbin von Tirol, der Margarete Maultasch, dabei ignorierend, daß diese angeblich sehr häßliche Dame schon in einer, allerdings offenbar noch nicht vollzogenen, Ehe mit einem Luxemburger lebt. Im Jahre 1340 stirbt dann die niederbayerische Wittelsbacherlinie mit Johann dem Kind aus, und Ludwig kann das Herzogtum nach fast 90 Jahren wieder vereinen.

**Kaiser Ludwig der Bayer, der sich sein
von den Kurfürsten zuerkanntes Thronrecht erst gegen
seinen österreichischen Vetter Friedrich
den Schönen erstreiten mußte, siegelte wichtige Urkunden
ab 1328 mit einer »Goldenen Bulle«.**

Wie schon etlichen vor ihm geschehen, endet auch der fromme Klostergründer und Freund der Bettelmönche, Ludwig der Bayer, im Kirchenbann. Am 11. Oktober 1347 fühlt er sich nicht wohl in seiner Münchner Hofhaltung. Er reitet zur Jagd in die Wälder um das Kloster Fürstenfeld. Nahe beim Ort Puch sinkt er plötzlich vom Pferd, in die Hände eines Bauern. Was er noch sagt, ist ein Flehen an die Gottesmutter, die große Patronin seines Bayernlandes: »Süzze künigin, unser frawe, pis bei miner Schidung.« Süße Gottesmutter, unsere liebe Frau, sei bei meinem Scheiden. Bayern aber beginnt sich mehr und mehr zu teilen, bis am Ende doch alles unter der Münchner Hand der Wittelsbacher vereint wird.

Landesteilungen am laufenden Band

Kaiser Ludwig der Bayer hinterließ bei seinem Tod im Jahre 1347 nicht weniger als 13 Kinder, acht Söhne und fünf Töchter. Aus seiner ersten Ehe war Ludwig der Brandenburger mit Margarete Maultasch von Tirol verheiratet, Stephan II. hatte eine sizilianische Königstochter des Hauses Aragon zur Frau, und Mechtilde war Markgräfin von Meißen geworden. In zweiter Ehe hatte Margarete von Holland dem Kaiser zehn Kinder geboren, die alle noch am Leben waren: Anna und Agnes, die ins Kloster gingen, Margarete, Elisabeth und Beatrix, die einen königlichen Anjou, einen Fürsten Cangrande della Scala von Verona und einen Folkungerkönig von Schweden heirateten. Nach dem Tod des zweijährigen Nachzüglers Ludwig (1348) blieben aus dieser Ehe die Söhne Ludwig »der Römer« (auf dem Romzug geboren), Wilhelm, Albrecht und Otto »der Faule«.

Das Herzogtum Bayern wurde also wieder einmal geteilt, und zwar mit dem »Landsberger Vertrag« vom 12. September 1349. Diese zweite große Landesteilung schuf wieder ein Ober- und ein Niederbayern. Der älteste Erbe, Herzog Ludwig V., dem schon Brandenburg und Tirol gehörten, regiert nun auch mit den Halbbrüdern Ludwig VI. (dem Römer) und Otto dem Faulen in Oberbayern, während der Zweitälteste, Stephan II. (genannt mit der »Hafte«, weil er vielleicht eine besonders auffällige Ziernadel trug?), Niederbayern übernahm, dazu auch die holländischen Lehen. Stephan II. nahm noch die Halbbrüder Wilhelm und Albrecht als Teilregenten auf. Die zwei älteren Halbbrüder übernahmen gleich nach der Teilung die Herrschaft in den Außengebieten: Ludwig der Römer suchte die Mark Brandenburg zu halten, Wilhelm I. regierte mit seiner verwitweten Mutter (und in vielen Fällen gegen ihre Auffassungen) in Holland. Ludwig der Brandenburger übergab schließlich die Mark Brandenburg ganz seinen zwei Halbbrüdern, Ludwig dem Römer und Otto dem Faulen. In Niederbayern aber wollten die verbleibenden zwei Halbbrüder Wilhelm I. und Albrecht ebenfalls selbständig sein. So schuf ihnen Herzog Stephan II. 1353 das Teilherzogtum Straubing – Holland: Straubing und sein niederbayerisches Umland,

dazu die Lehen Hennegau, Holland, Seeland und Friesland. Straubing wurde auf diese Weise neben München und Landshut dritte Residenzstadt in Bayern, dazu kam 1392 noch eine vierte: Ingolstadt. In München aber wird in dieser zweiten Hälfte des 14. Jahrhunderts der »Alte Hof« aufgegeben, da er mittlerweile durch das lebhafte Bauwesen der stark geförderten Bürgerschaft eingekreist ist. Mit der »Neuveste« gewinnt man nicht nur mehr Räumlichkeit, sondern auch die bei eventuellen Bürgerunruhen doch recht wichtige Randlage wieder zurück.

Immer noch aber liegt der Kirchenbann des kaiserlichen Vaters auf dem ältesten Erben Ludwig dem Brandenburger. Am 2. September 1359 macht ihn der Freisinger Bischof davon frei und traut ihn nun rechtmäßig noch einmal mit seiner Margarete Maultasch. Deren Tirol aber geht verloren, als 1361 ihr Mann Ludwig und zwei Jahre später dessen Sohn und Erbe Meinhard stirbt. Die Habsburger sichern sich das wichtige Land im Gebirge (etwas gegen den Willen der Bevölkerung, doch wer fragt die in all diesen Zeiten?) und lassen den Wittelsbachern nur die Tiroler Ämter Kufstein, Rattenberg und Kitzbühel. Da 1373 Herzog Otto der Faule auch noch seine Mark Brandenburg und die darauf liegende Kurwürde an Kaiser Karl IV. verkauft, bleibt von allem, was unter Kaiser Ludwig dem Bayern erworben und erheiratet wurde, am Ende nur noch Holland, dies aber auch nur bis zum Jahre 1425, in welchem der letzte Wittelsbacher der Linie Straubing-Holland, Johann III., ohne rechtmäßige Erben stirbt.

Die weit verzweigten europäischen Heiraten haben das Wittelsbacherblut nicht ruhiger gemacht. Es geht recht

Aicholding bei Riedenburg im Altmühltal. Die Legende weiß zu berichten, daß hier die bayerische Prinzessin Elisabeth als Kind gespielt hat. Sie wurde 1385 als »Isabeau de Bavière« die Gemahlin König Karls VI. von Frankreich.

verwirrend zu. Es wird miteinander oder getrennt und sehr oft auch gegeneinander regiert und gekämpft, der spätere Ingolstädter Herzog Ludwig der Gebartete führt seine Bayern bei Alling (nahe Fürstenfeldbruck) gegen die Bayern seines Münchner Vetters, später wird er von seinem Landshuter Vetter bekriegt, vom eigenen Blut verkauft und verraten und schließlich bis zum Tode Gefangener in Burghausen. Eine Tochter des oberbayerischen Herzogs Johann II., die schöne Sophie, wird die zweite Gemahlin (1389) des jungen Königs Wenzel zu Prag, der Sophies Beichtvater, Johannes von Pomuk, 1393 zu Prag von der Karlsbrücke stürzen läßt, angeblich, weil er ihm die Beichtgeheimnisse der damals 21jährigen Königin nicht verraten hat, in Wirklichkeit aber nur, weil er dem adeligen Bischof von Prag über dem nichtadeligen Generalvikar Johannes von Pomuk die königliche Allgewalt zeigen wollte. 1729 ist der Märtyrer als Johannes Nepomuk heiliggesprochen worden, nachdem er schon all die Jahrhunderte besonders als Brückenheiliger und Patron der Flußschiffer vom Volk verehrt worden war. Der neue Heilige des Jahres 1729 wurde auch zu einem der Patrone Bayerns, nicht zuletzt deswegen, weil eine wittelsbachische Prinzessin in die Legende seines Märtyrerlebens verwickelt war.

Im Jahre 1392 verlangt eben dieser Vater der nach Prag zu König Wenzel verheirateten Sophie als ältester Erbberechtigter eine Teilung des Landes, nachdem dieses in den Jahren vorher wieder einmal gemeinsam von den drei Brüdern Johann II., Stephan III. und Friedrich I. regiert worden war. Bei dieser Teilung behält der älteste der drei Herzogsbrüder (alle sind sie Enkel Kaiser Ludwigs des Bayern) das Teilherzogtum München mit dem südlichen Oberbayern. Sein Bruder, Herzog Stephan III., den man auch ob seines prachtvollen Auftretens und seiner Liebe zur prunkvollen Lebenshaltung »den Kneißel« nennt und der bisher in erster Linie die oberbayerischen Regierungsgeschäfte neben dem stilleren Bruder Johann II. geführt hat, wandert in den nördlichen Teil Oberbayerns ab und macht Ingolstadt zu seiner Residenz, wobei ihm freilich auch die drei Ämter in Tirol sowie Donauwörth und andere schwäbische Städte gehören. Der dritte Bruder, Friedrich I., genannt auch der Weise, erhält Niederbayern mit Landshut als Residenz, allerdings ohne das Straubinger Ländchen, das bis 1425 der Linie Straubing-Holland gehört und dann nach schwierigsten Verhandlungen weitgehend Oberbayern zugeschlagen wird, wenn auch Niederbayern dann nicht leer ausgehen wird.

Die Geschichte des zunächst aus vier, dann aus drei und zuletzt nur noch aus den zwei Teilen Nieder- und Oberbayern bestehenden Herzogtums läßt sich für die Zeit vor der Wende des 14. zum 15. Jahrhundert bis zur endgültigen Einigung unter ein Zepter (1505) kaum besser erzählen als an vier bayerischen Frauenleben, deren Schicksal die Ereignisse ihrer Epoche und die Handlungen der herrschenden Wittelsbacher widerspiegelt.

Frankreichs König Karl VI. war beim Anblick der bayerischen Prinzessin Elisabeth gleich so sehr in sie verliebt, daß er die Mitgift zurückwies. Frankreich feierte die junge Königin aus Bayern als »Lilienkönigin von Paris«.

Die Lilienkönigin von Paris

Da in den folgenden Schilderungen zwangsläufig viel von den Hochzeiten adeliger Leute die Rede sein wird, sollte man sich vorher schon darüber im klaren sein, daß es bei diesen hohen Festlichkeiten im Grunde nicht anders zugeht als bei großen Bauernhochzeiten. Und so werden die Knoten für das erste hier zu schildernde Frauenschicksal bei einer Doppelhochzeit zu Cambrai geknüpft. Als Margarete und Wilhelm, zwei Kinder des Herzogs Albrecht I. von Straubing-Holland, 1385 den Herzog Johann ohne Furcht von Burgund und dessen Schwester, ebenfalls eine Margarete, heiraten, ist auch die vornehme Verwandtschaft da: die ältere Schwester der wittelsbachischen Brautleute, Johanna, die erste Frau des Königs Wenzel (seine zweite wird dann 1389 wieder eine Wittelsbacherin, die bereits genannte Sophie). Man fragt die Königin der Deutschen nach einer standesgemäßen Hochzeiterin für den jungen, erst im siebzehnten Lebensjahr stehenden König von Frankreich, Karl VI. Königin Johanna verweist auf die 14 Jahre

Der berühmte Ulmer Bildhauer Hans Multscher hat 1435, also zu Lebzeiten Herzog Ludwigs im Barte, den Entwurf für das nie ausgeführte Grabmal des Herzogs geliefert. Das Modell befindet sich im Bayerischen Nationalmuseum.

alte Tochter des prunkliebenden Herzogs Stephan des Kneißel, Elisabeth.

Es beginnt alles mit Romantik. Prinzessin Elisabeth aus dem künftigen Hause Bayern-Ingolstadt wird noch von ihrem Geburtsort München aus auf eine Wallfahrt nach Amiens geschickt, wobei sie erstmals mit dem König zusammentrifft. Karl VI., dem zuvor schon jenes Gemälde der Prinzessin zugesandt worden sein soll, das noch heute im Louvre von der Schönheit der bayerischen Elisabeth zeugt, soll sofort Feuer und Flamme gewesen sein. Gleich am Ort des ersten Zusammentreffens, in Amiens, wird schon ein paar Tage später Hochzeit gehalten, und die Gesellschaftshistorie vermerkt anläßlich dieser Hochzeit die erste Ballveranstaltung Frankreichs, der dann in den kommenden Jahre so viele, von der lebenslustigen Kneißeltochter veranlaßte, königliche Feste folgen. Als »Lilienkönigin von Paris« wurde Elisabeth gefeiert. Am Ende sah man aber große Löcher in der Staatskasse, und das Volk auf dem Land murrte.

Aus der bayerischen Elisabeth ist in Frankreich eine »Isabeau de Baviere« geworden, gleich der schönen Helena des Trojanischen Krieges viel bewundert und viel gescholten. Es gibt einige Hinweise, daß sie in den Sommern ihrer Kindheit in dem kleinen Schlößchen Aicholding, unweit von Riedenburg, im dortigen Garten mit goldenem Ball gespielt habe. Welch ein Sprung war es dann für die Vierzehnjährige, hinaus in die Welt Frankreichs! Da war freilich zunächst die Liebe zweier junger Menschen, Isabeaus und des Königs, der so viel Freude an ihr hatte, daß er die Mitgift wieder nach Bayern zurückschickte. Nur seine Elisabeth-Isabeau wollte er haben, sonst nichts.

Da war aber nicht nur die Liebe, da war auch Politik, Auseinandersetzung mit England, Hundertjähriger Krieg. Und da brach nach sieben flott durchlebten Ehejahren die Geisteskrankheit des Königs durch und versetzte die junge Königin nicht nur in Einsamkeit, sondern auch in die unumgängliche Notwendigkeit, die politischen Fäden in all den wirren Zeiten in die Hand zu nehmen. Friedrich von Schiller wird der bayerischen Prinzessin auf dem französischen Thron auch nach Meinung heutiger französischer Geschichtswissenschaftler nicht gerecht, wenn er sie zur abgefeimten und erzbösen Gegenspielerin seiner engelsgleichen Jungfrau von Orleans macht, die Frankreich auch gegen die Königin rettet. Die wirkliche Isabeau der Johanna-Zeit ist eine einsame, alte Frau, Mutter von zwölf Kindern, Witwe, durch Krankheit an einen Rollstuhl gefesselt.

Ihre schöneren Jahre in Frankreich hat ihr Bruder Ludwig mit ihr geteilt, der sich an ihrem Hof weltmännische Gewandtheit zulegte, die er dann bei seinen Kämpfen und Streitigkeiten mit den geteilten Vettern in Bayern vergeblich einsetzte. Immer erhebt er in Bayern seine Ansprüche mit dem Hinweis, daß er der würdigste und älteste aller regierenden Teilherzöge sei. Seinen Untertanen mag er mit dem in Frankreich zugelegten Bart ein

Bild oben: das Neue Schloß in Ingolstadt, heute Bayerisches Armeemuseum. – Bild unten: In der Klosterkirche Raitenhaslach liegen Herzog Ludwig im Barte (Linie Ingolstadt) und Herzogin Jadwiga, Braut der »Landshuter Hochzeit«, begraben.

wenig exotisch vorgekommen sein, haben sie ihn doch deswegen gleich »den Gebarteten« genannt. Als er seine am französischen Hof erworbenen Reichtümer aber in Ingolstadt in den Bau des prachtvollen Neuen Schlosses steckt und 1425 auch noch eine große Kathedrale zu Ehren der Gottesmutter zu bauen beginnt, da ist man mit ihm mehr zufrieden als sein Landshuter Vetter Heinrich der Reiche, der mit ihm ständig in Fehde liegt. Schließlich wird der Gebartete von mehreren Seiten bekämpft und fällt im Alter von über 70 Jahren – mit Zutun seines offenbar ungeliebten Sohnes Ludwig des Höckerigen – in die Hand Herzog Heinrich des Reichen, der ihn in Burghausen gefangen hält. Zu stolz ist Ludwig im Barte, um sich freizukaufen. Er stirbt und wird in aller Stille, weil im Kirchenbann, im nahen Kloster Raitenhaslach beigesetzt.

Für seine Schwester Isabeau war dieser Lebemann Ludwig im Barte sicher ein willkommenes Stück Heimat. Sie wird ihn auch verwöhnt haben. Er bringt sogar – als Pfand für ein Darlehen – das »Goldene Rössl« mit nach Bayern, das heute in der Schatzkammer zu Altötting steht, wohin es die Wittelsbacher geschenkt haben. Das Meisterwerk eines Pariser Goldschmieds war ursprünglich ein Geburtstagsgeschenk der Isabeau für ihren König. Man sieht, so arg kann diese Frau nicht gewesen sein, die 1435 stirbt und in der Zwischenzeit so unwichtig für Frankreich geworden ist, daß die Nachwelt nicht einmal das genaue Todesdatum erfahren kann.

Die »Frouwe Jakob« von den Blumenfesten

Das nächste Frauenschicksal gehört zum bayerischen Teilherzogtum Straubing-Holland. Es ist – wie man sehen wird – verknüpft mit der schon vermeldeten Doppelhochzeit von Cambrai und mit der Hochzeit der schönen Lilienkönigin Isabeau. Man muß Holländer sein, um die Nichte Jakobäa der beiden Hochzeiter von Cambrai und die Schwiegertochter der Königin Isabeau von Frankreich zu kennen: die »Frouwe Jakob«, die auch oft »Dame Jacques« genannt wird. Bei den Blumenfesten zur Zeit der Tulpenblüte wird diese Frauenfigur besonders gefeiert: schön und jung und hoch zu Roß, auf der behandschuhten Hand den Jagdfalken tragend, von Rittern und Pagen begleitet. In dieser Gestalt ist sie ein Glanzpunkt dieser Feste, jedermann umjubelt sie. In den Geschichtsbüchern ist von ihr als Jakobäa die Rede; man kennt auch ihre bayerische Verwandtschaft, den Herzog Johann ohne Gnade, den Herzog Albrecht I. und seinen Sohn Wilhelm II., eben jenen wittelsbachischen Hochzeiter von Cambrai. Er ist Jakobäas Vater und läßt sie auf diesen ungewöhnlichen Namen taufen, weil sie am Sankt-Jakobstag (25. Juli) des Jahres 1401 im Haag zur Welt kommt. Sie ist also eine Urenkelin Kaiser Ludwigs des Bayern, hat gleich ihm viele Widersacher im Leben. Da im 15. Jahrhundert für niemanden ein langes Leben

Das »Goldene Rössel« in der Schatzkammer
von Altötting kam durch Herzog Ludwig im Barte nach
Bayern. Es ist eine Pariser Goldschmiede-
arbeit (um 1400) mit Emailschmelz, Perlen und Edelsteinen,
ein Pfand aus der Hand König Karls VI.

zu erhoffen war, hat man auch Kinder nicht lange Kinder sein lassen. Im Alter von fünf Jahren wird Jakobäa zu Compiègne mit Johann von Touraine verlobt, dem neun Jahre alten Dauphin von Frankreich, Sohn Karls VI. und der bayerischen Isabeau, kränklich allerdings und vom Vater her mit einer Geisteskrankheit erblich belastet. Die Wittelsbacherin Jakobäa soll die Thronnachfolgerin der Wittelsbacherin Isabeau werden. Als Jakobäa 14 Jahre alt ist, wird sie getraut, mit 16 Jahren ist sie Witwe. An einem Halsgeschwür, das sich nach innen geöffnet hat, ist der Dauphin erstickt. Oder war es Gift?...

Die Jakobäa kann also die französischen Bälle der Isabeau nicht fortsetzen, sie muß sich mit Holland begnügen, das ihr rechtmäßiges Erbe einmal sein wird, da sie Herzog Wilhelms II. einzige Nachkommenschaft ist. Der Herzog, ihr Vater, bringt auf einem Landtag die Vertreter Hollands dazu, daß diese ein Gelöbnis tun: »Wir wissen und bekennen: Die durchlauchtigste Fürstin, Ihre gnädige Frau Jakob von Bayern, ist die einzige Tochter und rechte Erbin und Nachfolgerin des hochgeborenen Fürsten, des Herzogs Wilhelm von Bayern, Grafen von Hennegau, Holland und Seeland. Wenn Herzog Wilhelm ohne Sohn stirbt, so wollen wir dieselbige gnädige Frau Jakob von Bayern als Erbtochter ihres gnädigen Herrn Vaters und als unsere rechte geborene Landesfrau anerkennen. Und wenn irgend jemand, wes Standes er auch sei, unserer vorgenannten gnädigen Fürstin und Frau ein Leides tut oder sich gegen sie stellt, so werden wir das wenden und nimmermehr von ihr weichen.«

Sechs Wochen nach diesem Gelöbnis ist Jakobäas herzoglicher Vater an den Folgen eines Hundebisses gestorben (1417). Jakobäa ist nach Lage der Dinge Landesherrin, reist zu ihren Leuten, schwört dem Volk den Treueeid und läßt sich huldigen. Jedermann beschenkt die junge Frau, viele besingen ihre Schönheit, und die Ritter treten auf den Turnieren nur für sie in die Schranken. Ein Triumphzug ist das, ein vergeblicher; denn der Herr Onkel ist da, Herzog Johann von Bayern, derjenige, den man »Ohnegnade« nennt. Und der will Holland für sich haben, wodurch er und die Wittelsbacher es letzten Endes verlieren.

Jakobäas Stand ist schwer. In ihrem Land bekämpfen sich seit langer Zeit die kaufmännische Partei der »Kabeljaus«, die Pfeffersäcke, liegen mit den »Hoeken«, den Haken, im bürgerkriegsähnlichen Zustand, wobei die »Hoeken« die Ritterschaft sind. Außerdem tobt der Hundertjährige Krieg zwischen England und Frankreich. Jakobäa wendet sich an das Land ihrer Mutter, Burgund, verlobt sich wider ihren Willen, aber zugunsten der Politik mit Johann von Brabant, was ihr von Burgund als Auflage gemacht wird. Wieder ein kränklicher Bräutigam, erst vierzehn Jahre alt, charakterlich völlig verdorben. Da sie mit ihm blutsverwandt ist, flammt ein Streit am gerade stattfindenden Konstanzer Konzil um die notwendige Dispens auf. Der vom Konzil gewählte Papst Martin V. erteilt schließlich die Dispens, die in Holland nur von den Hoeken anerkannt wird. Obwohl der Papst die Dispens nach zwei Wochen wieder zurückzieht, heiratet Jakobäa doch, was ihren Onkel und Todfeind Johann mit Kriegsscharen' ins Land bringt. Jakobäa flieht an den Hof von Brabant, wird aber zu Brüssel so schlecht behandelt, daß sie die Stadt und ihren zweiten Gemahl verläßt, ihre Ehe für ungültig erklärt und sich nach England absetzt, wo sie der Londoner Hof bald feiert. Ihr glühendster Verehrer ist dort Humphrey, der Herzog von Gloucester, der sich mit ihr vermählt und für sie das Erbe Holland wieder zurückgewinnen will. Nach dem Beilager setzt Gloucester mit Jakobäa und einer Streitmacht über den Kanal, hat auch gegen Herzog Johann Glück, der dann am Ende, 1425, stirbt. Nun aber fühlt Herzog Philipp von Burgund seine Interessen bedroht, bekriegt den Engländer erfolgreich und setzt Jakobäa gefangen. Gloucester geht nach England zurück und läßt seine junge, schöne Frau, die ihn um Hilfe anfleht, schmählich im Stich. Das ist für die »Frau Jakob« zu viel. Sie unterzeichnet mit Philipp von Burgund nach dessen Wunsch die Friedensartikel zu Delft (3. Juli 1428). Sie bleibt Gräfin von Holland, Hennegau und Seeland, muß allerdings Herzog Philipp als ihren rechtmäßigen Erben anerkennen und darf nur mit dessen Einwilligung wieder heiraten.

Das Schicksal will es, daß sie sich in Frank von Borselen, den von Herzog Philipp bestellten Wächter ihrer Einsamkeit verliebt, ihn heimlich heiratet und bei der Entdeckung nun fürchten muß, daß sie das Land und ihr Mann das Leben verlieren wird. In der Wahl zwischen dem Gatten und dem Land entsagt sie ein für allemal der Herrschaft. Eigenhändig muß sie gleichlautende Briefe an den Papst, den Kaiser und den englischen König schreiben:

»Wir, Jakobäa, Herzogin von Bayern, Gräfin von Holland, Hennegau und Seeland, haben überschaut, wie mächtig Unsere Länder sind, an der See gelegen und von vielen großen Fürstentümern umgeben. Da haben Wir bedacht, daß Wir als eine Frauensperson nicht so angesehen sind und Uns nicht Gehorsam wird mit solcher Untertänigkeit, als sich das wohl gebührte, und daß Wir daher diese Lande, in denen Adel und Volk in großer Zwietracht gestanden, nicht halten können und regieren in Frieden und Ordnung. Dazu ist ein tüchtiger Fürst und ein Herr von großer Macht und Umsicht erforderlich, und einen besseren wissen Wir nicht als Unseren lieben Herrn Vetter, den Herzog von Burgund, der Land und Leute bereits kennt, und mit dessen anstoßenden Ländern die Unsrigen in regem Verkehr stehen. Aus diesen Ursachen übergeben Wir ihn und seinen Enkeln für ewige Zeiten Unsere Länder und überweisen deren Bewohner an ihn als seine Untertanen.« Eine Frau hat keine Chance und muß aufgeben. Das Ende der Wittelsbacher-Herrschaft in Holland ist damit erreicht.

Jakobäa aber lernt nun das wahre Glück kennen. An der Seite ihres letzten Mannes, des einzigen, den sie aus Liebe geheiratet, lebt sie noch vier Jahre voller Glück. Am 9. Oktober 1436 stirbt sie an der Schwindsucht, muß aber nicht lange leiden. Ihr Sterbeort ist das Schloß Teilingen, in der Gegend der Tulpen, zwischen Haarlem und Leyden. Im Schloßteich hat man vor Jahren noch Krüge gefunden, die sie in den Jahren des stillen Lebens selbst getöpfert haben soll. Begraben liegt Jakobäa in der Hof- und Kollegiatskapelle im Haag. Zu Leyden aber, nahe ihrem letzten Lebensort Teilingen, wird die »Dame Jacques« oder die »Frouwe Jakob« bei den Blumenfestlichkeiten ganz besonders gefeiert, heute noch. So hat sie doch langen Triumph. Als Frau.

Die schöne Baderstochter als Herzogin

Nun soll vom dritten herausragenden Frauenschicksal im Bayern des 15. Jahrhunderts erzählt werden. Waren bisher die wittelsbachischen Häuser zu Ingolstadt mit einer Königin von Frankreich und von Straubing mit einer Herzogin und Gräfin zu Holland an der Reihe, so soll nun zu Ehren und Unehren des Hauses Bayern-München berichtet werden, wie Agnes Bernauerin, die schöne Baderstochter von Augsburg, auf den Herzogsthron dieses Fürstengeschlechts kam und auf welche Weise man sie wieder hinunter in Elend und Tod gestoßen.

Der bayerische Geschichtsschreiber Veit Arnpeck, der im geistlichen Stande zu Landshut lebte, berichtet 1492, als Columbus sich gerade anschickte, Amerika zu entdecken: »Herzog Ernst ließ ertränken zu Straubing, Agnes Bernauerin, eines Barbiers Tochter, um daß sie seinen Sohn Albrecht zur Ehe genommen hatte und dies nicht widerrufen wollte... man sagt, daß sie so hübsch gewesen sei, wenn sie roten Wein getrunken habe, so hätte man ihr den Wein in der Kehle hinabrinnen sehen.« Der Geistliche Veit Arnpeck, der ja nun auch an einem Herzogshof lebte, ist ein verhältnismäßig objektiver Schilderer der ungleichen Ehe eines Herzogs und einer Frau aus einem Badhaus. Da ist der Hofgerichtsadvokat Anton Wilhelm Ertl (geb. 1654 zu München) schon weit kratzfüßiger und liebedienerischer gegenüber dem Hause Wittelsbach, dem er, in Gestalt seines Kurfürsten Max II. Emanuel, sein Buch »Relationes Curiosae Bavaricae« (die 1685 erschienenen »Größten Denkwürdigkeiten des durchlauchtigsten Chur-Herzogtums Bayern«) widmet. Da heißt es dann mit erhobenem Zeigefinger: »Es begab sich, daß Albrecht, der Sohn Herzog Ernsts (welcher der Sohn Herzog Johanns in Bayern, Enkel Herzog Stephans mit der Hafte und Urenkel Kaiser Ludwigs des Bayern war), sich von der Schönheit der Agnes Bernauerin, einer augsburgischen Baderstochter, dergestalt bezaubern ließ, daß er ohne Betrachtung seines hohen Geblüts und seiner künftigen Regierungsnachfolge sich nit entblödete, diese holdselige Nymphe, welche aber außer einer ungemeinen Leibes-Schönheit und anmutigen Gebärden nichts Kostbares an sich hatte, mit gantz hitziger Lieb zu umfangen. Er beschenkte dieses sein Götzenbild mit recht fürstlichen Präsenten, und es waren des jungen Prinzen Gedanken von dem zarten Netz des blinden Cupido dergestalt verwickelt, daß man zu Recht befürchten mußte, es möchte einstens, zu ewigem Schandfleck eines durchlauchtigsten Hauses, welches von seinem Urquell an niemals seine hohe Königsfarbe mit einer ungleichen Ehe befleckt hat, diese Sach einen ganz traurigen Ausgang gewinnen.«

Mit dem »traurigen Ausgang« meint der liebe Hofschranze Ertl natürlich nicht den gewaltsamen Tod der Bernauerin, sondern ihr Weiterleben als Herzogin. Das wär' die Schande gewesen, und aus seiner Zeit kann er es freilich auch nicht anders sehen. Daß der liebe Schwiegervater der Bernauerin, Herzog Ernst, viele Kindlein außerhalb seiner »hohen Königsfarbe« gezeugt hat, irritiert den Hofgerichtsadvokaten nicht. Ernst hat nur einen einzigen legitimen Sohn im hohen Geblüt gehabt: den besagten Herzog Albrecht III., den man am Ende »den Frommen« nennen wird und der zu Augsburg, offenbar zur Faschingszeit und nach einem dortigen Turnier, in der Badstube des Meisters Bernauer dessen dort am Werk befindliche Tochter Agnes kennen und lieben lernt und nicht mehr von ihr los kann. Das demokratische Bewußtsein unserer Tage darf sich nun nicht dazu verführen lassen, die schöne Rotweintrinkerin Agnes als das völlig unschuldige Opfer einer feudalen Oberschicht zu sehen, wie dies die meisten Dichter getan haben, die das Leben und grausame Sterben dieser Frau besungen haben. Eher ist da schon der Konflikt zwischen einer lapidaren Liebe und den schier unausweichlichen Gesetzen der Staatsräson zu sehen, wie Friedrich Hebbel dies in »Agnes Bernauer. Ein deutsches Trauerspiel« (Uraufführung 1852, Hoftheater München) dartut. Auch der große moderne Musiker Bayerns, Carl Orff, macht dem Zuschauer und Hörer (»Die Bernauerin. Ein bairisches Stück«, 1947) klar, daß da Unausweichlichkeiten stattfinden, wenn dies auch – sowohl bei Hebbel als auch bei Orff – ohne das herzhafte Einverständnis des Zuschauers vor sich geht, der für die arme Baderstochter einen märchenhaft-glücklichen Ausgang herbeiwünschen mag.

Die Geschichte ist kurz erzählt. Der junge Herzog Albrecht, Thronfolger der Wittelsbacher-Linie in München, hat zu Augsburg, also in einer Freien Reichsstadt, im Bade die schöne Agnes kennengelernt, liebt sie über alle Maßen. Die Dame seines Herzens will ihn aber nur erhören, wenn sie seine Frau wird. So läßt er sich heimlich – vermutlich in seinem Schloß zu Vohburg bei Ingolstadt – mit ihr trauen. Ab 1432 tritt die Bernauerin dann mehr und mehr neben Albrecht als Herzogin auf, hält sich keineswegs nur im Hintergrund, hat auch eine Hofhaltung zu Straubing, wo man heute im Schloßhof in einem Freilichtspiel ihre Lebensgeschichte darstellt. Der alte Herzog Ernst, der seinen geliebten und einzigen Sohn Albrecht in der Schlacht von Alling (1422, gegen Herzog Ludwig den Gebarteten) aus sicherer Todesgefahr rettete, will den Sohn zur Einsicht und zur Abkehr von Agnes bringen. Er braucht ihn ja für eine politische Hochzeit. Anton Wilhelm Ertl, besagter Hofgerichtsadvokatus, sieht das wieder in seiner Art:

»Es hatte zwar Herzog Ernst auf einem Turnier zu Regensburg anno 1434 mit deutlichen Worten und Taten das blinde Beginnen seines Sohnes Albrecht bestraft, allein der Bernauerin süße Liebkosungen haben andererseits alle rauhen väterlichen Züchtigungen dergestalt verzuckert, daß man zu Recht glaubte, gezwungen zu sein, den jungen Fürsten, wenn auch auf beklagenswerte Weise, des Jochs einer ihm so schlecht anstehenden Liebessklaverei zu entledigen, besonders da sich das freche Weibsbild erkühnte, sich öffentlich als des Herzogs Gemahlin auszugeben« (»Größte Denkwürdigkeiten Bayerns«, Neuausgabe 1977, Düsseldorf/Köln).

Gewiß hat dieser Anton Wilhelm Ertl nicht völlig danebengegriffen; da wird in der schönen Agnes schon ein wenig das bayerische Sprichwort wahr geworden sein, das da sagt: »Wann der Bettlmann aufs Roß kommt, kann ihn der Teufel nicht mehr derreiten.«

Des Jochs einer »ihm so schlecht anstehenden Liebessklaverei« wurde Albrecht nun in der Tat auf beklagenswerte Weise entledigt. Herzog Heinrich der Reiche von Landshut lud den Straubinger Nachbarn im Oktober 1435 zur Jagd. Der Münchner Herzog Ernst aber läßt seine unstandesgemäße Schwiegertochter Agnes, die nun ohne Schutz in Straubings Schloß sitzt, gefangennehmen, ihr einen längst im Urteil beschlossenen Prozeß machen und sie in der Donau ertränken. Am 12. Oktober 1435 muß das Straubinger Volk, mehr Mitleid als Neugier, zusehen, wie die schöne Frau von der Brücke gestoßen wird, wie sie, trotz der Fesseln, sich in die Ufernähe retten kann und wie der Scharfrichter die um Hilfe bettelnde Herzogin mit einer Stange zurück in den Fluß und damit in den endgültigen Tod stößt.

Die Lebensgeschichte und das unglückliche Schicksal der Augsburger Baderstochter Agnes Bernauer ist immer noch unvergessen, besonders in der Stadt Straubing, in der man alle paar Jahre das Agnes-Bernauer-Spiel aufführt.

Das Ende: Von Trauer und Entsetzen geschüttelt, zieht
Herzog Albrecht gegen den eigenen Vater und gegen den
Komplizen dieses politischen Mordes, Herzog Heinrich
von Landshut. Er macht sich den Ingolstädter Ludwig
den Gebarteten zum Genossen seines Hasses. Es kommt
aber doch zur Versöhnung zwischen Vater und Sohn.
Nur 13 Monate nach dem Tod der Bernauerin heiratet
Albrecht die standesgemäße Anna von Braunschweig.
Sein Vater, der alte Herzog Ernst, baut im Petersfriedhof
vor der Stadt Straubing, nahe der Donau, eine Sühnekapelle, die zwar nicht den Leichnam der Bernauerin aufnimmt (sie liegt drinnen in der Stadt bei den Karmeliten
begraben), wohl aber einen wunderschönen Gedenk-
stein mit ihrem ernsten, trauernden Bild erhält. »Ehrsame und Ehrbare Frau Agnes die Bernauerin«, heißt es.
Keine Hex' mehr, keine Hur'.

Albrecht III. regiert in München von 1438 bis zu seinem
Tod im Jahre 1460. Man nennt ihn »den Frommen«. 1440
lehnt er die böhmische Königskrone ab, weil das doch
nur Streit und Krieg gäbe. 1455 gewinnt er Tegernseer
Benediktiner für sein Hauskloster Andechs, das Herzog
Ernst kurz vor seinem Tod im Jahre 1438 schon als Kollegiatstift gegründet hatte. So wächst der bisher weltlich
berühmte Berg der Grafen von Andechs und Diessen in
eine neue geistliche Geschichte, wird zum Heiligen Berg
der Altbayern.

Fast läßt sich sagen, daß Albrecht III. in seinem Sohn
Albrecht IV. für Bayerns Geschichte von Bedeutung
wird. Dieser kann das Herzogtum wieder – und nun für
immer – unter einen einzigen Hut bringen, freilich erst
durch den blutigen Landshuter Erbfolgekrieg von 1504/
05. Da sind aber noch zwei weitere Brüder Albrechts IV.
zu nennen: Herzog Sigmund und Herzog Christoph. Herzog Sigmund ist friedlicher Natur. Er verzichtet 1467 auf
das Mitregieren und macht draußen in Menzing die »Blü-
tenburg« (Blutenburg) zum Treffpunkt von Künstlern
und schönen Frauen. 1468 legt er den Grundstein zur
neuen Frauenkirche (der jetzigen), beschäftigt in Blutenburg, München und einigen von ihm erbauten Land-
kirchen zwei ganz große Könner: Erasmus Grasser aus
Schmidmühlen in der Oberpfalz (um 1450 – 1518), der den
berühmten Moriskentänzern des Münchner Rathaus-
Ballsaales den seltsamen Schwung gibt, der aber auch
die Innerlichkeit einer Madonna zu Ramersdorf hervor-
bringt; dazu den aus Krakau stammenden Jan »Pollack«,
den Maler großer Tafelbilder, wie etwa der Flügelbilder
des früheren Hochaltars der Peterskirche, von denen
fünf noch in der Kirche selbst, vier weitere im »Kirchen-
saal« des Bayerischen Nationalmuseums zu sehen sind.
Von den Schönen Künsten hält Sigmunds und Albrechts IV.
Bruder Christoph der Starke wenig, dafür viel von
Sport und Rauferei. Im Durchgang des Brunnenhofs der
Münchner Residenz kündet noch heute ein (damalige)
360 Pfund schwerer Stein, den Christoph gehoben und
gestoßen hat, von dessen Kraft. Ein gefürchteter Drauf-
gänger war Christoph, besonders bei Turnieren. Seine

**Von den ursprünglich sechzehn Bildern des Moriskentanzes, die der aus der Oberpfalz stammende
Bildhauer Erasmus Grasser ab 1477 für den Tanzsaal des Münchner Rathauses schnitzte,
sind heute nur noch zehn erhalten (Stadtmuseum München, Nachbildungen im Alten Rathaussaal). Die »Jungfrau«, einst
Mitte des Werbetanzes, und die Musikanten fehlen. Die zehn Tänzer aber zeigen in ihrer geradezu
bizarren Verrenkung, wie groß die Meisterschaft Erasmus Grassers war.**

glanzvollsten Siege errang er 1475 beim Turnier zu Landshut, das anläßlich der größten Hochzeit des 15. Jahrhunderts – ja vielleicht aller Zeiten – gehalten wurde. Die damalige Hochzeiterin, des Polenkönigs Tochter Jadwiga, soll nun als viertes Frauenschicksal vorgeführt werden, diesmal zu Ehren und zu Lasten der Landshuter Wittelsbacher.

»Himmel Landshut, Tausend Landshut!«

Ganz so selig und wunderschön, wie sie seit Beginn des 20. Jahrhunderts von den Bürgern Landshuts (zuletzt 1978) nachgefeiert wird, ist die »Landshuter Hochzeit« sicher nicht gewesen. Glanzvoll aber war das Fest bestimmt. Es sind am Ende 60 766 Gulden, 73 Pfennige und 1 Heller ausgegeben worden, wie die exakte, heute noch vorhandene Schlußabrechnung ausweist. Mit diesem Geld hätte man das damals schon recht stattliche und schöne Landshut noch einmal bauen können! Ja, Fürstenhochzeiten – und dies besonders im Niederbayerischen – haben eben doch viel mit großen Bauernhochzeiten gemeinsam: Man muß zeigen, was man sich leisten kann und was man hat. Wie schreibt ein halbes Jahrhundert später der große bayerische Chronist Aventinus über dieses, sein Volk? »Große und überflüssige Hochzeit, Totenmahl und Kirchtag haben ist ehrlich und unsträflich, reicht keinem zu Nachteil, kumpt keinem zu Übel.«

Das ganze Vorwegnehmen barocker Lebensweise in den bayerischen Landesteilen des 15. Jahrhunderts, das sich letzten Endes auch in der Kunst, besonders bei den Bildschnitzern Erasmus Grasser in München und später dem ebenfalls großartigen Hans Leinberger (Lebensdaten unbekannt, Hauptwerke zwischen 1510 und 1530) zu Landshut zeigt, hat ganz gewiß mit den drei Frauen aus dem Mailänder Haus Visconti zu tun. Thaddea, Mutter Ludwigs des Gebarteten und der schönen Lilienkönigin Isabeau, Magdalena, Mutter Heinrichs des Reichen von Landshut, Elisabeth, Mutter Albrechts III. und damit wider Willen Schwiegermutter der Bernauerin, alle drei haben zum bayerisch-keltischen Erbe, das schon genügend Temperament verspricht, die norditalienischen Leidenschaften hinzugefügt, die sich bei der Nachkommenschaft recht verschieden auswirkten. Bei Herzog Heinrich von Landshut zum Beispiel so, daß man ihn als ersten von drei Landshuter Herzögen »den Reichen« nennen kann, da er mit Geiz und großem Erwerbstrieb Geld und Ländereien an sich bringt, nicht zuletzt das Erbe der Linie Ingolstadt, das er Ludwig dem Gebarteten und dessen Sohn, Ludwig dem Buckligen, abnimmt. Nachfolger Heinrichs des Reichen von Landshut (1393 – 1450) wird mit dessen Tod sein Sohn Ludwig der Reiche. Bei ihm schlägt das bayerisch-italienische Erbe in eine große Ausgabenfreude und Repräsentationslust um, die ihm seine, von Ingolstadt erworbenen Silber- und Erzbergwerke zu Rattenberg und Kitzbühel leicht ma-

Alle drei Jahre wird in der niederbayerischen Hauptstadt Landshut in Erinnerung an das Jahr 1475 die »Landshuter Hochzeit« gefeiert. Bild oben: der Turnierplatz. – Bild unten: die sechsspännige Kutsche der Braut Jadwiga.

Wenige Jahre nach der glanzvollen
Hochzeit zu Landshut wurde Herzogin Jadwiga,
Königstochter aus Polen, auf die Burg der
Nebenresidenz Burghausen geschickt, der »Kinderstube« und
Schatzkammer des niederbayerischen Hofes.

chen. Der vom Vater angesammelte Reichtum verwandelt sich in Festlichkeiten. Das beginnt schon mit dem Leichenschmaus für seinen Vater Heinrich: offene Tafel für Hoch und Nieder. Wenn man weiß, daß dieser Ludwig mit seiner Mutter, Margarete von Österreich, bis dahin in der damals noch recht finsteren Nebenresidenz Burghausen fast wie ein Gefangener darben mußte, so kann man verstehen, daß sich in Ludwig, der erst mit 33 Jahren ans Regieren kommt, ein Ventil auftut. Da heiratet er in seinem zweiten Regierungsjahr die Kurfürstentochter Amalia von Sachsen und schon hat er eine ganze Woche lang 20 000 Gäste freizuhalten, darunter auch den Herrn Vetter aus der Pfalz, Kurfürst Friedrich den Siegreichen. 1472 zeigt sich derselbe Ludwig der Welt als Freund der Wissenschaft, wenn er zu Ingolstadt die erste bayerische Universität gründet, nachdem die Pfälzer Wittelsbacher dies schon in Heidelberg 1386 für ihr Land besorgten. Die Ingolstädter Universität blüht rasch auf, zumal sie bald stark unter den Einfluß von Jesuiten-Gelehrten gerät, denen zwar ein Mangel an Liberalität, keineswegs aber an Gescheitheit nachgesagt werden kann. Seinen Sohn Georg, der 1455 zur Welt kam, holt er 1468 triumphal von Burghausen nach Landshut, von Burghausen, wo auch Ludwigs Gemahlin ihren doch etwas abseits gelegenen Hof hat, wenn sich dort die graue Burg auch mehr und mehr in ein recht wohnliches Schloß verwandelt. Da in den stark befestigten Mauern nicht nur die jeweiligen Frauen der Reichen Herzöge verborgen sind, sondern auch der Staatsschatz, kann man es so sehen, daß die Landshuter Herzöge eben alles, was ihnen lieb und wert war, in dieses gute und sichere Behältnis legten.

Nachdem sich Herzog Ludwig der Reiche allmählich dem Sechziger nähert und sein Sohn, der spätere Herzog Georg der Reiche (1479 – 1503), zwanzig Jahre alt wird, geht man für ihn auf Brautschau, klopft ganz oben an, bei den ganz feinen Herrschaften, und erhält schließlich die Hand Jadwigas oder Hedwigs. Sie ist die Tochter des damals mächtigsten Fürsten Osteuropas, des Königs Kasimir IV., der in der schönen Stadt Krakau residiert. Im Alter von 18 Jahren, am 16. September 1475, macht sich Prinzessin Jadwiga mit großem Gefolge auf den Weg nach Landshut, wird zu Wittenberg von einer Gesandtschaft aus Niederbayern empfangen und in ihre künftige Heimat gebracht. Am 14. November trifft sie in Landshut ein, wird nicht von ihrem Bräutigam, sondern vom vornehmsten Gast dieser gewaltigen Landshuter Hochzeit, von Kaiser Friedrich III., vor den Toren der Stadt empfangen und unter dem Jubel von nicht weniger als 1100 Trompeten und Pfeifen zum noch nicht ganz fertigen Münster von St. Martin geführt, wo sie am gleichen Tag vom Salzburger Fürsterzbischof Bernhard dem jungen Herzog Georg feierlich angetraut wird. Festmahl folgen und der Brauttanz. Anschließend vollzieht sich nahe dem Tanz- und Bankettsaal die recht wenig intime Handlung des Beilagers, bei der hohe Fürstlichkeiten die jungfräuliche Ehre der Braut (und damit eine unbefleckte Erbfolge) bezeugen: Albrecht Achilles, Markgraf und Kurfürst von Brandenburg, dessen Gemahlin Anna, die »alte Frau von Sachsen«, das ist die Kurfürstinwitwe Margarethe, und Herzogin Amalia von Landshut, der Braut Jadwiga eben gewonnene Schwiegermutter. Ob bei all diesem Ankommen nach zwei mühseligen Reisemonaten, sofortigem Trauen, anhaltendem Tanzen und offiziellem Zubettgehen die Braut wirklich so liebreich gelächelt hat, wie es ihre Darstellerinnen heute bei der »Landshuter Hochzeit« für ein zehntausendköpfiges Publikum immer tun? Es gibt auch Augenzeugen, die Tränen in den Augen der jungen Frau aus Polen gesehen haben, keine Freudentränen.

Acht Tage durften die Wirte, Bäcker und Metzger nichts gegen Geld hergeben in der Stadt Landshut. Jedermann war freigehalten, ob hoch oder niedrig. In der Steckengassen waren öffentliche Küchen eingerichtet, den geladenen Gästen aber wurden die Speisen ins Quartier geschickt. Es wurden an den festlichen Tagen verkonsumiert: 333 Ochsen, 1130 ungarische Schafe, 285 Schweine, 1537 Jungschweine, 684 Spanferkel, 490 Kälber, 12 000 Gänse, 40 000 Hühner, 194 000 Eier, 5 Zentner Weinbeeren, 220 Zentner Schmalz, 170 Fässer Landshuter und 700 Fässer ausländischen Weines. »Konfekt« hat es auch gegeben, gleich für 500 Gulden. So viel Konfekt? Nun ja, es waren wohlschmeckend verpackte Abführmittel, die von den Landshuter Apothekern geliefert wurden, damit die fürstlichen Mägen und Gedärme durch die stundenlangen Gelage nicht in Aufnahmeschwierigkeiten gerieten. Auch wandte man dieses Konfekt gegen die Fürstenkrankheit damaliger Zeit an, gegen Podagra, die Fußgicht, genannt auch das »Zipperlein«, unter der Ludwig der Reiche schon sehr zu leiden hatte.

Oberster Gast war, wie gesagt, Kaiser Friedrich III. mit seinem Sohn, dem späteren Kaiser Maximilian I., dann Kurfürst Albrecht Achilles von Brandenburg, die Münchner Vettern Albrecht IV., Wolfgang und Christoph (der große Sportsmann, der besonders die polnischen Herren beim Festturnier reihenweise vom Pferd warf und dadurch keineswegs zur gesteigerten Fröhlichkeit dieser Gruppe von Hochzeitsgästen beitrug), der pfalzgräfische Schwager Philipp (der später auch noch Kurfürst wird), alle bayerischen Bischöfe, der Markgraf von Baden, die Grafen von Württemberg, vierzig Reichsgrafen und noch Dutzende anderer Grafen, dazu etliche tausend Mann Gefolge, wobei der Brandenburger 1400 Leute dabeihatte, weil er dem Kaiser und dessen 700 Begleitern zeigen wollte, daß er auch ein paar Leute bei derlei Anlaß auf die Beine stellen kann. Die Organisatoren – ausgefeimte Logistiker müssen das schon gewesen sein – hatten zudem dafür zu sorgen, daß nicht weniger als 9631 Pferde Stall und Futter bekamen. Außerdem war es November und daher kalt. So mußte man nicht nur Holz und Kohlen für die Küche, sondern auch genügend Brennholz für die Öfen bereitstellen. Allein das Sammeln der fast 200 000 Eier war eine Meisterleistung für sich.

Die Super-Hochzeit brachte wenig Segen. Lange, Jahrzehnte noch, wurde um die versprochene Mitgift der Braut gestritten und gefeilscht. Die Braut selbst wanderte bald nach Burghausen ab, um den Reichen Georg am Hof zu Landshut bei seinen Fröhlichkeiten nicht zu stören. Sie gebar drei Söhne, von denen zwei bald nach der Geburt, der dritte aber im Alter von 24 Jahren und noch unverheiratet starben. Am Leben blieb nur die Tochter Elisabeth, die mit dem Pfalzgrafen Rupprecht verheiratet wurde. Als Herzog Georg der Reiche 1503 zu Ingolstadt starb, hatte er vorher – entgegen allen wittelsbachischen Hausverträgen – dem pfälzischen Schwiegersohn das niederbayerische Herzogtum zugeschrieben. Es kam zum blutigen »Landshuter Erbfolgekrieg« von 1504, bei dem viele Orte und Landstriche Bayerns arg hergenommen wurden. Der brave Ritter Hans von Pienzenau, Kommandant der niederbayerischen Festung Kufstein, übergab den Platz nicht dem angreifenden Kaiser Maximilian I. (der sich zum eigenen Vorteil auf die Seite der Münchner Wittelsbacher und damit gegen die Landshuter gestellt hatte). Dieser ließ den Pienzenauer und seine Getreuen wie Verbrecher hinrichten. Zum gegnerischen Haufen, der Landshuts Erbentscheidung bekämpfte, gehörte auch mit vielen Schwaben der wackere Ritter Götz von Berlichingen, der 1504 nahe Landshut in einem Gefecht eine Hand verlor. Es ist durchaus möglich, daß es Landshuter Plattner (Rüstungsmacher) waren, die dem Haudegen seine »Eiserne Hand« anfertigten. Der Ruhm dieses Landshuter Handwerkszweiges hätte jedenfalls für derlei besondere Kunstfertigkeit gut gestanden.

Während des Landshuter Erbfolgekrieges starben die eigentlichen Verursacher, das junge Paar Elisabeth und Rupprecht, kurz hintereinander. Am Ende des Krieges aber wurde Bayern zwar ein einziges Herzogtum mit dem Sitz in München, doch gingen als Kriegsentschädigungen zahlreiche Gebiete verloren. Der schiedsprechende Kaiser Maximilian behielt sich als sein »Interesse« die silberreichen bayerischen Ämter Kitzbühel, Rattenberg und Kufstein. Die Stadt Heidenheim an der Brenz fiel an Württemberg, die Ämter Altdorf, Hersbruck und Lauf kamen an die Reichsstadt Nürnberg. Für die unmündigen Kinder Ottheinrich und Philipp aus der Ehe Elisabeths von Landshut und des Pfalzgrafen Rupprecht wurde die »Junge Pfalz« mit Neuburg an der Donau als Mittelpunkt geschaffen. So verwandelte sich diese Stadt in eine recht prunkvolle Renaissance-Residenz.

Die schöne Hochzeiterin von 1475, Königin Jadwiga aus Krakau, verbrachte einsame Jahre in Burghausen, das von ihr und ihrem Mann weiter ausgebaut worden war. Am 18. Februar 1502 starb sie, erst 45 Jahre alt. Gleich Ludwig im Barte und der Gattin Heinrichs des Reichen wurde sie im Kloster Raitenhaslach beigesetzt. Ihr Grabstein wurde 1803 von den dortigen Mönchen aus Zorn über die Säkularisation des Klosters durch Bayern zerstört. Nur eine einfache Steinplatte im Mittelgang der barocken Klosterkirche markiert für den Kundigen die Begräbnisstelle Jadwigas. Es heißt, Herzog Georg der Reiche habe sie sehr betrauert.

Ein Gesetz für die Erbfolge, ein anderes für das Bier

Humanismus, Reformation, Bauernkrieg, Renaissance. Das sind die Stichworte für das Deutschland des 16. Jahrhunderts, für die Zeit zwischen Gotik und Barock. Es ist nicht so, daß diese Strömungen und Bewegungen spurlos am Herzogtum Bayern vorübergehen, doch wirken sie sich keineswegs stark verändernd auf die bestehenden Verhältnisse aus. Das Beharrende im bayerischen Volkscharakter tut seinen bremsenden Dienst. Der Bayernherzog der ersten Hälfte dieses 16. Jahrhunderts, Wilhelm IV. (1508–1550), wird als »der Standhafte« in die Geschichtsbücher eingeschrieben. In den Zeiten Martin Luthers und des Bauernkrieges, der ersten großen Volks-

erhebung in der deutschen Geschichte, erweist er sich als bewahrende Kraft, bleibt ihm sogar Zeit, Sinn und Geld, die Künste zu fördern, etwa bei Albrecht Altdorfer, dem »Meister von Regensburg«, das Kolossalgemälde der »Alexanderschlacht« zu bestellen. Dieser wiederum, der Maler, verzichtet auf eine mögliche Bürgermeisterwahl in seiner Reichsstadt, um den ehrenhaften und sicher auch lukrativen Auftrag ausführen zu können. Historiker unserer Tage nehmen dieses in der Alten Pinakothek zu München befindliche Werk als ein Symbol für die Zeiten im 16. Jahrhundert: Aufruhr und starke Bewegtheit in irdischen und himmlischen Gefilden. Die ungelehrte und auch die gelehrte Welt dürstet nach Veränderung. Während sich auch der Klerus in Bayern, sowohl in den Pfarrhäusern als auch in den ehrwürdigen Klöstern, weitgehend großen irdischen Ausschweifungen hingibt, verfällt das Volk geradezu in eine Gier nach Wundern und neuen Gnadenstätten, wofür der Regensburger Albrecht Altdorfer Zeugnis ablegen kann, wenn in seiner Stadt, im kurz vorher zerstörten Viertel der Juden, die neue »Wallfahrt zur Schönen Maria« aufblüht,

Im Jahre 1531 malte Peter Gärtner ein Familienbild in der Münchner Neuveste, aus der später die weitläufige Residenz der Wittelsbacher Kurfürsten und Könige geworden ist. Gärtners Bild zeigt Bayernherzog Wilhelm IV. (1493–1550) mit seiner Gemahlin Jakobäa von Baden mit der Tochter Mechtild, dem späteren Herzog Albrecht V. und dem früh verstorbenen Prinzen Theodor. Als Zeitgenosse Martin Luthers mußte Herzog Wilhelm IV. große Entscheidungen treffen.

Bayernherzog Wilhelm IV. bestellte bei Albrecht Altdorfer, dem »Meister von Regensburg« und großen Repräsentanten der Donauschule, das Kolossalgemälde der Alexanderschlacht. Altdorfer ist von diesem Auftrag so eingenommen, daß er, um ihn ausführen zu können, 1528 auf die Bürgermeisterwahl in Regensburg verzichtet. Das heute in der Alten Pinakothek in München hängende Bild zeigt deutlich, daß es Altdorfer auch um eine dramatische Landschaft ging.

deren Gnadenbild einige Jahre vorher der Regensburger Meister in aller Unschuld gemalt hatte. Weltangst herrscht in der Zeit der großen Enddeckungen, Weltangst, die das Sektierertum zum Erblühen bringt und die es vielleicht gerade deshalb gibt, weil die Erfinder und Entdecker die Menschheit wissen lassen, an welche irdische und kosmische Weite sie ausgeliefert ist.

Es ist, als wäre sich der Mensch im Herzogtum Bayern ein wenig geborgener vorgekommen als die Menschen anderer Landstriche. Da stehen 1525 die Bauern im Allgäu, in Schwaben, Franken und Hessen, auch in Tirol gegen ihre geistlichen und weltlichen Herren auf, vollbringen gewiß einige Greueltaten, werden aber von geschulten Kriegsleuten zusammengeschlagen und zu Zehntausenden erbärmlich umgebracht. In Bayern rührt sich nahezu nichts. Im Rottal flackert es ein wenig auf, und zu Prien hatten sich schon ein paar Jahre vor dem Bauernkrieg die Untertanen mit Hilfe eines Aufruhrs gegen einen sich mißliebig machenden Herrschaftsrichter durchgesetzt. Ansonsten geloben bayerische Bauern auf dem Hohenpeißenberg angesichts der aufrührerischen Nachbarschaft des Allgäus, ihrer Landesherrschaft treu ergeben zu bleiben. Das hat ganz gewiß mit der Landesherrschaft selbst, mit dem Haus Wittelsbach, zu tun, das Bayerns Bauern eben nicht in Verzweiflung und große Not getrieben hat, wie dies bei den vielen kleinen und kleinsten Herrschaften in Schwaben und Franken der Fall gewesen sein mag. Wenn man es so sehen will, hat eben der Leitsatz bayerischen Lebens damals Blut und Gut geschont: »Leben und leben lassen«. In das 16. Jahrhundert hinein hat ein zuletzt recht gemütlich-landesväterlich lebender Herzog die Bayern geführt: Albrecht IV., der Weise. Nach dem Ende des Landshuter Erbfolgekrieges bleiben ihm noch drei friedliche Lebensjahre, ehe er am Samstag der ersten Fastenwoche des Jahres 1508 die Augen schließt. 1506 hat er noch ein Gesetz unterschreiben können, das dem Land künftigen Bruderkrieg ersparen wird: das Primogeniturgesetz, das jeweils den ältesten Sohn des Hauses Wittelsbach zum Erben und Thronfolger bestimmt. Das Land darf also nicht mehr geteilt werden. Kaum aber gibt es dieses Gesetz, da soll es auch schon wieder übertreten werden. Der junge Herzog Wilhelm IV., den man, wie schon erwähnt, den Standhaften nennen wird, erhält in einem seiner zwei Brüder einen Rivalen: Der jüngere Ludwig erklärt, daß das Primogeniturgesetz auf ihn nicht angewendet werden könne, da es erst nach seiner Geburt geschaffen worden sei. Es kommt zum Streit, in den sich auch die bayerischen Landstände einmischen, die auf Seite Ludwigs stehen. Sie und bald auch der Kaiser Maximilian I. in Innsbruck sind keine selbstlosen Vermittler, wollen das Haus Wittelsbach schwächen. Das erkennen die Brüder denn auch und einigen sich: Wilhelm IV. wird für die Rentämter München und Burghausen, sein Bruder Ludwig X. für die Rentämter Landshut und Straubing zuständig; das Land aber wird nicht ge-

teilt. Eintracht herrscht künftig zwischen den beiden Brüdern, einträchtig unterzeichnen sie auch Gesetze, wie etwa eines der ältesten, heute noch gültigen Lebensmittelgesetze der Welt: das Reinheitsgebot des Jahres 1516, welches dekrediert (auf einem Landtag zu Ingolstadt übrigens), daß »allenthalbn in unsern Stetten, Märckten unnd auf dem Lannde zu kainem Pier mehrer Stuckh dann allain Gersten, hopffen und wasser genommen und gepraucht sölle werden«. Und so ist es heute noch mit dem bayerischen (und mittlerweile auch längst mit allem deutschen) Bier: nur Gerste, Hopfen und Wasser dürfen die Bestandteile sein. Neben dem Emmentaler Käse, für den es ebenfalls ein sehr strenges Gebot gibt, ist Bier damit eines der ganz wenigen Nahrungsmittel, deren Reinheit über alle Zeiten unbefleckt geblieben ist.

Ein Schlauer, ein Streitbarer und ein Verbitterter

Drei Namen stehen ganz besonders für das politische, für das geistliche und für das geistige Leben im Bayern der ersten Hälfte des 16. Jahrhunderts: ein Schlauer, der herzogliche Kanzler Leonhard von Eck, ein Streitbarer, der katholische Theologieprofessor Johann Eck, und ein Verbitterter, der große und erste wirkliche bayerische Geschichtsschreiber Aventinus. Zwei, der Schlaue und der Streitbare, haben den gleichen Namen: Eck. Verwandt sind sie nicht. Der Kanzler kommt aus dem niederbayerischen Kelheim, der Theologe stammt aus »Eck« (dem heutigen Egg an der Günz) im Unterallgäu, heißt eigentlich Maier, ist Ammanns- (Amtmanns-)sohn und nennt sich als Professor und hochgelehrter Mann dann nach seinem Heimatort. Der dritte, der Verbitterte, heißt auch nicht wirklich Aventinus, sondern Johannes Turmair, ist Wirtssohn aus Abensberg, ein Abensberger, ein »Aventinus«.

Der Älteste soll den Anfang machen: Johannes Turmair, 1477 als Sohn des Tafernwirts Peter Turmair geboren. Für den 21. Juni 1495 ist seine Immatrikulation an der Universität von Ingolstadt belegt, wo er sich nach damaliger Humanistenmanier den Namen nach seiner Vaterstadt wählt. Zu Ingolstadt lehrt gerade der große Konrad Celtis, der als erster die vaterländischen Gefühle der Deutschen geweckt hat. Aventin wird sein Schüler und Freund, geht 1497 mit ihm nach Wien, studiert später in Krakau Mathematik (1500–1502) und erwirbt 1504 an der ältesten und berühmtesten Universität Europas, zu Paris, den Magistergrad. 1508, nach dem Tod seines Herzogs Albrecht IV., beruft man ihn überraschend als Erzieher der zwei unmündigen Brüder Wilhelms IV., Ludwig und Ernst. Der Lehrer und seine Schüler sind zwei Jahre im stillen Burghausen, kommen 1510 nach München zurück, wo der inzwischen volljährig gewordene Ludwig die Mitregentschaft fordert. So kann Aventin nur noch dem Jüngsten, Ernst, weitere sechs Jahre Lehrer sein. So erfüllt ist er von seinem Amt als Fürstenlehrer, daß er seinen hohen Schülern sogar eigene Lehrbücher angefertigt hat. Seine eigentliche Aufgabe aber erhält er 1517, als man ihn zum offiziellen Historiographen des Hofes macht. Er reist im Lande umher, studiert mit viel Mühe Quellen, macht sich Tausende von Notizen, schreibt schließlich bis 1521 die »Annales Ducum Boiariae« in lateinischer Sprache und vollendet am Sonntag Laetare des Jahres 1533 sein zweites Hauptwerk, die in kraftvollem südlichem Hochdeutsch verfaßte »Baierische Chronik«. Dies nicht mehr in Abensberg oder auf bayerischem Boden, sondern schon in der Reichsstadt Regensburg. Als er nämlich am 7. Oktober 1529 in seiner Heimatstadt »ob Evangelium« verhaftet und zehn Tage eingesperrt wird, ist ihm der Reichsstadtfrieden sicherer. Seine Werke aber sind den Auftraggebern, den herzoglichen Brüdern Wilhelm und Ludwig, wegen ihrer geschichtlichen Wahrheiten und Erkenntnisse politisch zu brisant. Die »Annales« erscheinen 1554 erstmals in gekürzter Form in Ingolstadt, ungekürzt erst 1580 zu Basel. Die herrliche »Baierische Chronik«, die einen Goethe zur Begeisterung brachte, wird 1566 in Frankfurt am Main gedruckt. Aventinus, der ein paar Jahre vor seinem Tod eine Schwäbin zur Frau nimmt, »die es ihm wie eine zweite Xanthippe recht sauer machte«, wie ein Zeitgenosse berichtet, stirbt am 9. Januar 1534 zu Regensburg und wird im Friedhof bei Sankt Emmeram begraben. Dort kann man seinen Grabstein noch immer im Vorhof sehen. Aventinus ist darauf abgebildet, sein Gesicht ist griesgrämig, eben das eines Verbitterten. Wen kann es wundern? Auch Große zermürbt zu viel Mißgeschick. Vom Verbitterten zum Schlauen, auch einem Niederbayern, nicht weit von Abensberg daheim: 1480 wurde

Leonhard von Eck in der Stadt Kelheim als Sohn des dortigen Landrichters geboren. Angeblich schon 1589 beginnt er das Studium zu Ingolstadt, setzt es in Siena fort und bringt es zum Doktor beider Rechte. Zunächst als Rat in Ansbach beschäftigt, versieht er ab 1512 diesen Posten am Hof zu München und wird 1519 Kanzler. Seine geschickte Politik trägt viele Züge des italienischen Macchiavellismus. Man schaukelt um des politischen Vorteils willen zwischen dem König von Frankreich und dem Kaiser zu Wien, zwischen den protestantischen und den katholischen Fürsten des Reiches. Treffen will man dabei die Habsburger und die Reformation. Leonhard von Eck, der die Stellung seines Herzogs Wilhelm IV. gegenüber den Landständen festigt, ist derjenige, dem der Herzog seinen Beinamen als »Standhafter« zu verdanken hat. Seltsam, daß der Kanzler am 17. März 1550 stirbt, zehn Tage nach dem Tod seines Herzogs. Über seinen Tod hinaus ist er als Begründer eines bayerischen Fürstenstaates und als der Mann in Erinnerung geblieben, der Bayern für seine Zeit und auch für künftige Jahrzehnte zur stärksten katholischen Macht in Deutschland herangebildet hat. Papst Pius V. (1566 – 1572), vor seiner Papstzeit Großinquisitor und führender Gegenreformator, bezeichnet den Sohn Herzog Wilhelms IV., Herzog Albrecht V., als »Hauptsäule des katholischen Glaubens in Deutschland, der seinesgleichen im Reich nicht hat«. Und nun der Streitbare, der Namensvetter des tüchtigen, vielleicht allzu tüchtigen Kanzlers. Johannes Eck, der »Doktor Eck« des Lutherstreits, der ja eigentlich Maier heißt, wird 1486 in Egg an der Günz geboren, ist damit ein Untertan des Benediktinerstifts von Ottobeuren. Der Sohn eines kleinen Beamten ist mit elf Jahren schon Stu-

Zwei Männer des geistigen Lebens in der Zeit des Humanismus und der Reformationsbewegung in Bayern.
Bild links: der bayerische Geschichtsschreiber Johannes Turmair, genannt
Aventinus (1477–1534), dessen Grabstein im Vorhof der Regensburger St. Emmeramskirche zu sehen ist. – Bild rechts: das
Epitaph in der Ingolstädter Liebfrauenkirche für Dr. Johannes Eck (1486–1543), den
leidenschaftlichen Verfechter der katholischen Sache gegen Martin Luther.

**Große bayerische Kunst im 16. Jahrhundert:
Albrecht Altdorfers »Donaulandschaft mit Schloß
Wörth« ist das erste Landschaftsbild der
europäischen Kunstgeschichte (Bild oben). – Bild unten: Hans
Leinbergers Madonna zu Landshut (um 1520).**

dent in Heidelberg, dann in Tübingen, Köln und Freiburg i. Breisgau. Er wird als Theologieprofessor nach Ingolstadt berufen und dort bald Vizekanzler der bayerischen Landesuniversität. Von Anfang an ist er leidenschaftlicher Gegner Martin Luthers und jeder Art von Reformation. Systematisch geht er daran, den abtrünnigen Mönch aus Wittenberg ins Verderben zu locken. Da ist die »Leipziger Disputation« von 1519, in der Dr. Eck seinen Gegner Luther zum Bruch mit dem Papsttum bringt, als dieser das Primat des Papstes und die Unfehlbarkeit der Konzilien anzweifelt. Daraufhin holt Eck aus Rom die Bannandrohungsbulle in die deutschen Lande, nach der Luther innerhalb 60 Tagen zu widerrufen hatte. Der Bann wird dann zwar ausgesprochen, da Luther nicht widerruft, doch findet sich keine weltliche Macht zu seiner Durchführung. Der Dr. Eck aber macht sich bis ans Ende seines Lebens (10. Februar 1543 zu Ingolstadt) zum gehaßtesten, wenn auch profiliertesten Kämpfer gegen die Reformation. So tragen zwei Männer namens Eck dazu bei, daß Bayern zum Vorposten des Katholizismus wird. Sein Beginnen aber setzen ab 1549 die Jesuiten fort, die von Herzog Wilhelm IV. ins Land und an die Ingolstädter Universität gerufen werden. Sie werden dort bis zum Ende, bis zur vorübergehenden Aufhebung ihres Ordens im Jahre 1773, tonangebend bleiben.

Während sich Aventin und die beiden Ecks um Politik, Geist und Kirche in Bayern bemühen, bleibt den beiden Herzögen Wilhelm IV. und Ludwig X. viel Zeit zu schöner Beschäftigung. Ludwig X., der unverheiratet zu Landshut residiert, wird zum wichtigen Auftraggeber für den großen niederbayerischen Bildschnitzer Hans Leinberger und den Maler Hans Wertinger, der – vielleicht ob seiner Herkunft – auch »Hans Schwab« genannt wird. Als er des Lebens auf dem hochgelegenen Schloß Trausnitz über der Stadt leid ist, beginnt er, seine Stadtresidenz zu bauen. Mitten in der Bauzeit reist er nach Mantua, sieht dort den Palazzo del Tè und läßt sich neben seinen »teutschen Pau« von italienischen Bauleuten den ersten und zugleich einzigen wirklichen Renaissance-Palazzo nördlich der Alpen errichten. 1537 wird begonnen, 1543 kann der Herzog einziehen, 1545 rafft ihn der Tod hinweg.

Zu München aber, das nun seit 1505 die einzige Haupt- und Residenzstadt im wittelsbachischen Bayern ist, fördert Herzog Wilhelm die Künste. Noch wirkt der große Bildhauer Erasmus Grasser in der Stadt (gestorben 1518), 1523 wird Ludwig Senfl aus Zürich Leiter einer Hofkapelle zu München und wirkt hier bis zu seinem Tod im Jahre 1543. Ab dem Jahr 1526 beginnt Herzog Wilhelm seine Neuveste zu verschönern, in die er nun endgültig vom »Alten Hof« umgezogen ist. Seit 1522 ist er mit der klugen Jakobäa von Baden verheiratet, die eine Liebe zur Literatur pflegt und selbst ein Erbauungsbüchlein drucken läßt: »Der geistliche Mai«. 1527 bestellt Wilhelm bei Altdorfer die Alexanderschlacht, sammelt überhaupt Bilder, gibt auch dem Nürnberger Kupferstecher Barthel

Beham Arbeit. Historienbilder, wie die Alexanderschlacht, hängt er in sein neues »Lusthaus« im Rosengarten der neuen Residenz, begründet damit die heutige »Bayerische Staatsgemäldesammlung«. Seinen Hofgarten aber schildern sogar italienische Besucher voll Begeisterung. Als Kaiser Karl V. im Jahr 1530 zu Besuch kommt, wird ihm vom Herzog ein prunkvoller Empfang bereitet, der es mit jedem römischen »Trionfo« hätte aufnehmen können.

Das letzte Bild für Herzog Wilhelm IV. malt sein Hofmaler Hans Mielich am 7. März 1550. »Hora mala« schreibt Mielich auf die Rückseite des Werkes. Er hat an diesem Tag ein in seiner Realistik erschütterndes Totenbild seines Herzogs gemalt. Mielich (1516 – 73) wird noch viele Bilder für den Münchner Hof malen, zum Beispiel für das »Kleinodienbuch der Herzogin Anna«. Die Herzogin Anna aber ist Albrechts V. habsburgische Gemahlin, die umstrittene Erbaussichten auf Österreich mit ins eheliche Bett bringt. Ihren Mann, den Nachfolger Herzog Wilhelms IV., hat die Anna von Habsburg 1545 zu Wien erstmals gesehen, schön und vornehm, wie ihn der Hofmaler Mielich auf das Brautwerbebild konterfeit hat.

Das erste Museum nördlich der Alpen

Der junge Herzog Albrecht V., geboren 1528 – seine Regierungszeit erstreckt sich von 1550 bis zu seinem Tod 1579 – hat sich also vermählt mit der Habsburgerin Anna. Diese Ehe wird zweihundert Jahre später mit der Grund sein für den blutigen »Österreichischen Erbfolgekrieg«. Gleich dem Vater ist Albrecht gut katholisch. Seine Jesuitenprofessoren zu Ingolstadt hat noch der Gründer des Ordens, Ignatius von Loyola (Ordensgründung 1540), sein Zeitgenosse, persönlich ausgesucht. Zu Ingolstadt, allerdings vor dem 1549 erfolgten ersten Einzug der Jesuiten, hat Albrecht studiert, mit dreizehn Jahren schon. Da gibt es ein genaues Reglement des Vaters für seine Lehrer. »Und erstlich soll man Ine zu unnser heiligen Religion weysen und halten. Auch alle tag zu ainer gewissen und gelegen Stund Meß mit Andacht heren und seine gepete Volpringen lassen«, heißt es da. Ungekochtes soll man ihm nicht zu essen geben, auch nicht überwürzte Speise. Zur Mahlzeit soll ihm nur »Einbickhisch oder Schwabacher pier« gegeben werden, Bier also, das entweder zu Schwabach oder gar zu Einbeck gebraut ist. Dieses Einbeckische Bier wird im Leben von Albrechts Sohn und Thronfolger Wilhelm V. noch eine Rolle spielen, ehe es sich ganz zum »Bockbier« fröhlicher Münchner Starkbierzeiten entwickelt.

Herzog Albrecht V. ist also bei seinem Regierungsantritt ein »Studierter« und ein Freund der Kunst, vor allem der Literatur und der Musik. 1556 zieht er den Niederländer Orlando di Lasso (1532 – 94) an den Münchner Hof, zuerst als Sänger, ab 1560 als Kapellmeister. Er hat damit den, neben Palestrina, bedeutendsten Musiker und Komponisten seines Jahrhunderts engagiert. 1563 – 1567 gestaltet

Hofbaumeister Wilhelm Egkl ein altes Gebäude zur heutigen »Münze« um. Das um einen Turnierhof gruppierte Gebäude mit seinen prachtvollen Arkaden dient als Marstall und (im Obergeschoß) als Kunstkammer für den eifrig und zum Ärger seiner Räte sammelnden Herzog. 1669 entsteht nach einer Idee des Mantuaners Jacopo Strada, ebenfalls unter Baumeister Egkl, das »Antiquarium«, das Friedrich Sustris 1586 bis 1600 überarbeitet. Damit ist das erste Museum nördlich der Alpen entstanden, das im unteren Stock, dem »Gewölb«, Plastiken und »Raritäten« aufnimmt, im ersten Stock aber des Herzogs große Liebe beherbergt, seinen wahren Schatz: Bücher. Er, der jede aufzulösende Bibliothek (auch die des Nürnbergers Hartmann Schedel und die des in Geldnöten befindlichen Johann Jakob Fugger) aufkauft, wird damit zum Begründer einer der größten Bibliotheken Europas, der heutigen, vier Millionen Bände umfassenden Bayerischen Staatsbibliothek.

Es ist bezeichnend, daß sogar der zunächst maßgeblichste Ratgeber Albrechts, Wiguleus Hundt von Lauterbach (1514 – 88), literarisch tätig wird. In seinen späten Jahren setzt er die Arbeit Aventins fort, betreibt Geschichtsschreibung auf der fundierten Grundlage archivalischer Quellen. Zu den Großtaten Albrechts gehört auch sein Auftrag an Philipp Apian, die »Bayerischen Landtafeln« zu schaffen, die dieser in bravouröser Manier 1554 bis

Der in München geborene Maler Hans Mielich (auch Muelich genannt) hat 1545 den späteren Herzog Albrecht V. recht vornehm als Erbprinzen porträtiert. Mit dem Bild warb das Haus Wittelsbach in Wien um eine Kaisertochter.

Das »Antiquarium« in der Münchner Residenz ließ in den Jahren 1569–1571 Bayernherzog Albrecht V.
von Jacopo Strada und Wilhelm Egkl schaffen. Das Gewölbe trug obenauf die
damalige Bibliothek und war selbst zur Aufnahme der Antiquitäten bestimmt, die der Herzog sammelte, alte und neue
Kunstwerke, vor allem Plastiken. Die Gewölbe bemalte Peter Candid mit allegorischen Bildern, in
den Stichkappen fanden über hundert Ansichten bayerischer Orte Platz.

1563 zusammen mit einer wertvollen Landesbeschreibung anlegt. Schließlich wird Albrecht, der ja studierter Jurist ist, auch noch zum Organisator eines neuen Staatswesens. Die »Hofkammer« erhält schon 1550 als Finanzbehörde einen selbständigen Wirkungskreis, 1570 aber wird eine weitere landesherrliche Behörde gegründet, der »Geistliche Rat«, der aus kirchlichen und weltlichen Persönlichkeiten besteht, die die staatlichen Hoheitsrechte kirchlicher Natur ausüben. Man darf ja nicht vergessen, daß im Herzogtum Bayern kein einziger Bischof residiert, da aus den Bischofssitzen von Freising, Salzburg, Passau, Eichstätt und Regensburg mittlerweile reichsunmittelbare Fürstentümer, Hochstifte, geworden sind, wobei der Regensburger Bischof noch dazu in einer Freien Reichsstadt seinen Sitz hat.

Über die Narrentreppe und das Hofbräuhaus ins große Nachdenken

»Ist ein gottesfürchtiger, stattlicher und gar vernünftiger Herr gewesen, der gelehrte und kunstreiche Leute recht lieb hatte und Bayern zieren wollte von innen und außen.« So steht es in einem Nachruf für Herzog Albrecht V., der am 24. Oktober 1579 zu München gestorben ist. »Bayern zieren von innen und außen«, ja, das wollte Albrecht gewiß; auch als er am 22. Februar 1568 seinen erbberechtigten Sohn Wilhelm mit Renata von Lothringen verheiratet. Da gibt es eine Wiederauflage der »Landshuter Hochzeit« von 1475, mag sein, daß das Hochzeitsfest zu München vielleicht noch prunkvoller war. Sechstausend Reiter begleiten den von sechs Schimmeln gezogenen Brautwagen von Dachau nach München. Salutschüsse, Pauken und Trompeten begrüßen Renata, und die Bevölkerung Münchens spielt mit, wenn aus Anlaß der Vermählung das biblische Drama »Samson« aufgeführt wird, wobei Orlando di Lasso die Seele des Spiels gewesen sein muß.

Der junge Herzog Wilhelm V. schlägt seine Residenz zunächst dort auf, wo er 1548 geboren ist: zu Landshut. Mit Hilfe des vielseitig talentierten Architekten und Malers Friedrich Sustris, der noch zahlreiche Helfer mit heranzieht, verwandelt sich die hochgelegene Burg Trausnitz in ein Lustschloß der Renaissance, bekommt Arkaden, prangende Gärten mit Lusthäusern und ein recht verwirrend Ding: die Narrentreppe. Ludwig Schrott, der das Leben der Herrscher Bayerns so anschaulich beschrieben hat, nennt diese Narrentreppe den Vorläufer unserer heutigen Geisterbahnen. Die ganze »Commedia dell'arte« ist so raffiniert an die Wände der engen Treppe gemalt, daß man sich ständig von diesen Maskenträgern erschreckt, geneckt und verführt fühlt. Fest an Fest reiht sich zu Landshut, und neben Bildern und Plastiken werden nun auch lebende Raritäten gesammelt, als da sind Zwerge, Mohren, Springer, Hofnarren und seltsame Tiere. Summa summarum macht das alles 300 000 Gulden aus, die der junge Wilhelm dem gestrengen Vater

Bilder oben und unten: Die »Narrentreppe« auf der Landshuter Trausnitz, gemalt um 1578 im Auftrag des späteren Herzogs Wilhelm V., der mit Renata von Lothringen hier elf heitere Erbprinzenjahre mit Musik und Theater verlebte.

Späte höfische Renaissance in der Stadt
München: der Brunnenhof der Residenz, um 1610
angelegt (Bild oben), und die heutige »Münze«,
die 1563–1567 von Wilhelm Egkl als Marstall und im Obergeschoß als Kunstkammer gebaut wurde (Bild unten).

Albrecht 1575 eingestehen muß. Von da an wird alles anders. Wilhelm, im gleichen Jahr auch von einem gefährlichen Fieber heimgesucht, wandelt sich zum »Frommen«, als der er in die Geschichte eingeht. Seine Frau, die bisher so verspielte Renata, verwandelt sich mit ihm.

Die Regierungszeit Herzog Wilhelms V., die 1579 beginnt, ist gekennzeichnet von einer Politik, die das Haus Wittelsbach in seinem Ansehen stärken will. Daheim wächst die Residenz um den Trakt des Grottenhofes (gestaltet 1581 – 86 durch Friedrich Sustris), und ab 1586 gehört auch der weitberühmte Maler Peter Candid zur Schar der von Sustris geleiteten Hofkünstler. 1582 wird der Gregorianische Kalender eingeführt und im Jahr 1589 eines der wichtigsten Gebäude Münchens erstellt: das Hofbräuhaus. Nicht mehr sollte das gute Bier aus der norddeutschen Stadt Einbeck importiert werden müssen. Mit dem Braumeister Heimeran Pongraz, den sich der Herzog zunächst nur vom Benediktinerinnenkloster Geisenfeld in der Hallertau ausgeliehen hatte, wurde nun in München ebenbürtiges Bier gebraut, wobei der Herzog über dem Erfolg, den ihm der Braumeister der Benediktinerinnen einbrachte, dessen »Rückgabe« völlig vergessen hat. Den bürgerlichen Brauern der Stadt München hat das Hofbräuhaus gar nicht gefallen. Das bessere Bier zog die Durstigen an, so daß der Herzog bald dekretieren mußte, daß das Hofbräuhaus nur für den Bedarf des Hofes brauen dürfe. Dieses Dekret hält einen guten Freund des Herzogs glücklicherweise nicht von diesem neuen Bräuhaus fern: Orlando di Lasso, der bis zu seinem Tod im Jahre 1594 dem Hofbräubier sehr mächtig zugesprochen haben soll.

Wilhelm V. will auch außen Erfolge für sein Haus haben. Da konvertiert der bisherige Kölner Erzbischof (der zugleich einer der Kurfürsten ist), Gebhard Truchseß von Waldburg, und will das Hochstift säkularisieren. Papst Gregor XIII. setzt ihn im April 1583 ab, und das Kölner Domkapitel wählt bald darauf Herzog Wilhelms Bruder Ernst einstimmig zum neuen Erzbischof. Mit Hilfe evangelischer Fürsten, unter anderem der Wittelsbacher Vettern in der Pfalz, sucht sich der Waldburg zu behaupten. Da entsendet Wilhelm V. einen anderen Bruder, Ferdinand, aus Bayern mit dreitausend Mann an den Rhein, der in einem Winterfeldzug den abgesetzten Erzbischof verjagt. Kölns Bischofstuhl und Kurhut bleiben nun bis 1761 immer bei einem nachgeborenen Wittelsbacher aus München. Das Haus Bayern bekommt dadurch keinen geringen Einfluß in Norddeutschland, zumal die bayerischen Kurfürsten von Köln meistens auch noch Bischöfe von benachbarten Bistümern, wie Münster oder Paderborn und Hildesheim, werden.

Auch mit seinem Bruder Ferdinand, der so schneidig die Angelegenheiten zu Köln erledigt hat, möchte Wilhelm V. Hauspolitik machen. Ferdinand ist 1583, als er im militärischen Winterlager am Rhein liegt, 33 Jahre alt und immer noch Junggeselle. Zu München hat er sich am

Rindermarkt die Grundstücke zwischen dem heutigen Gasthaus »Drei Rosen« und dem Rosental angeeignet und sich dort einen prachtvollen Palazzo eingerichtet. Er möchte zwar »aus dem verdammten Junggesellenstand« herauskommen, wie er dem regierenden Bruder nach der Erstürmung von Godesberg und der Einnahme von Bonn im Winter 1584 vermeldet, doch des Bruders politische Hochzeitspläne schmecken ihm nicht: die 15jährige Herzogin von Gonzaga oder die heißblütige und nun gerade sehr überflüssig gewordene Königin von Schottland, Maria Stuart (die zudem hinter dicken Mauern zu Sheffield gefangen sitzt). Es ist wahr, daß Ferdinand vor allem auch seine gemütliche Residenz am Münchner Rindermarkt und sein schönes Land Bayern nicht verlieren möchte. Am Ende überrascht er den entsetzten Hof im Jahre 1588 mit einer 14 Jahre alten Braut, der Tochter Maria des Haager Rentschreibers Georg Pettenbeck. Allen Widerständen zum Trotz kann er die junge Bürgerstochter zu seiner Frau machen, wobei vor der Eheschließung am 26. September 1588 die Erbrechte vertraglich abgegrenzt werden Die Ehe Wittelsbach/Pettenbeck begründet ein zweites Geschlecht der »Grafen von Wartenberg«, benannt nach Wartenberg bei Erding, dessen ursprünglicher Ortsadel ausgestorben war.

Die Wartenbergs hausen recht glücklich am Rindermarkt, zwanzig Jahre lang, umgeben von Kindersegen. 1608 erliegt Herzog Ferdinand einem Herzschlag und hinterläßt eine mit seinen Schulden geplagte Witwe, der vom Herzog und späteren Kurfürsten Maximilian I. ritterlich aus der Patsche geholfen wird. Das Erzbild Ferdinands, eines der Meisterwerke Hans Krumpers, ist heute noch unter der Empore der Heiliggeistkirche zu sehen. Einst zierte es Ferdinands Pavillon in seinem Lustgarten am Rindermarkt.

Lustgärten baut Ferdinands Bruder, der regierende Herzog Wilhelm V., keine mehr. Er legt 1597 draußen in Schleißheim eine Musterschwaige, also ein vorbildliches Bauerngut an, das zur Keimzelle des späteren »Alten Schlosses« (unter Kurfürst Maximilian I.) und des prachtvollen Neuen Schlosses (unter Kurfürst Max II. Emanuel) wird. Auch baut er für einige Eremiten in der Nähe von Schleißheim Einsiedeleien, die er oft zum Gebet und Gespräch aufsucht. Sein großes Werk aber ist die tonnengewölbte, riesige Kirche Sankt Michael der Jesuiten zu München, flankiert vom gewaltigen Kollegbau. Die Kirche und das anschließende Jesuitenkolleg sollten ein Gegenstück des spanischen Eskorials sein, waren in jedem Fall ein unübersehbares Bollwerk der Gegenreformation. Als Baumeister sind der in Italien gebildete Friedrich Sustris, der Augsburger Schreiner-Architekt Wendel Dietrich und der Steinmetz und ausführende Werkmeister Wolfgang Miller zu nennen. Die in den Jahren 1583 bis 1597 aufgeführte Kirche beeindruckt durch ihre gewaltige Tonne im Inneren und durch ihre machtvolle Fassade, die schon 1592 Hubert Gerhart mit dem Erzbild des heiligen Michael, einem Symbol der Gegenrefor-

mation, schmückt. Der erste sakrale Renaissancebau Deutschlands wird in den Obergeschossen der Fassade auch durch Statuen wittelsbachischer Ahnen und dreier habsburgischer Kaiser (Max I., Karl V. und Ferdinand I.) belebt. Seit 1580 gibt es auch herzogliche Anordnungen, die Fronleichnamsprozession betreffend. Sie wird ein von aller Welt bewundertes Schau- und Prunkstück ersten Ranges, ein wahrer Triumphzug Christi, bei dem an die 3000 Darsteller in »lebenden Bildern« mitwirken. Dazu verwandelt sich der große, freie Platz zwischen Jesuitenkolleg und Michaelskirche oft in ein Freilichttheater, das Stücke des barocken Jesuitentheaters bietet. So weiht man die große Kirche 1597 mit einem Freudenfest ein, bei dem am Ende der Luzifer mit dreihundert Teufeln ins Höllenfeuer gestürzt wird. Der himmlische »Archistratege« Sankt Michael siegt an allen Fronten.

Als Symbol der Erneuerung des katholischen Glaubens und der Gegenreformation steht das Erzstandbild des heiligen Michael, der die Hölle besiegt, in der Fassade der St. Michaelskirche in München (Hubert Gerhart, 1592).

Die St. Michaelskirche in München, das Hauptwerk des deutschen Renaissance-Kirchenbaus, wurde
1597 geweiht. Sie sollte nach dem Willen ihres Stifters, Herzog Wilhelms V.,
ein Mal der Erneuerung des katholischen Glaubens im Herzogtum Bayern sein. Unter der gewaltigen Tonne des Gewölbes
ragt mehrstöckig der vom Augsburger Schreiner-Architekten Wendel Dietrich gebaute
Hochaltar auf, dessen Gemälde (Sieg St. Michaels) Christoph Schwarz malte.

Seltsam endet der so fröhlich über die Landshuter Narrentreppe gesprungene Wilhelm der Fromme. Zum zweiten Mal in seinem Leben ist er 1594 am Rand des Bankrotts; diesmal ist es weniger seine Schuld als die des allgemeinen wirtschaftlichen Niedergangs, der sogar den Fuggern viel zu schaffen macht. Wilhelm legt die Situation seinem zu Ingolstadt in allen Wissenschaften gebildeten Sohn Maximilian dar und nimmt ihn als Mitregent auf. Drei Jahre später, 1597, geht er vollends in den Austrag, lebt noch bis 1626 in Abgeschiedenheit und frommer Pilgerschaft. Er und seine Gemahlin Renata von Lothringen (gestorben 1602) ziehen sich in eine bescheidene, eigene Residenz, die spätere Maxburg, zurück, tragen nur noch Schwarz, essen aus irdenen Tellern, bedienen Tag für Tag bei Tisch zwölf alte Männer und Frauen. Der Witwer, der am Ende noch seinen tüchtigen Sohn Maximilian in der Würde des Kurfürsten sieht, wandert oft am Pilgerstab die weite Strecke zur Wallfahrt von Tuntenhausen. Am 7. Februar 1626 stirbt Wilhelm und wird in der Wittelsbachergruft von Sankt Michael begraben, an der Seite Renatas, der Gefährtin von kurzer Lust und langem Nachdenken.

Der Größte von allen: Maximilian I.

Was für eine Fügung! Die schwersten Zeiten der sieben Jahrhunderte Wittelsbacherherrschaft in Bayern finden den Tüchtigsten, ja den Größten an der Regierung: Maximilian I., geboren 1573, Mitregent seines Vaters Wilhelm V. von 1594 bis 1597, alleiniger Herzog nach des Vaters Rücktritt von 1597 bis 1623, sieghafter Kurfürst von 1623 bis

Herzog Wilhelm V. ließ ab 1597 einen landwirtschaftlichen Musterhof Schleißheim errichten, den sein Sohn, der bayerische Kurfürst Maximilian I. (Bild oben: Bronzebüste Maximilians von Hans Krumper), in das einfache »Alte Schloß« umwandelte. Dieses Alte Schloß nahm Maximilians Enkel, Kurfürst Max II. Emanuel, ab 1683 zum Ausgangspunkt für den Bau einer prachtvollen Barockresidenz, die als Neues Schloß Schleißheim (Bild unten) 1701–1723 entstand.

zu seinem Tode 1651. Zweimal verheiratet: 1595 mit seiner Base, Elisabeth Renata von Lothringen (in kinderloser Ehe bis zu Renatas Tod 1635), 1635 (sieben Monate nach Renatas Tod) mit Maria Anna, der Tochter seines Kaisers Ferdinand II., die ihm endlich den ersehnten Thronfolger schenkt, Ferdinand Maria. Man bedenke: Maximilian I. ist bei dieser zweiten Hochzeit schon 62 Jahre alt, in einer Zeit, die wenigen Menschen ein langes Leben beschert hat. Sein neuer Schwiegervater ist fünf Jahre jünger als Maximilian und war in den jungen Jahren sein Studienfreund auf der Ingolstädter Universität, wo sich Maximilian ein umfangreiches Wissen geholt hatte, das ihn dann ab 1597 befähigte, das Herzogtum aus den Schulden zu einem neuen Staatsschatz zu führen. Dies nicht nur durch neue Steuern, sondern vor allem durch Einsparen, Rationalisieren und durch gezielte Wirtschaftsförderung.

Als der Dreißigjährige Krieg (1618 – 48) schon ausgebrochen war, kann Maximilian ein technisches Meisterstück seiner Zeit einweihen: die Soleleitung von den Salzquellen Reichenhalls zur neuen Zweigsaline in der Au bei Traunstein. Der Techniker dahinter ist Hans Reiffenstuel, der damit das Salzsieden in der holzreichen Umgebung Traunsteins, fernab von den Salzquellen und näher den Umschlagsplätzen, vor allem dem Haupthandelsplatz München, ermöglicht.

Herzog Maximilian hat in wenigen Jahren 1,6 Millionen Gulden Staatsschulden getilgt und einen bei Regierungsantritt vorgefundenen Kassenstand von 1220 Gulden und 30 Kreuzer in ein neues Vermögen umgewandelt. Jetzt kann er sich, besonders in den Jahren 1611 bis 1618, seine Residenz ausbauen. Es wird ein Zustand hergestellt, wie er in den Gebäulichkeiten etwa bis zur bayerischen Königszeit bleiben wird. So entsteht auch an der »Schwabinger Gasse« (heute Residenzstraße) der wuchtige Westtrakt mit seiner Fassadenmalerei und den beiden repräsentativen Portalen. Die wappenhaltenden Löwen an den Portalen hatte Hubert Gerhart eigentlich für ein geplantes Grabmonument für Herzog Wilhelm V. gemacht, während die »Patrona Boiariae«, in der Nische zwischen den Portalen, 1616 von Hans Krumper geschaffen wurde.

1507 führt Maximilian die über die Freie Reichsstadt Donauwörth verhängte Reichsacht durch. Die Mehrheit der Protestanten in der Stadt hatte, trotz mehrfacher Ermahnung, die katholische Minderheit der Bürger sekkiert. Die Einnahme Donauwörths und der Jülich-Klevische Erbfolgestreit (ab 1609) sind Vorboten des Dreißigjährigen Krieges, der 1618 über der Niederwerfung eines Böhmischen Aufstandes ausbricht. Die Fronten und Gegner haben sich längst vorher formiert: 1608 wird die »Protestantische Union« begründet, 1609 die »Katholische Liga«, in welcher neben dem Kaiser der bayerische Herzog tonangebend ist. Feldherr der Liga wird der sich schon lange bewährte Brabanter Johann Tserclaes Tilly (1559 – 1632).

Wie es guter Bürger- und Bauernbrauch ist, schmückt auch Maximilian I. die Hauptfassade seiner neuen Münchner Residenz mit dem Hauspatron. Hans Krumper modelliert ihm 1616 die »Patrona Boiariae«, in einer Nische über dem Ewigen Licht stehend.

Ein reiner Glaubenskrieg ist dieser Dreißigjährige Krieg nicht. Da werden, vorwiegend auf deutschem Boden, auch die offenen Konflikte zwischen Frankreich und Habsburg, der Kampf Schwedens um die Vorherrschaft am Baltischen Meer und der Ostsee und schließlich auch noch der Freiheitskampf der Niederlande ausgetragen. Im Rahmen der Darstellung einer Geschichte Altbayerns ist es unmöglich, alle Züge und alles Elend des Dreißigjährigen Krieges darzustellen. Nach dem Fenstersturz von Prag (Mai 1618) machen die aufrührerischen Böhmischen Stände den Führer der Protestantischen Union, den wittelsbachischen Kurfürsten Friedrich von der Pfalz, zu ihrem König (August 1619). Er soll nur ein »Winterkönig« bleiben, da 1620 Bayern und die Liga mit Herzog Maximilian und General Tilly eingreifen. Am 8. November 1620 gewinnen Maximilian und Tilly die Schlacht am Weißen Berg bei Prag, die das Ende der Königsträume Friedrichs von der Pfalz bedeutet. 1623 überträgt Kaiser Ferdinand II. die Kurwürde des abtrünnigen Pfälzers an Maximilian, seinen einstigen Studienfreund. 1628 wird deren Erblichkeit bestätigt und zudem die Oberpfalz endgültig an das Haus Bayern gegeben; dort werden nun Jesuiten und andere Orden den Übertritt der protestantischen Bevölkerung zum bayerischen Katholizismus besorgen.

Kriegsglück ist wandelbar und noch mehr sind es die diplomatischen Winkelzüge, an denen es auch in den dreißig Jahren des Krieges Maximilian nicht mangeln läßt. Die Landung Gustav Adolfs von Schweden am Ostseeufer des Kampfplatzes Deutschland im Jahr 1630 bringt neue, große Schlachten und alle Schwedengreuel der kommenden Jahre mit sich. 1631 erobert Tilly Magdeburg, wird aber bei Breitenfeld von den Schweden geschlagen. Am 30. April 1632 stirbt er in der Festung Ingolstadt, nachdem er in der, gegen die Schweden verlorenen, Schlacht bei Rain am Lech tödlich verwundet worden war. Im gleichen Jahr erobert der Schwedenkönig die Stadt München, läßt sich in der Residenz nieder, möchte diese am liebsten auf Rollen nach Schweden mitnehmen, so schön und behaglich findet er sie. Dabei ist auch seine Zeit vorbei: Noch 1632 fällt er in der Schlacht von Lützen.

Der Krieg hat seine Pausen, zum Beispiel den Frieden von Prag, der 1635 geschlossen wird, nachdem das Jahr zuvor die Schlacht von Nördlingen die Schweden vorerst aus Süddeutschland vertrieben hat. In diese Atempause fallen die zweite Hochzeit Maximilians und die Geburt des Thronfolgers Ferdinand Maria. 1638 läßt der Kurfürst auf dem heutigen Marienplatz die »Patrona Bavariae« aufstellen, als Dank und als Bitte an die Patronin Bayerns. Mehrmals hat diese »Mariensäule« Ereignissen weichen müssen, zuletzt dem U-Bahnbau. Olympischer Gigantismus im Rathaus hatte damals die Kassen derart geleert, daß die Wiederaufstellung (mit einer guten Vier-

Durch ihren großen Sieg in der Schlacht am Weißen Berg bei Prag am 8. November 1620 beendeten Herzog Maximilian I. und sein Feldherr Tserclaes Tilly den »pfälzisch-böhmischen Krieg«, der den Anfang des Dreißigjährigen Krieges bilden sollte. Maximilians wittelsbachischer Vetter Friedrich V. von der Pfalz wurde als »Winterkönig« aus Böhmen in die Reichsacht vertrieben, Maximilian aber erhielt als Anführer der Kaiserlichen die Kurfürstenwürde.

telmillion Mark) nicht von der Stadt, sondern von einem Bürger finanziert werden mußte: Der Schlossermeister Georg Bergmeier aus dem Lehel legte den Betrag auf den Tisch, als Dank dafür, daß ihm sein Augenlicht nach einer Operation erhalten blieb.

Im Jahr 1647 zwingt Kurfürst Maximilian I. durch einen befristeten Waffenstillstand mit Frankreich und Schweden den Kaiser zum 1648 geschlossenen »Westfälischen Frieden«. Drei Jahre des Wiederaufbaus sind Maximilian I. noch geblieben, Jahre, in denen er seinem Nachfolger auch einen kleinen Staatsschatz zusammensammelt. Im September 1651 macht sich der Kurfürst von Ingolstadt aus zur Wallfahrt nach Bettbrunn auf, zu Sankt Salvator. Er erkältet sich dabei und stirbt im Ingolstädter Schloß am 27. September 1651. Seine Beisetzung in der Münchner Michaelskirche findet nach seinem Willen ohne Pomp statt. »Die Spesa« soll man besser an die Armen geben, hatte er gemeint. Seinem 15 Jahre alten Sohn hinterläßt er ein Kurfürstentum, eine prachtvolle Residenz und geschriebene Ratschläge fürs Leben und für die Staatsführung. In diesen »treuherzigen, väterlichen« Lehrstücken steht auch, daß »eifrige arbeitsame Potentaten und Fürsten den Prennendten Kerzen recht verglichen werden, welche sagen khündten: Aliis lucendo consumor«. Hätten doch mehr Inhaber von Macht dieses sich Aufbrauchen im Leuchten zu ihrer Devise gemacht.

Eine Galeere für friedliche Lust

Des Kurfürsten Maximilian I. Residenzneubau ist es nicht, was den Beginn des Barock in Bayern signalisiert. Das unübersehbare Zeichen für den Anfang einer neuen Epoche des Denkens, Handelns und künstlerischen Tuns ist vielmehr das Gegenüber dieser Residenz: die Hofkirche der Theatiner zu Sankt Cajetan. Der Bau dieser mächtigen Kuppelkirche, die so entscheidend zur Münchner Silhouette gehört, gilt ja auch dem Barocksten aller Wittelsbacher: dem am 11. Juli 1662 geborenen, lange vergeblich erwarteten Thronfolger, Max II. Emanuel, dem »Blauen Kurfürsten«. Diesen Beinamen haben ihm die Türken gegeben, seine ihn fürchtenden Gegner. In seiner blauen Felduniform haben sie ihn siegen sehen, ihn, der keineswegs ängstlich versteckt war. Und so haben sie ihn den »Blauen König« genannt.

Mit dem Sohn, dem späteren »Blauen Kurfürsten«, gab Henriette Adelaide, die bayerische Kurfürstin Adelheid von Savoyen, dem Barock im Lande Bayern das Leben. Aus ihrer südlichen Heimat brachte sie das heitere, neue Lebensgefühl mit, das von ihr auf den Hof und vom Hof auf Stadt und Land übersprang. Und wenn man sich heute umsieht in den bayerischen Landen, möchte man meinen, der Barock sei eigens für Bayern erfunden worden. Er paßt mit seinen Zwiebeltürmen, hell-goldenen Kirchen und Festsälen, mit seiner starksprachigen Dich-

Eine bayerische Flotte mit großer weiß-blauer Beflaggung! Das Diorama im Deutschen Jagdmuseum zu München zeigt die Lustflotte, die sich Kurfürst Ferdinand Maria und seine lebenslustige Gemahlin Henriette Adelaide für den Starnberger See bauen ließen. Das Flaggschiff, der »Bucintoro«, war dem Staatsschiff des Dogen von Venedig nachgebaut. Der Bucintoro, der mit den anderen Schiffen auch zur Jagd diente, wurde von hundert Ruderern bewegt.

Um 1670 hat vermutlich Henri Gascar das Doppelbild des Kurfürsten Ferdinand Maria und seiner Gemahlin Henriette Adelaide gemalt. Es hängt heute in einem Vorzimmer des Südflügels von Schloß Nymphenburg. Das Kurfürstenpaar war damals etwa 35 Jahre alt. 1662 hatte Ferdinand Maria als Dank für die Geburt des Thronfolgers Max Emanuel seiner aus Savoyen stammenden Gemahlin Adelaide die Anfänge des heutigen Schlosses Nymphenburg bauen lassen.

tung, mit dem durchaus nicht besonders feinnervigen Theater dieser Epoche, kurz mit seiner überschäumenden Sinnenfreude so prachtvoll zum Land zwischen der Donau und dem Gebirg', ja auch in das gesamte heutige Bayern zwischen Spessart und Karwendel.

Henriette Adelaide (der Name klingt schon wie Musik und Tanz), das fröhliche Kind des Südens, wird ein wenig gefroren haben in den ersten Jahren ihres Lebens in der Münchner Residenz. Da geht noch die Witwe des großen Kurfürsten Maximilian, die ernste Habsburgerin Maria Anna, durch die langen Gänge und Zimmerfluchten, führt noch ein erzkatholisches Regiment im Haus. Im Alter von 14 Jahren war die schöne Adelheid dem gleichaltrigen Thronfolger Bayerns, Ferdinand Maria, im Dom zu Turin angetraut worden, am 8. Dezember 1650, in Abwesenheit des kindlichen Bräutigams. Erst am 22. Juni 1652, eineinhalb Jahre nach dieser Trauung, zieht Henriette Adelaide in ihrer Residenz München ein, sie, die von ihrer ehrgeizigen Mutter zuerst als Braut für den leuchtendsten Potentaten dieser Zeit ausersehen war: für den Sonnenkönig Ludwig XIV.

Zehn Jahre müssen Adelheid und Ferdinand Maria auf den Thronfolger warten. Als er dann das Licht der Welt erblickt, läßt die Kurfürstin, voll Dankbarkeit und voller Freude über den kleinen Max Emanuel, durch Agostino Barelli aus Bologna die Hofkirche errichten, das erste namhafte Barockbauwerk in Bayern. Hausherr wird der von ihr geschätzte Theatinerorden, eine noch sehr junge Kongregation.

Durch eine recht geschickte, wenn auch nicht immer kerzengerade Politik, die der Kanzler Kaspar von Schmid vornehmlich dirigiert, wird Kurfürst Ferdinand Maria seinen bayerischen Untertanen zum »Friedensfürst«, nach all den schrecklichen Jahren des dreißigjährigen Wütens und Mordens. Man betreibt jene Politik, zu der Bayern als Mittelstaat immer wieder gezwungen ist: Man pendelt zwischen zwei Großmächten. Bayern wendet sich in dieser Zeit Frankreich zu, ohne die liebe Habsburger-Verwandtschaft in Wien vor den Kopf zu stoßen. Der junge Herrscher konnte sich an die ihm hinterlassenen väterlichen Ermahnungen Maximilians I. halten: »Kein Krieg ist der beste; der von Krieg redet, redet alles Übel, die können es bezaigen, die es erfahren und die Grausamkeit des Kriegs mit Augen gesechen haben.« Und der fromme kurfürstliche Vater hat seine Friedensermahnungen mit der Aufforderung geendet: »Fliehe den Krieg, dessen Ursprung der Hochmuth, Haß und andere mehr unbesonnene Gemuethsneugungen seint.« Vom Vater Maximilian, der mehrmals seinen Staat aus finanziellen Nöten retten mußte, hat Kurfürst Ferdinand Maria auch die wichtigste wirtschaftspolitische Anweisung: »Die gerechtiste Weis, reich zu werden, ist die Gespahrsambkeit und eine wohl eingerichtete Würthschafft.« Wer nun freilich die Berichte über schier nicht mehr enden wollende Festlichkeiten liest und die überlieferten Bilder dazu betrachtet, wird Ferdinand Maria

und seine Henriette Adelaide die Beherzigung dieses Grundsatzes zur »Gespahrsambkeit« wenig glauben wollen. Und doch haben sich während der Regierungszeit Ferdinand Marias die wirtschaftlichen Verhältnisse im Lande zusehends gebessert. Die Landwirtschaft, im langen, langen Krieg arg darniedergekommen, erhielt neuen Auftrieb durch Vergünstigungen; eine neu gegründete Ackerbauschule in Schleißheim brachte Anregung und Aufklärung in die Bauernschaft. Beim Aufstieg des Barock in einem Lande wie Bayern konnte freilich auch die phantastische Seite der Wirtschaftspolitik nicht fehlen. Sie kam aus dem pfälzischen Speyer, in der Gestalt des kurfürstlich bayerischen Rats und Leibmedicus Doktor Johann Joachim Becher. Dieser macht, so ganz nebenbei, Gold aus Sand (was heutige Sand- und Kiesgrubenbesitzer wohl auch vermögen), bastelt an einer frühen Esperantosprache, gründet eine »Hochdeutsche Westindische Compagnie«, will für Bayern den Holländern Ihr Neu-Amsterdam abkaufen, das dann doch ein englisches New York wird, möchte auch in Bayern Banken und Fabriken eröffnen und sieht auf wirtschaftlicher Basis eine Einigung aller deutschen Staaten kommen. Mit der letzteren Idee ist er allerdings kein falscher, sondern nur ein zu früher Prophet. Bechers Zeitgenosse, der Philosoph und Mathematiker Leibniz, sieht in ihm einen hervorragenden Geist, der Historiker Ludwig Schrott nennt ihn einen »Gschaftlhuber im Weltmaßstab«, was sicher auch eine recht treffende Einstufung ist, zumal ja in Bayern so ein »Gschaftlhuber« keineswegs nur negative Seiten haben muß.

Prinzessin Marianne Christine und ihr Bruder, Kurprinz Max Emanuel (Schloß Nymphenburg, um 1675, Henri Gascar). Die Kinder hatten offenbar die feurigen, dunklen Augen ihrer Mutter Henriette Adelaide von Savoyen geerbt.

Phantastische Wirtschaft, phantastische, phantasievolle Feste, wundersame, neue Bauwerke, schon vor der großen Dankbarkeitskirche Sankt Cajetan. Die blutjunge Kurfürstin Adelheid von Savoyen obsiegt bald über die Strenge der Schwiegermutter, musiziert zusammen mit ihrem Ferdinand Maria, läßt 1653 in München die Opernzeit anheben, als sie im alten Herkulessaal der Residenz das musikalische Festspiel »L'Arpa festante« zur Aufführung bringt. Komponist und Texter ist Gian Battista Maccioni, der am Hof eine vielseitige Rolle spielt: Hofkaplan, Dichter, Komponist, Lehrer der kurfürstlichen Herrschaft im Gesang und im Spiel von Laute und Harfe.

Im Jahre 1658 wird am Salvatorplatz das erste freistehende Opernhaus Deutschlands eröffnet, ein von Francesco Santorini umgebautes Kornhaus, ein »Komödienstadel« sozusagen. Santorini verhilft der in der Prachtentfaltung nimmermüden Henriette Adelaide auch zu einer eigenen Flotte auf dem damals noch ausschließlich »Würmsee« genannten Starnberger See. Er baut nach dem Vorbild des venezianischen Dogen-Prachtschiffes einen »Bucintoro«, eine von hundert Ruderern bewegte Galeere, dazu auch einige kleinere Schiffe. Eine Galeere zu friedlicher Lust, wenn man von den schlimmen Treibjagden auf Hirsch und Reh absieht, die mit Hilfe des »Bucintoro« und der übrigen Flotte durchgeführt wurden.

In der Residenzstadt entsteht das »Tournierhaus« am heutigen Odeonsplatz, das neben zierlichen, spätritterlichen Turnieren auch allerhand andere barocke Kurzweil erlaubte. Als 1658 der eben gewählte Kaiser Leopold III. mit nicht weniger als 1500 Begleitern nach München kommt, gibt es ihm zu Ehren einen so prachtvollen Festzug, daß Matthäus Merian diesen in sein Werk »Teatrum Europäum« aufnimmt. Vor der Stadt aber errichtet Agostino Barelli ab 1664 auf der Schwaige »Kemnathen«, die der Kurfürst seiner Gemahlin geschenkt hat, ein Sommerhaus, das 1674 von Enrico Zuccalli fortgeführt und das Jahr darauf vollendet wird. Die Kurfürstin gibt dem bescheidenen Lustschloß den Namen »Borgo delle ninfe«, wenn es auch noch zweier weiterer Kurfürsten bedarf, um aus diesem kubusförmigen Haus das letztlich so strahlende Nymphenburg zu machen. 1669 wird auch eine neue Leibgarde installiert, die so glänzend martialisch wirkende Truppe der »Hartschiere«, ein Name, der sich vom italienischen Wort für Bogenschützen (= arciere) ableitet.

Zwischen Hoffesten, reizenden Turnieren und (für das Wild) mörderischen Hofjagden, zwischen Tanz und Komödie, bleibt auch noch Raum für die Frömmigkeit. Henriette Adelaide wallfahrtet gerne nach Altötting und gründet 1663 sogar die heute noch unter anderem Namen bestehende »Kongregation der leibeigenen Dienerinnen oder Sklavinnen Mariens«, deren Priorin sie wird. Als solche entwirft sie selbstverständlich auch einen eigenen Habit, bestehend aus hellgrauem Seidenkleid, weißem Schleier, blauem Skapulier und einem recht düsteren Accessoire: einem Totenkopf an einer Halskette. Fromme Komödie vielleicht nur.

Die barocke Hofkomödie, die schier endlose Lustspielerei, endet als Tragödie. In einer Aprilnacht des Jahres 1674 entsteht durch die Unvorsichtigkeit einer italienischen Kammerfrau ein Brand, der die halbe Residenz in Mitleidenschaft zieht. Es heißt, die Münchner wären beim Löschen nur halben Herzens dabeigewesen, weil man das viele Italienische an diesem Hof der Henriette Adelaide nicht mochte. Die Kurfürstin, mutig und beherzt, rettet ihre Kinder, erkältet sich aber. Sie, die in ihrer Heimat »La Tenerina«, die Zarte, genannt wurde, erholt sich nicht mehr vom Schrecken dieser Nacht. Am 18. März 1676 stirbt sie. Der Kurfürst ist einsam, gewiß auch verbittert über das blöde Spiel der Politik. Gern ist er nun draußen in Schleißheim, grübelt, geht spazieren. Dort überrascht ihn am 26. Mai 1679 auch der Tod. An der Seite seiner Gemahlin wird er in der Hofkirche Sankt Cajetan beigesetzt. Die Kuppel dieser Kirche wird erst 1688 zusammen mit den zunächst nicht vorgesehen gewesenen Türmen durch Barellis Nachfolger Enrico Zuccalli vollendet. Erst 80 Jahre später, 1768, ist die riesenhafte Fassade in ihrem von Cuvilliés dem Älteren entworfenen und von Cuvilliés dem Jüngeren ausgeführten Schmuck fertig. Anton Boos ist dabei der Bildhauer. Auftraggeber für die Fassade ist der letzte Wittelsbacher aus bayerischer Linie, Max III. Joseph, den man den Vielgeliebten nennt. Er möchte das Versprechen seiner Ahnen erfüllen, hat aber selbst nie einen Anlaß, zum Dank für die Geburt eines Thronfolgers eine Kirche zu bauen.

Der Blaue Kurfürst: Türkensieger und Spanienverlierer

Nach dreißig Jahren Krieg hatte das bayerische Volk unter Ferdinand Maria dreißig Jahre Frieden gehabt. Vielleicht spricht man seit jeher deshalb von Ferdinand Maria weit weniger als von seinem Sohn und Nachfolger Maximilian II. Emanuel. Mit ihm haben die friedlichen Zeiten ein Ende, wenn man auch nicht unbedingt sagen kann, daß er seine Kriege vom Zaun gebrochen habe. Bis zu seinem 18. Geburtstag am 11. Juni 1680 besorgte sein Onkel Max Philipp die Regierungsgeschäfte, dann stieg Max Emanuel in die Politik ein, hatte nach zwei Jahren eine stehende Armee nach französischem Muster, ignorierte am Ende die Werbungen des Sonnenkönigs und entließ den altgedienten, frankreichfreundlichen Kanzler Kaspar von Schmid. Im Januar 1683 wurde mit dem Kaiser in Wien eine »Defensivallianz« abgeschlossen, die nicht nur gegen die Türkengefahr zielte. Diese war es aber dann doch, die der jungen bayerischen Armee die Feuertaufe brachte. Im September des gleichen Jahres stehen die Türken vor Wien. Unter dem Oberbefehl des Polenkönigs Johann Sobieski kommandiert Max Ema-

Der Bau der Hofkirche der Theatiner (St. Cajetan) in München, als Dankvotiv des Kurfürstenpaares
Ferdinand Maria und Henriette Adelaide für die Geburt des Thronfolgers Max Emanuel,
im Jahre 1662 hat in Bayern den Auftakt zum Barock gegeben. Die aus Turin kommende Kurfürstin betraute den
Bologneser Agostino Barelli mit dem Bau, der später, ab 1674, vom Graubündner Enrico Zuccalli
fortgeführt wurde. Die Fassade wurde erst 1768 endgültig fertiggestellt.

nuel seine Bayern auf dem linken Flügel des Entsatzheeres und wird einer der Retter Wiens. Im nächsten Jahr, bei der Gegenoffensive, zeichnet er sich ebenfalls aus, erhält aber erst 1688 das Oberkommando vor Belgrad, das er, unter eigenem wagemutigsten Einsatz, am 6. September im Sturm nimmt. Von nun an fürchten ihn die Türken als den »Blauen König«, und sein Ruhm verbreitet sich über ganz Europa.

Max II. Emanuel hat 1685 die alles andere als schöne Kaisertochter Maria Antonia geheiratet, die eine gewisse Anwartschaft auf das spanische Erbe hat, da sie das einzige Kind aus der Ehe Kaiser Leopolds mit Margarethe Maria Theresia von Spanien ist. Hatte der Kurfürst im Türkenkrieg 30 000 Bayern in den Tod geführt, so folgt sofort nach der Heimkehr von Belgrad das Kommando über die Reichsarmeen im Pfälzischen Erbfolgekrieg gegen Frankreich. König Karl von Spanien übergibt dem ruhmreichen bayerischen Kurfürsten schließlich die Statthalterschaft über die spanischen Niederlande. 1692 wird der kleine Kurprinz Josef Ferdinand geboren, dessen Mutter, von Haus aus keine starke Natur, im Kindbett stirbt. Der spanische König, der Habsburger Karl II., setzt den kleinen Knaben zur allgemeinen Überraschung als Universalerbe ein: Spanien, Sizilien, Neapel, Mailand, die Niederlande und die »beiden Indien«, das alles eröffnet ungeahnte Aussichten. Da stirbt 1699 der Träger all dieser Hoffnungen, der kleine Kurprinz, ganz plötzlich in Brüssel. Aus ist der Traum.

Damit wenigstens die spanischen Niederlande erhalten bleiben, muß sich Max II. Emanuel nun fest auf eine Seite stellen. Er wählt Frankreich. Es kommt zum »Spanischen Erbfolgekrieg« zwischen Habsburg und Frankreich, die nun Anwärter sind. Die ersten beiden Kriegsjahre, 1702 bis 1704, verlaufen für den bayerischen Kurfürsten gut, doch dann kommt am 13. August 1704 die große Katastrophe. Der Österreicher Prinz Eugen und der Engländer Herzog von Marlborough (ein Vorfahre Winston Churchills) vereinen ihre Armeen bei Höchstädt an der Donau. Die englische Reiterei entscheidet die Schlacht. Max Emanuel und seine verbündeten Franzosen sind geschlagen, Bayern ist verloren, der Kurfürst muß außer Landes gehen. Er hat in der Zwischenzeit wieder geheiratet, die vitale und attraktive Tochter Therese Kunigunde seines einstigen Waffengefährten König Johann Sobieski von Polen. Sie schenkt ihm reichen Kindersegen, dazu einen neuen Thronerben, Karl Albrecht, der wiederum Opfer eines Königstraumes wird.

Während ihr Kurfürst in Europa herumirrt und sie einmal sogar allen Ernstes gegen die Niederlande und Sizilien eintauschen will, haben die Bayern den Österreicher als Besatzung im Land. Der belegt sie mit unerträglichen Steuern und hebt die jungen Männer zwangsweise für seine Armee aus. Da bleibt nur noch die verzweifelte Notwehr eines Aufstandes. Im Herbst 1705 beginnt alles und endet in zwei blutigen Bauernschlächtereien, die der österreichischen Heeresgeschichte ein ewiger

Bilder aus dem Soldatenleben des »Blauen Kurfürsten« Max II. Emanuel. – Bild oben: Brüsseler Wirkteppich »Max Emanuel und sein Stab« (Schloß Schleißheim). – Bild unten: Erstürmung Belgrads mit bayerischer Hilfe im Jahre 1688.

Kurprinz Joseph Ferdinand, auf einem Gemälde von Joseph Vivien. Weltkugel und Schiffe deuten auf
die großen Hoffnungen hin, die mit dem Sohn Max Emanuels aus seiner Ehe mit der
habsburgischen Kaisertochter Maria Antonia verbunden waren: das Erbe des Thrones der spanischen Habsburger und
damit eines weltweiten Reiches. 1699 starb der Kurprinz im Alter von sieben Jahren. Damit war
der Traum des »Blauen Kurfürsten« Max Emanuel vom Weltreich ausgeträumt.

Der vom bayerischen König geadelte Tiroler Malerprofessor Franz von Defregger hat sich auch des höchst dramatischen Themas von der »Sendlinger Mordweihnacht« von 1705 angenommen. Sein Bild zeigt den legendären Schmied von Kochel, der mit seinen Oberlandlern die Stadt München von der österreichischen Besatzung befreien will. Die patriotische Nacht der bayerischen Bauern endete für die mangelhaft bewaffneten Gebirgsschützen mit einem grauenhaften Blutbad.

Schandfleck sein werden. In der Christnacht 1705 reitet österreichische Kavallerie zu Sendling vor München die Bauern aus dem Oberland zusammen, die ihre Landeshauptstadt befreien wollten, im Januar 1706 stampft eine gleiche Übermacht die Aufständischen des Unterlandes auf dem Handlberg bei Aidenbach sterbend in ihre eigenen Felder hinein.

Nach dem Frieden von Rastatt (1714) kann Max II. Emanuel wieder in sein Kurfürstentum zurückkehren. Die Bayern zünden dem Heimkehrenden, den sie immer noch als ihren Helden verehren, Freudenfeuer an. Dem Kurfürsten aber bleiben nach wieder einmal dreißig Kriegsjahren noch elf Friedensjahre für sein Land. Vor Beginn des Spanischen Erbfolgekrieges hatte er zu Schleißheim das Neue Schloß begonnen, Lustheim (bei Schleißheim) als heiteres Gartencasino bauen lassen und zu Nymphenburg Erweiterungen unternommen. Nun, nach 1715, wird trotz großer Schuldenlast weitergebaut. Zu Nymphenburg entstehen neue Trakte, dazu die Pagodenburg, die Badenburg und (ab 1725) die Magdalenenklause, in die sich der alternde Kurfürst als Büßer hin und wieder zurückzieht, vielleicht nur ein wenig Koketterie mit dem lieben Gott. – Draußen in Schleißheim aber geht es auch voran. Noch immer ist der Gedanke vom großen Palast für einen König oder Kaiser lebendig. Max Emanuels Baumeister ist nun Joseph Effner aus Dachau, den er in Frankreich hat ausbilden lassen; ebenso verfährt er mit seinem in den Niederlanden gewonnenen Kammerzwerg François Cuvilliés. Wichtig aber wird bald der Unions- oder Erbvertrag, der die schädlichen Streitigkeiten zwischen Kurpfalz und Kurbayern für die Zukunft verhindern soll. Man will sich gegenseitig beerben. Im Mai 1724 unterschreiben vier wittelsbachische Kurfürsten (Pfalz, Bayern, Köln und Trier) diesen Vertrag.

1726, im Todesjahr Max Emanuels, bringt Balthasar Wening, der Sohn des Kupferstechers Michael Wening (1645 – 1718) das mühselige Lebenswerk seines Vaters zu Ende. Es erscheint nach den Beschreibungen der Rentämter München, Landshut und Burghausen als letzter Teil einer umfassenden Topographie die Beschreibung der Orte, Klöster und Schlösser im Rentamt Straubing. Sowohl der Kurfürst als auch die »Landschaft« (also die Ständevertretung) haben Michael Wenings Werk, das dieser 1696 begann, mit Geld und moralischer Hilfe unterstützt.

Max Emanuel stirbt am 26. Februar 1726. Will man ihm gerecht werden, darf man nicht nur seine absolutistische Throngier sehen, sondern muß in ihm auch den fast idealistischen Befreier des Abendlandes vor der Türkengefahr erkennen und letzten Endes auch den Förderer vieler Künste. Fénelon, Pädagoge, Romancier und zuletzt Bischof von Cambrai, hat Max II. Emanuel kennengelernt und schreibt von ihm, anspielend auf dessen Statthalterschaft in den Niederlanden, die dem Land Bayern teuer zu stehen kam: »Er ist durch und durch

Fürst, das heißt schwach in der Lebensweise und verderbt in den Sitten. Er tröstet sich mit Mätressen, er verbringt den Tag auf der Jagd, er bläst die Flöte, er kauft Bilder, er gerät in Schulden, er ruiniert sein eigenes Land und erweist dem, in das er versetzt wurde, keine Wohltat.«

Der Menschenkenner Fénelon mag alles richtig gesehen haben, aber vielleicht hat man dem »Blauen König« seine anfänglichen Ideale im schmutzigen Wasser der Politik hinweggeschwemmt? Man denke nur, wie ihm der große Traum vieler Wittelsbacher, ein mächtiger König zu sein, zerstört wurde, als er sich dem Ziel schon ganz nahe wußte... nicht für ihn, sondern für den kleinen Sohn aus der Ehe mit der Habsburgerin Maria Antonia. Wie schon gesagt, setzt König Karl II., der letzte Habsburger auf dem spanischen Thron, diesen kleinen Josef Ferdinand zum Alleinerben eines Reiches ein, in dem die Sonne nicht untergehen soll. Er schickt zu Beginn des Jahres 1699 eine Flotte von 24 Schiffen nach Amsterdam, die den kindlichen Erben in sein gewaltiges Reich bringen soll, und dann stirbt dieses hoffnungsvolle Kind am 6. Februar 1699. Fiebrige Magenentzündung, konstatieren die Ärzte. Gift, sagt das Volk. Und wenn das Volk in dieser Sache vielleicht die wahrere Diagnose stellt, wer hat dann des Blauen Kurfürsten Sohn und seines Vaters hochfliegenden, fast schon Wirklichkeit gewordenen Traum getötet, umgebracht? Frankreich, Habsburg? Eine der zwei Mächte, zwischen die das ganze Leben Max Emanuels gestellt war? Muß es da wundern, wenn wenigstens eines der Kinder Max Emanuels und der polnischen Königstochter Therese Kunigunde, die einzige Tochter Maria Anna Caroline (1696–1750), die Politik und das Hofleben so verabscheut, daß sie ihr für immer aus dem Weg gehen will?

Sor Emanuela Teresa
oder: die Kehrseite der Medaille

Es ist an sich keine Besonderheit, daß die Tochter eines Fürsten, noch dazu eines bayerischen, die Klosterzelle dem Hochzeitsbett vorzieht. Auch in diesem Punkt sind Herrscherhäuser mit Bauernhöfen vergleichbar, auf welchen Erbprobleme sehr häufig über Klosterzellen und Pfarrstuben gelöst worden sind. Kaum aber erwartet man von einem Abkömmling zweier sinnenfreudiger Menschen, wie es Max Emanuel und seine zweite Gemahlin waren, den dringenden Wunsch nach der stillen Klosterzelle. Und doch: »Madame la Princesse«, Maria Anna Caroline, verläßt 1719 an einem Oktobertag die prachtvolle Münchner Residenz und zieht als Novizin hinüber in das strenge Frauenkloster Sankt Klara bei Sankt Jakob am Anger. Ein Jahr darauf legt sie dort die Profeß ab und ist fürderhin nur noch »Sor Emanuela Teresa«. Der Klostername der Prinzessin spricht für ihre große Elternliebe, wählt sie doch deren beider Vornamen. Wer so richtig nachdenken will, muß sich drei Bilder der

Bayerischen Staatsgemäldesammlung betrachten. Sie sind alle drei draußen in Schleißheim. Eines davon hängt im dortigen Schlößchen Lustheim: das liebliche Kinderbild im Alter von acht Jahren. Martin Maingaud hat Maria Anna Caroline wie eine leichte Wolke gemalt, in Begleitung eines Schoßhündchens. Die beiden anderen Bilder sind im Neuen Schloß Schleißheim selbst. Zunächst das Bild der verwandelten Prinzessin, die Nonne Emanuela Teresa, wie sie Jacopo Amigoni dargestellt hat. Eine Klarissin. Kein besonders entrücktes Gesicht, aber eines, das da sagen will: »Jawohl, so ists mir schon recht.«

Zwischen den beiden Bildern liegt ein Schicksal, zu dessen Erklärung es des dritten Bildes bedarf, eines Gemäldes, das so recht den Geschmack des »Blauen Kurfürsten« zeigt. Es hat gut und gern seine dreißig Quadratmeter, und auf keinem dieser bemalten Quadratmeter fehlt es an Kolossalem und Bombastischem. Abgebildet ist die Wiedervereinigung Max II. Emanuels mit seiner Familie auf Schloß Lichtenberg am Lech, wie sie der Hofmaler Joseph Vivien 1715 gesehen hat. Götter und Genien sind Staffage für die an und für sich intime Szene. Justitia selbst gibt dem aus der Reichsacht heimkehrenden Kurfürsten den Hut seiner Würde und seines hohen Amtes zurück, während ihm sein ältester Sohn, der Kurprinz Karl Albrecht, voll galanter Ehrerbietung die Hand küßt. Hinter dem Kurprinzen und künftigen Kaiser Karl VII. führt Athena höchstpersönlich die neunzehnjährige Maria Anna Caroline zum Vater hin.

Maria Anna Caroline, die älteste Tochter des »Blauen Kurfürsten« Max II. Emanuel, gemalt von Jacopo Amigoni. Die Prinzessin war als Schwester Emanuela Teresa bei den Klarissen bei Sankt Jakob am Anger zu München eingetreten.

Hofmaler Joseph Vivien malte 1715 die Wiedervereinigung des aus dem Exil zurückkehrenden Kurfürsten
Max Emanuel mit seiner Familie auf dem Jagdschloß Lichtenberg bei Landsberg
am Lech. Der Kurfürst Karl Albrecht küßt seinem Vater ehrerbietig die Hand, und hinter ihm führt Göttin Athene höchstpersönlich die neunzehnjährige Prinzessin Maria Anna dem Elternpaar entgegen. Maria Anna
wird vier Jahre später »Sor Emanuela Teresa« im Münchner St. Klarakloster.

Aus allen Himmelsrichtungen ist die Familie zu diesem ersten Wiedersehen nach dem Spanischen Erbfolgekrieg gekommen: der Vater aus Brüssel, die Mutter aus Venedig, die Söhne aus Graz (wo sie unter der Obhut des bisher feindlichen Österreich erzogen wurden), Maria Anna aber als einzige aus München, wo sie von ihrem zehnten Lebensjahr an das Haus Wittelsbach ganz allein vertritt. Ein einsames Mädchen in der großen Residenz, umgeben von österreichischen Besatzern und Feinden, behütet von zahlreichen Hofdamen, aber eben ohne Familie. Wohl sind ihr hundert Diener beigegeben und 72 Pferde, auch hat die kleine Prinzessin einen Kaplan, einen Arzt, einen Lehrer für die Sprache und einen für den Tanz. Nicht einmal an Nachtigallen fehlt es. Davon hat sie vier.

Vielleicht sind es die einsamen Jahre in dem großen, fürstlichen Haus, die in Maria Anna Caroline den Gedanken ans Kloster wach werden lassen; vielleicht fürchtet sie aber gar die Sünden des Vaters, aber dazu ist sie möglicherweise selbst viel zu sehr ein Kind des Absolutismus. Als nach zehnjähriger Einsamkeit die Mutter von Venedig her naht, bekommt »Madame la Princesse« es mit einer seltsamen Angst zu tun, über die ihr Beichtvater der Mutter berichtet: »Sie spricht nur von Votre Altesse. Hat Angst, Sie würden sie nicht mögen, wenn Sie sie für ihr Alter so klein erblicken; daß sie trachten wird, durch ihre Folgsamkeit ihre körperlichen Fehler auszugleichen.« Das kann es nun wohl sein, die Furcht, eine ungeliebte, weil nicht strahlend schöne politische Braut werden zu müssen. Und so wird sie eine »himmlische Braut«, deren Brautführer die Brüder Karl Albrecht und Clemens sind. Als sie das Jahr darauf die Profeß ablegt, bringt der kurfürstliche Vater das »dote« von 100 000 Gulden ins Kloster. Von der Kurfürstin wird berichtet, daß sie nach der Profeßfeier bis Mitternacht bei ihrer Tochter geblieben ist. Was sie wohl miteinander geredet haben, und wie?

Um der ganzen Sache keinen falschen, dramatischen Akzent zu geben, muß auch von jenen Berichten gesprochen werden, die ein wenig nach Beschwerde klingen: In der Zelle der »Sor Emanuela Teresa« sei es hin und wieder unziemlich laut zugegangen, was auf Besuche zurückzuführen gewesen sei. Bei einem »dote« von 100 000 Gulden hat man eben ein wenig die Augen zudrücken und die Ohren zuhalten müssen, wenn hier auch jetzt nicht der dumme Verdacht erregt werden soll, daß unziemliche und ungeziemende Besuche stattgefunden hätten. Aber des Vaters barocke Lust am Leben hat sich eben auf die Tochter bis in die Klausur hinein vererbt. Maria Anna Caroline wird gewiß eine recht fromme und im Beten eifrige Sor Emanuela Teresa gewesen sein. In diesem Punkt war sie ihrem Vater voraus, der sich seine Magdalenenklause erst kurz vor seinem Tod – im heutigen Jargon würde man sagen »auf den letzten Drücker« – in den Nymphenburger Park hat stellen lassen, von dem trotzdem sein Beichtvater mit großem

Ernst erklärt: »Er lebte wie ein Christ und starb wie ein Heiliger.« Wer möchte auch schon den ersten Stein auf ihn werfen? Maria Anna Caroline, die ob seiner Politik und seines Ehrgeizes eine »verpfuschte Kindheit« hatte, warf diesen ja auch nicht. Im Gegenteil, wie nach all dem anzunehmen ist.

Eines bayerischen Kaisers Pracht und Elend

Max II. Emanuel war der tatendrängende Sohn eines friedliebenden Vaters. Karl Albrecht, des »Blauen Kurfürsten« Sohn und Thronnachfolger (1726), kommt hinwiederum mehr auf den ruhigen Großvater heraus, ist alles andere als ein Soldat. Er hat einen Hang zur Schwermut. Er ist ja ohne Elternhaus aufgewachsen, als Gefangener der österreichischen Feinde während des Spanischen Erbfolgekrieges, zu Klagenfurt zuerst, dann zu Graz.

Eines tut Karl Albrecht dem Vater gleich: Er heiratet unter gewaltigem Prachtaufwand 1722 die 21 Jahre alte Maria Amalie, jüngste Tochter des 1711 an den Blattern früh verstorbenen Kaisers Joseph I. Markgräfin Wilhelmine von Bayreuth entsetzt sich über diese neue bayerische Kurfürstin, als sie feststellt, daß diese kein Französisch, sondern nur »österreichisches Kauderwelsch« spreche. Das läßt darauf schließen, daß die junge Kurfürstin eine verhältnismäßig ungezwungene Kindheit gehabt hat. Ungezwungen bleibt sie auch, zeigt sich am liebsten in »grüner Mannskleidung mit einer kleinen, weißen Perücke«. Sie liebt die Jagd und ihre Hunde, ist eine großartige Schützin. Der Kurfürst, der zwar eine recht stattliche Mätressenwirtschaft hat (dies ist ganz offensichtlich damals ein Statussymbol gewesen, selbst bei liebesfaulen Potentaten), verwöhnt seine Maria Amalie recht und läßt ihr durch das große Talent François Cuvilliés' in den Park von Nymphenburg von 1734 – 1739 die »Amalienburg« bauen, den schönsten Profanbau des Rokoko. Das »Belvedere« auf dem Dach des Lustschlößchens muß man als Hochstand für die Fasanenjagd sehen. Fasanen waren der fürstlichen Jagd lebende Zielscheiben. Cuvilliés kann für seine Amalienburg die besten Künstler verpflichten: Johann Baptist Zimmermann für den Stuck, Joachim Dietrich für die Schneidearbeit an den »Boiserien« (Holzvertäfelungen), Pasqualin Moretti für die dekorativen Blaumalereien. Die in die Vertäfelungen eingelassenen Ölgemälde kommen von Desmarées und Horemans. Selbst die Küche dieses verspieltesten aller Jagdhäuser der Welt ist ein kleines Wunder, von Delfter Kacheln eingehüllt.

Mit seinem finanzschwachen und militärisch nicht gerade bedeutenden Kurfürstentum will Karl Albrecht nach den Sternen greifen, Habsburgs Erbe und Thron erlangen. So ersetzt er Geld und Heer durch bauliche Prachtentfaltung, wobei ihm im ganzen Land Äbte und Adel mit eigener kirchlicher und weltlicher Baulust entgegen-

Ein Juwel des europäischen Rokoko ist die 1734 – 1739 von François Cuvilliés und namhaften Ausstattungs-
künstlern geschaffene Amalienburg, die sich im Grün des Nymphenburger Schloßparks
(Bild oben) versteckt. Kurfürst Karl Albrecht schenkte das Jagdschlößchen seiner Gemahlin Maria Amalia. – Bild links
unten: Blick vom Jagdzimmer in den Spiegelsaal, der eigentlichen Mitte der Amalienburg. –
Bild rechts unten: Die Küche ist mit bunten Delfter Kacheln gefliest.

kommen. Die weiß-blaue Welt der Zwiebeltürme und der fröhlichen Landschlösser (wie etwa in Sünching, mitten im Gäuboden, oder am Rand desselben, zu Alteglofsheim) wächst empor und gibt sich ihre Krönung im göttlichen Saal der Wieskirche. Zu München baut Johann Michael Fischer, der Vollender des späten Barock in Bayern, die kostbare Franziskanerkirche im Lehel und für des Kurfürsten Bruder, den Kölner Kurfürsten und Erzbischof Clemens August, die Kirche Sankt Michael zu Berg am Laim, vor den Mauern der Stadt. Johann Baptist Gunetsrhainer gibt der Damenstiftskirche ihre besondere Gestalt und Egid Quirin Asam baut mit privaten Mitteln, unterstützt von seinem Bruder Cosmas Damian, neben sein Wohnhaus in der Sendlinger Straße die »Asamkirche« zu Ehren des gerade heiliggesprochenen Johannes von Pomuk.

Als am 14. Dezember 1729 ein Teil der Residenz ein Raub der Flammen wird, wobei auch eine Raffael-Madonna und ein Altarbild Dürers zu beklagen sind, resigniert man nicht, sondern bekommt erst recht Lust zum Bauen. Es entsteht unter François Cuvilliés' Leitung und unter Mitwirkung Johann Baptist Zimmermanns und anderer namhafter Künstler die herrliche Flucht der »Reichen Zimmer«, die bei ihrer Vollendung im Jahre 1737 für ein wahres Wunder an Glanz und Pracht gehalten werden. Dazu kommt noch die »Grüne Galerie« und die Ahnengalerie. Draußen in Nymphenburg soll gar die »Carl-

Bild links: Kurfürst Karl Albrecht in der Kaiserwürde. – Bild rechts: Über den Ansprüchen des Kurfürsten Karl Albrecht auf die Kaiserkrone kam es zum Österreichischen Erbfolgekrieg. Nach ersten bayerischen Siegen zogen die Österreicher im Gegenschlag in Bayern ein. Das Gemälde zeigt das österreichische Heerlager beim Kloster Osterhofen/Altenmarkt im Jahre 1742. In der Mitte des unteren Bildrandes der Obrist von der Trenck mit seinen Panduren.

stadt« entstehen, eine Trabantenstadt, die das Schloß und seine weitläufigen Anlagen zum Mittelpunkt haben soll. Die Rondellbauten (Kavaliershäuser) werden errichtet und lassen den vorgesehenen Platz in der Mitte der geplanten Carlstadt erkennen. Die Kanalachse weist auf die Mitte des alten München und die beiden Türme der Frauenkirche hin.

Nach all dem schönen Bauen folgt das Unglück auf dem Fuß: Karl Albrecht wird Kaiser Karl VII., der Gegenkaiser zur schon vorhandenen Kaiserin Maria Theresia, der ältesten Tochter des 1740 verstorbenen Kaisers Karl VI. In seiner »Pragmatischen Sanktion« hat er die weibliche Erbfolge durchsetzen wollen, da es ihm an einem männlichen Erben mangelte. Nun ist aber der verstorbene Karl VI. der jüngere von zwei Kaiser-Brüdern gewesen. Karl Albrecht von Bayern ist mit einer Tochter des älteren Kaisers, Joseph I., verheiratet und meldet daher ältere Erbrechte an, wobei er sich auch auf frühere Hochzeiten zwischen Habsburg und Wittelsbach berufen kann. Wäre daraus nun nichts als ein Streit um Dokumente geworden, dann hätte man lächeln können. So aber hebt der Österreichische Erbfolgekrieg an. Karl Albrecht, mit Frankreich verbündet, zieht zunächst recht glorreich in Österreich ein, wird dann von seinem französischen General nach Böhmen und Prag gelockt, wo er 1741 zum König von Böhmen gekrönt wird. Durch das Abweichen nach Böhmen kann Österreich ein neues Heer aufstellen und schickt dieses, zusammen mit der Greueltruppe des verbrecherischen Trenck und seinen viehischen Panduren, auf Bayern los, das in den folgenden Jahren entsetzlich zu leiden hat. Zu Waldmünchen in der Oberpfalz gedenkt man heute noch in einem großen Freilichtspiel des Pandurenobristen Trenck, der ausgerechnet im Auftrag einer Frau und Mutter, Maria Theresias, sein Teufelswerk an der unschuldigen Bevölkerung vollbringt.

Karl Albrecht von Bayern wird, obwohl sein Land von den Österreichern und Panduren besetzt ist, am 24. Januar 1742 absolut rechtmäßig als deutscher Kaiser gewählt und am 12. Februar darauf zu Frankfurt gekrönt. Zwei Tage nach der Krönung besetzen die Österreicher seine Stadt München. Karl Albrecht muß also außer Landes bleiben, vor allem in der Reichsstadt Frankfurt am Main. In der Karwoche 1742 sieht ihn Goethes spätere Mutter, die gerade elf Jahre alte Elisabeth Textor. Wie sie später an Bettina von Brentano schreibt, stand sie stundenlang am Fenster, um den Kaiser sehen zu können. Ja, sogar in die Kirchen ist sie ihm nachgelaufen: »An einem Karfreitag begegnete ich ihm, wie er mit der Kaiserin Hand in Hand in langem, schwarzem Mantel die Kirchen besuchte. Beide hatten Lichter in der Hand, die sie gesenkt trugen, die Schleppen der Kleider wurden von schwarzgekleideten Pagen nachgetragen. Himmel, was hatte der Mann für Augen! Sehr melancholisch, etwas gesenkte Augenwimpern; ich verließ ihn nicht, folgte ihm in alle Kirchen, überall kniete er auf der letzten Bank unter den Bettlern und legte sein Haupt eine Weile in die

Große und kleine Münchner Rokokoplastik.
Bild oben: Ignaz Günthers Schutzengelgruppe in der
Münchner Bürgersaalkirche (1763). – Bild
unten: Komödienfiguren der Nymphenburger Porzellanmanufaktur (Franz Anton Bustelli, um 1760).

Hände; wenn er wieder emporsah war mirs allemal wie ein Donnerschlag in der Brust. Da ich nach Hause kam, war meine alte Lebensweise weg; ich dachte nicht sowohl an die Begebenheit, aber es war mir, als sei etwas Großes vorgegangen.« Ja, und etliche Jahre später heiratet Elisabeth Textor den Kaiserlichen Rat Johann Kaspar Goethe, der seinen Ratstitel dem bayerischen Kaiser Karl VII. verdankt. Der aber, der unglückliche Kaiser aus München, meint, daß er mehr ein Hiob denn ein großer Herrscher sei. Als er am Ende doch wieder nach München zurückkommen kann, erkrankt er auf den Tod und stirbt am 20. Januar 1745. Friedrich der Große meint über ihn: »Ein großherziger und achtenswerter Charakter.« Die letzten Worte Karl Albrechts aber sollen gewesen sein: »Meine armen Kinder, mein armes Land, vergebt einem armen Vater.«

Letztes Rokoko, ganz ohne Kinderlärm

»Wenn denn niemand den Frieden will, so will ich ihn haben«, soll er gesagt haben, der letzte bayerische Wittelsbacher auf dem bayerischen Thron, Maximilian III. Joseph. Gemeint ist der Friede von Füssen (22. April 1745), ein Sonderfrieden, den der Nachfolger Karl Albrechts angesichts des neuerlichen Eindringens österreichischer Truppen unterzeichnet. Das bayerische Volk ist ihm dankbar, und die Geschichte nennt ihn »den Vielgeliebten«. Sanft wie der Barock mit dem freundlichen Rokoko ausklingt, endet auch die Herrschaft der Nachkommen Kaiser Ludwigs des Bayern, hört die bayerische Linie der Wittelsbacher auf. Die Ehe zwischen Kurfürst Max III. Joseph und Maria Anna Sophie von Sachsen bleibt ohne jegliche Erben. Wohl läßt der junge Kurfürst noch die Residenz verschönern, zumal nach einem neuerlichen Brand nun die Bauteile der einstigen Neuveste eingeäschert wurden. Damit war auch der berühmte Georgssaal verschwunden, der als Theaterraum gedient hatte. François Cuvilliés baut dem Kurfürsten in die Residenz ein neues Hoftheater, das heute nach seinem Meister benannte »Cuvilliéstheater«, dem man nachsagt, daß es das schönste Rokokotheater der Welt sei. Die kostbare Einrichtung hat die Bomben des zweiten Weltkriegs in sicherer Auslagerung überstanden, so daß es heute in der golden-intimen Atmosphäre dieses Saales wieder Theater und Musik gibt.
Auch der letzte bayerische Wittelsbacher ist den Künsten und der Wissenschaft hold. Auf seine Anregung hin wird 1759 die bald international anerkannte »Bayerische Akademie der Wissenschaften« in München gegründet, deren Sekretär von 1761 bis 1801 ein Mönch des Regensburger Schottenklosters ist: Pater Ildephons Kennedy (1722–1804). Auf dem künstlerisch-wirtschaftlichen Sektor war 1747 die Gründung einer Porzellanmanufaktur in Neudeck vor München vorausgegangen, die 1761 nach Nymphenburg verlegt wird. Ihr berühmtester Plastiker ist Anton Bustelli, der allerdings schon 1763 stirbt.

Bild oben: Kurfürst Max III. Joseph als Drechsler mit dem Grafen Salern (Nymphenburg, Johann Jakob Dorner, 1765). – Bild unten: Das schönste Rokokotheater der Welt, das von François Cuvilliés 1751 – 1753 erbaute Münchner Hoftheater.

Das bayerische Rechtswesen aber wird durch den bienenfleißigen Freiherrn Aloysius Wiguläus Franziscus Xaverius Kreitmayr völlig neu geordnet. Seinem Strafrecht, das bis 1813 gültig bleibt, haftet zwar noch die »Peinliche Befragung« an, seine Prozeßordnung aber ist bis 1869, sein ziviles Landrecht sogar bis zum Erscheinen des Bürgerlichen Gesetzbuches im Jahre 1900 gültig und brauchbar.

Es wird also noch allerhand geregelt in den letzten Tagen des Barock und Rokoko. Der junge Mozart kommt einige Male nach München, Max III. Joseph hat keine freie Stelle für ihn, als Mozart vom Salzburger Fürsterzbischof loskommen will. Am 30. September 1777 findet diese Bewerbung Mozarts statt, die vergebliche. »Habts enk z'kriagt?«, fragt der Kurfürst, der nur noch (auf den Tag genau) drei Monate zu leben hat. Zwei Jahre vorher ist Mozarts Opera buffa »La finta giardiniera« (Die Gärtnerin aus Liebe) im Münchner Redoutenhaus an der Prannerstraße uraufgeführt worden. Ein begeistertes Publikum klatschte und rief immer wieder »Viva Maestro«. 1781 wird, schon zur Karl-Theodor-Zeit, Mozarts »Ideomeneo« in München uraufgeführt, und 1785 gibt es mit seiner »Entführung aus dem Serail« erstmals in München eine Oper in deutscher Sprache.

In Bayern wächst die Aufklärung und der Kurfürst ist nicht ihr Feind. Montgelas, das staatsmännische Überprodukt der Aufklärung, nennt ihn später den besten und den erleuchtetsten unter den bayerischen Fürsten. Die barocke Welt Bayerns stirbt um Max III. Joseph herum. Die Brüder Asam sind schon lange tot, Johann Michael Fischer, Johann Baptist Gunetsrhainer, Cuvilliés der Ältere, Ignaz Günther, sie alle sterben vor dem letzten bayerischen Wittelsbacher. 1776 gründet der Ingolstädter Jesuitenzögling und dortige Professor Adam Weishaupt (1748 – 1830) den Illuminatenorden, eine strenge Freimaurervereinigung, die 1785 zwar von Kurfürst Karl Theodor für Bayern verboten wird, die sich aber andernorts bis in das 20. Jahrhundert hinein hält. Weishaupt verlor 1785 auch seinen Professorenposten zu Ingolstadt und lebte fortan in Gotha.

Max III. Joseph, den Georges Desmarées so ritterlich zu Pferde gemalt hat, verdient sich seinen Namen als »Vielgeliebter« besonders im Jahr 1770, als Mißernte, Kornwucher und Handelsspekulation ein Hungerjahr in Bayern heraufbeschwören. Er geht mit eiserner Härte gegen die Wucherer vor, läßt seine Wildbestände abschießen und kauft Getreide gegen seine Juwelen. Da ist es kein Wunder, wenn am 30. Dezember 1777 große Bestürzung im Volk herrscht, als die Glocken der Stadt München den Tod des Kurfürsten künden. Er, der für das Volk die Pockenimpfung eingeführt, sich selbst aber davon ausgenommen hat, stirbt an dieser Krankheit, vor der er sich ein Leben lang gefürchtet hat. In der Hofkirche Sankt Cajetan, der Stiftung seiner Urgroßmutter Henriette Adelaide, wird er beigesetzt. Der nächste bayerische Kurfürst ist ein Wittelsbacher aus der Pfalz.

Ein ungeliebter Herr und die Rumfordsuppe

»Jetzt sind deine guten Tage vorbei«, sagt Kurfürst Karl Theodor von der Pfalz, als er in der Silvesternacht des Jahres 1777 vom plötzlichen Ableben des bayerischen Kurfürsten Max III. Joseph erfährt und nun weiß, daß er als Erbe der bayerischen Wittelsbacher zwar nach 448 Jahren Bayern und Pfalz unter einem Hut wieder vereinigen wird, daß aber damit unwiederbringlich seine schöne Residenz zu Mannheim, ein Hort der Musen und des frohen Lebens, für ihn verloren ist. Er muß sein Erbe in München antreten und dort residieren, so verlangen es die Hausverträge. Er fährt noch in der Neujahrsnacht in Mannheim los, da man ihm größte Eile angetragen hat. Man fürchtet, daß das Haus Österreich in Bayern einmarschieren wird, um seinen nun fälligen Erbansprüchen auf das Kurfürstentum Nachdruck zu verleihen. München und Bayern empfängt Karl Theodor sehr kühl. Noch mehr kühlt sich das Verhältnis ab, als man erfahren muß, daß der Pfälzer sein neu gewonnenes Bayern gegen die Niederlande tauschen will, was Österreich vorschlägt. Daß Karl Theodor selbst ablehnt, als er merkt, daß man ihm nicht die ganzen Niederlande geben will und daß Friedrich der Große, wegen Österreichs zunehmender Stärke besorgt, zum Krieg gegen Österreich bereit ist, rettet letzten Endes Bayerns Selbständigkeit. Die Österreicher waren schon einmarschiert, da bedroht sie der Preußenkönig in Böhmen. Es kommt zu keiner Schlacht. Wegen der ständigen Schwierigkeiten mit der Fourage erhält dieser fast unblutige Feldzug, bei dem Preußen und Österreich sich wegen Bayern in den Haaren liegen, den Namen »Kartoffelkrieg«. Ihn beendet der Friede von Teschen (1779), wobei Bayern das Inn- und Hausruckviertel mit so herrlichen Städten wie Ried, Schärding und Braunau am Inn verliert, ansonsten aber international als selbständiger Staat anerkannt wird. Warum die Münchner im besonderen und die Bayern im allgemeinen ihren neuen Kurfürsten aus der Pfalz nicht mögen, ist eigentlich recht unerfindlich. Er tut viel für sie und täte noch mehr, wollten seine Untertanen nur mitziehen. Er versucht eine Behördenreform, möchte die Bauern befreien, läßt den Amerikaner Benjamin Thompson, den er zu seinem Flügeladjudanten und zum Grafen von Rumford macht, die bayerische Armee reformieren und über Arbeitsbeschaffung nachdenken. Rumford gründet überall im Lande Arbeitshäuser und meint, auf diese Weise Bettler und Landstreicher einem geordneten Lebenswandel zuführen zu können. Sein Lockmittel ist dabei eine kostenlose, kräftige Suppe aus Fleischbrühe und Gemüsen, die bald nach ihm benannt wird. Den größten Dienst tut er den Münchnern, als er 1789 Kurfürst Karl Theodor zum Bau des Englischen Gartens (als »Theodor-Park« 1795 eröffnet) anregt, dessen Ausführung Friedrich Ludwig Sckell anvertraut wird. So bekommen die Münchner ihren großen grünen Auslauf

Kurfürst Karl Theodor (Bild oben, in der Uniform des Großmeisters des Georgiritterordens, des Hausordens der bayerischen Wittelsbacher) stiftete 1789 den Englischen Garten (Bild unten), der den Münchner Bürgern übergeben wurde.

mit dem künstlichen Kleinhesseloher See, dem Chinesischen Turm und dem erst 1833 errichteten Monopterostempel, der ein von König Ludwig I. für Kurfürst Karl Theodor errichtetes Denkmal ist. Wahrhaft faustische Ideen verwirklicht der Kurfürst aber im Donaumoos zwischen Ingolstadt und Neuburg an der Donau, das er ab 1791 (erste Versuche gab es schon einige Jahre vorher) durch den tüchtigen Adrian von Riedl trockenlegen läßt. Die heute blühenden Moosgemeinden Karlskron und Karlshuld sind sicher die schönsten Denkmäler für einen vielleicht doch in Bayern etwas verkannten Karl Theodor.

Zu Mannheim, wo seine Gemahlin Elisabeth Maria ihm keine lebensfähigen Nachkommen schenken konnte und daher schon lange getrennt von ihm lebte, betrieb der sinnenfreudige Kurfürst eine umfangreiche Mätressenwirtschaft, kümmerte sich aber sehr sorgfältig um die vielen ledigen Kinder, von denen heute die Lindauer Fürstäbtissin Friederike von Bretzenheim, Tochter einer Mannheimer Schauspielerin, die zweifellos bekannteste Persönlichkeit ist. Der Romancier Horst Wolfram Geissler läßt seinen »Lieben Augustin« ein platonisches Techtelmechtel mit der schönen und blutjungen Vorsteherin des reichsfreien Lindauer Damenstifts haben.

Noch einmal wandelt Karl Theodor auf Freiersfüßen, da er die Hoffnung auf einen Thronfolger nicht aufgeben will. Verwitwet heiratet der 71jährige 1794 zu Innsbruck die 18 Jahre alte Erzherzogin Maria Leopoldine von Modena-Este. Er handelt sich den Spott seiner Untertanen ein. Die junge Frau aber wendet ihr Herz mehr anderen Männern zu, nimmt als »Kurfürstinwitwe« in standesungleicher Ehe ihren ehemaligen Oberhofmeister Graf Ludwig Arco. Ihm schenkt sie viele Kinder und begründet die Linie Arco-Zinneberg. Ihr selbst wird großer Geiz und eine nicht geringe Freude an Spekulationen und Geschäften aller Art nachgesagt, die sie auch nicht davor zurückschrecken läßt, in eigenen Modegeschäften die Kundschaft hin und wieder selbst zu bedienen. Sie stirbt, ihrer Geldleidenschaft entsprechend. Auf einer Reise zu ihrem Gut Kaltenhausen bei Salzburg wird ihre Kutsche von einem anderen Wagen gerammt, dessen Pferde durchgegangen waren. Von einer schweren Geldkassette, die sie auf dem Schoß hält, wird sie tödlich verletzt. Ein Mensch in einem am Weg stehenden ärmlichen Haus, drückt ihr die Augen zu. So geschehen bei Wasserburg am Inn am 23. Juni 1848. Kurfürst Karl Theodor stirbt 49 Jahre vor ihr: am 16. Februar 1799, nach einem Schlaganfall, der ihn beim Kartenspiel ereilte. Er wird in der Hofkirche Sankt Cajetan beigesetzt.

Und der Kleinste wird König

Haben schon ein paar Linien von Pfalz-Wittelsbach, vor allem die eigentliche Kurlinie selbst, aussterben müssen, um Karl Theodor aus der Nebenlinie Pfalz-Sulzbach zu hohen Würden zu bringen, so kann es der Pfalzgraf Maximilian Joseph aus Pfalz-Zweibrücken selber nur ein »Sauglück« nennen, daß nach Karl Theodors kinderlosem Tod nun er an der Reihe ist. Ihm strecken sich von Haus aus die Sympathien der Bayern entgegen, hat doch seine Familie mit ihrem großen Staatsmann Hofenfels mehrmals dafür gekämpft (wenn auch nicht selbstlos), daß Karl Theodor sein neues Land Bayern nicht verschachern konnte. Als der 1756 zu Mannheim geborene Maximilian Joseph am 12. März 1799 als Kurfürst in München einzieht, ist die ganze Stadt auf den Beinen, und der Kalteneggerbräu soll ihm voller Begeisterung die Hand hingehalten und gerufen haben: »Weils'd nur grad da bist, Maxl!« Der vor einigen Jahren verstorbene Historiker Ludwig Schrott meint in seinem Buch »Die Herrscher Bayerns« zu den Pfalz-Zweibrückener Wittelsbachern, die in Bayern mit diesem Max Joseph anheben: »Zu diesen Fürsten hat man bei uns innerlich immer du gesagt.« Und da ist schon etwas Wahres dran.

Freilich, Max IV. Joseph, wie er als Kurfürst von Bayern richtig numeriert wird, kommt in schwerer Zeit. Frankreich hat nach dem Ende der Revolutionsschrecken den großen Korsen geboren, Napoleon Bonaparte. Sein Ehrgeiz und seine himmelstürmenden Pläne werden auch zum Schicksal Bayerns. Der Kleinste unter den Wittelsbachern, wenn man es so sehen will, wird zwar 1806 König von Bayern werden, muß aber sehen, wo er zwischen dem Kaiser Napoleon und den deutschen, ja den europäischen Fürsten bleibt. Als wichtigsten Helfer in all den Fragen der Zukunft Bayerns und seines Herrscherhauses bringt Max IV. Joseph einen Mann mit, der schon einmal als Beamter in München tätig war, wegen seiner Zugehörigkeit zum Illuminatenorden aber an den Hof von Zweibrücken abwanderte: Minister Maximilian von Montgelas. Er entstammt einem, in bayerischen Diensten stehenden, savoyischen Adelsgeschlecht. Montgelas wird der am meisten gehaßte Mann des künftigen jungen Königreichs Bayern sein, der »Starke Mann«, der notwendigerweise die Dinge nüchtern und oft eiskalt in die Hand nimmt, der zum Vollstrecker der 1803 im »Reichsdeputationshauptschluß« zu Regensburg beschlossenen Säkularisation kirchlichen Gutes wird und der dafür sorgt, daß kleinere weltliche Besitztümer der Landeshoheit anheimgestellt werden. Zwischen Napoleon und seinen Gegnern lavierend vergrößert er Bayern, das in diesen Zeiten genauso hätte untergehen und von der Landkarte verschwinden können. 1806 macht er, zusammen mit Napoleon, Bayern zu einem Königreich, in jenem Jahr, in dem Kaiser Franz II. die Krone niederlegt und damit das »Heilige Römische Reich deutscher Nation« sein Ende findet. Am Ende wird Montgelas das ernten, was er sich gewiß ausgerechnet hat: die zum Teil verdiente schroffe Entlassung und eine Menge nicht verdienten Undanks. Immerhin war er der ruhende Pol bei all seinen Eingriffen, in einer Zeit, die Franken und Schwaben zu dem neuen Bayern vereinte und von der man sagen konnte: Napoleon ist an allem schuld.

Geistliche und weltliche Pfähle im bayerischen Fleisch

Die historische Landkarte des
Herzogtums und späteren Kurfürstentums Bayern
macht zwar gegenüber anderen Teilen des »Heiligen
Römischen Reiches Deutscher Nation« einen recht geschlossenen
Eindruck, doch trügt hier der erste Blick. Da waren
freilich die meisten Herren in Bayern – Adel und Kirche –
»landständisch«, also abhängig vom Landesherrn,
doch gab es auch einige geistliche und weltliche Pfähle im
bayerischen Fleisch. In erster Linie waren dies
die bischöflichen Hochstifte zu Regensburg, Freising,
Passau, Eichstätt und das starke Fürsterzbistum Salzburg. Dazu
kamen auch einzelne Reichsgrafschaften, wie
etwa die von Ortenburg in Niederbayern oder die Reichsgrafschaft Hohenwaldeck, die ein so bayerisches
Gebiet wie Miesbach und den Schliersee erst in der Mitte
des 18. Jahrhunderts unter die Oberhoheit der
Wittelsbacher kommen ließen. Reichsstädte wie in Franken oder
Schwaben aber konnten sich in Altbayern nicht
entwickeln, von einer einzigen Ausnahme abgesehen: Regensburg. Diese erste bayerische Hauptstadt, Residenz
der Agilolfinger- und Welfenherzöge, entglitt den ersten
Herzögen aus dem Hause Wittelsbach in die Reichsunmittelbarkeit, konnte stolz am Tor des prachtvollen
Rathauses (Bild links) die Symbole von »Schutz
und Trutz« aller Welt präsentieren.

Nur zehn Prozent für den Landesherrn

Man darf sich das altbayerische Herzog- und spätere Kurfürstentum der Wittelsbacher zwar als einen verhältnismäßig geschlossenen Territorialstaat vorstellen, in welchem der jeweilige Landesherr die oberste Macht und Instanz darstellte, doch war das Land ja zum größten Teil an die drei Stände der »Landschaft«, an die Prälaten, den landeszugehörigen Adel und an Städte und gefreite Märkte in Form von Hofmarken vergeben. Den größten Teil der Untertanen beherrschten also diese drei Stände, zum einen was die niedere Gerichtsbarkeit betraf, zum andern was den Besitz von Grund und Boden anbelangte. In der Zeit zwischen dem Dreißigjährigen Krieg und dem Jahr der Säkularisation und Mediatisierung, 1803, verfügten die Prälaten über rund 55 Prozent des gesamten bayerischen Grund und Bodens; der Adel besaß etwa ein Viertel. Was den Städten und Märkten gehörte, machte etwa 15 Prozent aus, dem Landesherrn verblieb etwa nur ein Zehntel Bayerns zur vollständigen und direkten Verfügung, wobei ihm freilich aus dem ganzen Land für die Staatsaufgaben Steuern zuflossen.

Der hohe Anteil der Prälaten am bayerischen Grund und Boden kann nicht als geistliche Habgier gesehen werden, wenn es auch an dieser kaum gefehlt haben dürfte. Die bayerischen Klöster waren ja zum nicht geringen Teil Gründungen und Stiftungen der Landesherrschaft zu dem Zweck, das Land zu roden, zu kultivieren, zu besiedeln. Unter den Agilolfingern war dieses System der Rodungsklöster geradezu die Grundidee des Staates gewesen. So kann es auch nicht wundern, wenn Jahrhunderte später in den Händen dieser Geistlichkeit eben noch so viel Besitz ist, der ihr dann 1803 weggenommen wird.

Waren die drei Stände der Landschaft zwar rechtlich die Besitzer von Grund und Boden und die Nutznießer der Arbeitskraft der darauf lebenden Menschen, so waren sie immerhin noch Angehörige eines bayerischen Territorialstaates, also selbst in gewisser Weise Untertanen, wenn auch stark privilegierte. Im Herzogtum Bayern aber hatten sich einige geistliche und weltliche Herrschaften im Lauf der Jahrhunderte aus dem Verband des Stammesherzogtums vollständig in die Reichsunmittelbarkeit lösen können. Es ist bereits davon die Rede gewesen, daß sich keines der Bistümer zu Salzburg, Freising, Passau und Regensburg lange beim Land Bayern hielt, sondern daß diese als gefürstete Hochstifte bald unmittelbar dem Reich unterstanden. So kam es, daß im katholischen Bayern viele Jahrhunderte hindurch kein einziger Bischof auf bayerischem Boden residierte, obwohl die Bischöfe nicht selten aus dem Hause Wittelsbach kamen.

Neben den Bischofssitzen und deren oft recht verstreuten Besitztümern gab es noch andere geistliche und weltliche Pfähle im bayerischen Fleisch: reichsunmittelbare Klöster, reichsunmittelbaren Adel und die Freie Reichsstadt Regensburg, das einzige Gebilde dieser Art auf altbayerischem Boden, seltsamerweise noch dazu die bisherige Hauptstadt Bayerns, bis ins 13. Jahrhundert hinein. Bayerns erste Haupt- und Residenzstadt floh gewissermaßen aus ihrem Land in die (zunächst) größere Vorteilhaftigkeit der direkten Unterstellung unter den Kaiser und das Reich.

Regensburg, mittelalterliche Weltstadt und Stadt des Immerwährenden Reichstags

»Die Stadt Ratisbona ist alt und neu zugleich. Sie ist die erste unter allen großen Städten und liegt im Nordgau, in der Mitte zwischen dem oberen Pannonien und Alamannien, den Blick der böhmischen Grenze zugewandt. Keine Stadt Deutschlands ist berühmter. An ihrer Nordseite bildet die Donau eine Schutzwehr. Groß ist ihr Überfluß an Gold, Silber und anderen Metallen, an kostbaren Geweben, Purpur und Waren aller Art. Ihren überragenden Reichtum verdankt die Stadt der Schiffahrt und den Zöllen und dem Zustrom wertvoller Handelsgüter aller Art.« So hat der Mönch Otloh vom Regensburger Kloster Sankt Emmeram um das Jahr 1050 seine Stadt beschrieben, die er mit dem keltischen Namen »Ratisbona« nennt. Eine Weltstadt des frühen Mittelalters also, zu Otlohs Zeiten auch noch Hauptstadt des Stammesherzogtums Bayern und Stadt vieler Reichstreffen. Fünf Jahrhunderte später, 1517, meint der damalige Kaiser Maximilian I., der sich Augsburg und Nürnberg zu seinen Lieblingen erkoren hatte (weil der Reichtum nun dort lag): »Regensburg war einst unter den reichsten und berühmtesten Städten unserer deutschen Nation die blühendste.« Zwei Urteile, zwei Epochen der Regensburger Geschichte, der Geschichte einer Stadt, die ganz gewiß vom 8. bis zum 13. Jahrhundert zu den wichtigsten Städten Europas zu zählen war.

Der Ursprung ist eine kleine Keltensiedlung am bequemen Donauübergang (zwei Inseln im Strom). Die Römer bauen im 1. Jahrhundert ein Kohortenlager und 179 dann das große Legions-Castrum ihrer Provinz Raetien. Nach dem Verfall des Römerreiches sind es gerade die mächtigen Mauern dieses Kastells, die zunächst den Germanen der späten Völkerwanderung, dann aber dem ersten Herzogsgeschlecht der Bayern, den Agilolfingern, willkommen sind. Die Agilolfinger haben hier ihre Residenz. Als ihr letzter, Tassilo III., 788 von Kaiser Karl dem Großen in die Klosterhaft geschickt wird, erhält Regensburg unter den Karolingern nahezu den Status einer deutschen Hauptstadt. Karl der Große, noch mehr aber seine Nachkommen verbringen jeweils ganze Jahre ihres Lebens in dieser Stadt, gründen spätere Reichsstifte oder bauen vorhandene Stifte zu solchen aus (Nieder- und Obermünster, Sankt Emmeram). Könige und ihre Gemahlinnen werden zu Regensburg begraben, der letzte Karolinger, Ludwig das Kind, stirbt ebenfalls in Regensburg.

Der Petersdom in Regensburg ist das Hauptwerk der Gotik in Bayern. Mit dem Bau wurde 1275 begonnen. – In der Bildmitte das Grabdenkmal für Kardinal Philipp Wilhelm (Hans Krumper, 1611), den Bruder des Kurfürsten Maximilian I.

Nach den Karolingern ist Regensburg wieder herzogliche Hauptstadt in Bayern, auch noch unter den Welfen, die ab 1135 zusammen mit dem reichen Kaufmannspatriziat in nur elf Jahren die »Steinerne Brücke« bauen, die lange als ein Weltwunder angesehen wird. Der Reichtum der Stadt zeigt sich um diese Zeit auch in den allenthalben emporstrebenden Geschlechtertürmen, die gewiß auch wehrhaften Charakter, vor allem bei möglichen Stadtfehden, haben, die aber in erster Linie Reichtum und Ansehen dokumentieren sollen. Wolkenkratzer des Mittelalters, sozusagen. Noch heute sind davon einige zu sehen, wobei der »Goldene Turm« in der Wahlenstraße mit seinen neun Stockwerken das eindrucksvollste und der »Baumburger Turm« am Watmarkt das schönste Beispiel solchen Bauens ist, das den Betrachter an die toskanische Stadt San Gimignano erinnert. Aus den romanischen und frühgotischen Stadtpalästen der Regensburger Kaufherren wurden Beziehungen in alle Welt gepflegt, bis nach Rußland (Kiew) und Kleinasien. In der deutschen Handelsniederlassung zu Venedig, unmittelbar beim Ponte Rialto, im »Fondaco dei Tedeschi«, hatten die Regensburger zu dieser Zeit den Vorsitz. Im 12. Jahrhundert, demjenigen des großen Brückenschlages, wird Regensburg Schauplatz vieler politischer Ereignisse. Kaum ist die Steinerne Brücke fertig, setzt sich 1147 an dieser Brücke der Kreuzzug des Stauferkönigs Konrad III. per Schiff in Bewegung. 1156, Friedrich Barbarossa ist nun Kaiser, wird auf dem Regensburger Reichstag die Ostmark der Babenberger von Bayern abgetrennt, Österreich also endgültig gegründet. 1180 beginnt in der immer noch als bayerische Hauptstadt fungierenden Stadt der Aufstieg der Wittelsbacher, als Kaiser Friedrich Barbarossa den Welfen Heinrich den Löwen als bayerischen Herzog entthront. 1189 ist der Rotbart wieder in der Stadt, sammelt sein Heer zu jenem Kreuzzug, von dem er nicht mehr zurückkehren wird. Das anhebende 13. Jahrhundert sieht recht verworrene Verhältnisse in der Stadt. Der Herzog verliert immer mehr an Boden, doch Herr ist im Grunde keiner mehr so recht. Während sich die Wittelsbacher ihren Städten Landshut und München zuwenden, holen sich die Regensburger immer mehr Rechte und Privilegien aus den Händen der Kaiser, haben 1211 ein eigenes Stadtsiegel, ab 1233 eine eigene Stadtkanzlei. 1245 gibt Kaiser Friedrich II., jener besonders strahlende Stauferkönig aus dem Süden, Regensburg die Reichsunmittelbarkeit. So fassen denn die neuen Reichsbürger 1250 den Plan zu einem Dombau, demzufolge Leo der Thundorfer, Patriziersohn und Bischof der Stadt, am 23. April 1275 den Grundstein legt, nachdem er ein Jahr zuvor mit entscheidenden Anregungen vom Konzil zu Lyon zurückgekehrt war. Innerhalb eines halben Jahrhunderts wächst ein Drittel des heutigen Domes mit großem Schwung in die Höhe, begeistert die Bürger zu neuen Spenden. Bald kann im unvollendeten Gotteshaus die Messe gelesen werden. Die ersten Dommeister haben ihre Zeichen hin-

terlassen, Buchstaben im Stein. Ludbich, Friedrich, heißen die ersten, haben nur Vornamen. Dann liest man in
Urkunden von einem »Pertold, Magister lapicida«. Und
am Ende kommt mit dem »Tummeister Wenzl« aus
Prag gar die Dombaumeisterfamilie Roritzer in die Dom-
bauhütte. Ihr ist es gegönnt, das Werk bis auf die Turm-
oberteile nahezu zu vollenden. Einer von ihnen, Matthäus
Roritzer, eröffnet in der Stadt auch die erste Druckerei
und gibt 1486 sein Büchlein »Von der Fialen Gerechtig-
keit« heraus. Bis dahin war es eines der obersten Gesetze
der Bauhütten in ganz Europa, keines der Geheimnisse
des Dombaus an die Öffentlichkeit kommen zu lassen.
Vielleicht hat dieser Matthäus Roritzer geahnt, daß die
Zeit der Bauhütten bald vorbei sein würde, daß die Zeiten sich wenden würden? Der letzte aus seiner Familie,
Wolfgang Roritzer, sollte dieser Wende auf tragische
Weise zum Opfer fallen.

Die Geschichte dieses letzten Roritzers am Dom ist ein
wichtiges Stück Regensburger Schicksal. Zwei Parteien
hatten sich schon lange in der Stadt gebildet. Die einen,
vor allem das Alt-Patriziat, waren dem Kaiser und Stadt-
herrn treu ergeben, die anderen, unter ihnen viele Handwerker, waren für einen Wiederanschluß an Bayern, da
die Reichsstädte Augsburg und Nürnberg der inzwischen recht isoliert liegenden Stadt Regensburg längst
das Wasser abgegraben hatten. 1475 hatte man sich zunächst mit dem Landshuter Wittelsbacher, Herzog Ludwig dem Reichen, 1486 schließlich mit dem Münchner
Wittelsbacher, Herzog Albrecht dem Weisen, zusammengetan. Albrecht zog mit großer Pracht in der Hauptstadt seiner Vorväter ein. 1487 gründete er eine Universität.
Der Handel und Wandel mit dem bayerischen Land, von
dem Regensburg umgeben war, brachte neues Leben in
die alten Mauern. Nachdem Kaiser Friedrich III. die
Reichsacht über die Stadt verhängt und einige Ratsmit-
glieder gedemütigt und gefoltert hatte, kam Regensburg
1492 wieder an den Kaiser zurück. 1514 lohte der Aufstand wieder auf, diesmal auch unter der maßgeblichen
Mitwirkung Wolfgang Roritzers. Das kaiserliche Strafgericht verurteilte ihn und seine Mitstreiter zum Tod auf
dem Schafott.

Mit Roritzers Tod war auch die Arbeit am Dom weitge-
hend beendet. Die Gotik gehörte der Vergangenheit an.
1519 begann dafür ein wahrer religiöser Veitstanz in der
Stadt. Die Bürger hatten – um den judenfreundlichen
Kaiser zu provozieren – das Getto der Regensburger
Juden geräumt und abgerissen. Es wurde ein Standbild
»Zur schönen Maria« aufgestellt, das bald aus allen
Himmelsrichtungen Zulauf gewann. Bis aus dem
Rheinland wallfahrtete man zu diesem angeblichen
Gnadenbild, um das sich Szenen wildester Hysterie
abspielten. Eine Kirche wurde gebaut (Nachfolgerin ist
die heutige Neupfarrkirche, evangelisch), immer mehr
Heilsuchende kamen, brachten am Ende die Pest in die
Stadt, in der gerade ein Albrecht Altdorfer im Rat saß, der
große Maler am Beginn einer neuen Zeit.

**Der Engel der Verkündigungsgruppe im Dom
zu Regensburg, ein Werk des »Erminold-Meisters« (um
1280). Der unbekannte Bildhauer ist nach
dem ebenfalls von ihm geschaffenen Hochgrab des seligen
Erminold im Kloster Prüfening benannt.**

In den folgenden Jahrzehnten blickte die ganze Welt immer wieder nach Regensburg, wo Kaiser Karl V. auf Reichstagen und in Disputationen, vor allem zwischen dem katholischen Theologen Doktor Eck und Martin Luthers Freund Philipp Melanchthon, den religiösen Frieden suchte, jedoch vergeblich. 1542 führte auch der Rat von Regensburg die protestantische Lehre ein, was besagte, daß künftig nur Protestanten Mitglied des Rates sein durften. Während des Reichstages von 1546 führte man Kaiser Karl V. die blutjunge Handwerkerstochter Barbara Blomberg zu, die im nächsten Jahr, 1547, des Kaisers Sohn Don Juan d'Austria zur Welt brachte, der nach seines Vaters Tod dessen schwere Sorgen um die Türkengefahr mit dem glanzvollen Seesieg bei Lepanto (1571) für lange Zeit bannte. Die Regensburger besitzen auf dem Zieroldplatz, nahe dem Alten Rathaus, einen Abguß seiner Statue von jenem Denkmal, das zu Messina noch zu seinen Lebzeiten aufgestellt worden war. Er, der Regensburger, war damals so etwas wie der »Mann des Jahrhunderts«.

Das 17. Jahrhundert brachte den Dreißigjährigen Krieg und 1663 schließlich jenen Reichstag zu Regensburg, der sich bis zur Auflösung des Reiches im Jahre 1806 nicht mehr auflösen sollte und deshalb der »Immerwährende Reichstag« genannt wurde. Somit erhielt das wirtschaftlich bedeutungslos gewordene Regensburg neues Leben durch die Politik und die Gesandtschaften aus aller

Bild oben: Der gotische »Reichssaal« im Alten Rathaus zu Regensburg mit seiner wertvollen Holzdecke von 1408. – Bild unten: Die Fresken des sogenannten »Kaiserbades« der Regensburger Bischofsresidenz von Albrecht Altdorfer.

Herren Länder. Der jeweilige Kaiser ließ sich an diesem ersten deutschen »Bundesrat« in der Regel von einem Prinzipalkommissär vertreten, der für ihn auch die (aus eigener Tasche zu bezahlende) Reputation und Präsentation zu übernehmen hatte. Ab 1748 besorgten dies die Reichsgeneralpostmeister von Thurn und Taxis. Noch heute haben sie ihr Schloß in der Stadt, das ehemalige Reichsstift Sankt Emmeram, das sie nach der Auflösung dieses Klosters erwarben und weiter ausbauten.

Die Reichsdeputation, ein Ausschuß des Immerwährenden Reichstages, kommt 1803 in Regensburg zu ihrem »Hauptschluß«, der die Entschädigung der deutschen Fürsten für ihre Verluste an das Frankreich der Revolutions- und Napoleonskriege durch Verweltlichung, Säkularisation des Kirchenbesitzes vorsieht und zudem auch die kleinen Herrschaften mediadisiert, das heißt, sie den großen Herren schenkt. Regensburg wird dabei als Freie Reichsstadt ebenfalls kassiert, kommt zunächst an das Fürstentum des Kurfürsten von Mainz und Reichskanzlers Carl von Dalberg, des »Fürst-Primas«, wie er genannt wird. Der Fürst-Primas wird zu einem rechten, wenn auch kurzen Segen für die Stadt, die 1810 schließlich dorthin kommt, wohin sie dreihundert Jahre vorher, damals auf eigenen Wunsch, nicht kommen durfte: zurück nach Bayern. Regensburg ist nun freilich nicht mehr die Hauptstadt Bayerns, sondern liegt »in der Provinz«, ein Wort, das moderner Politiker-Jargon in »Region« abgewandelt hat, wobei an den Tatsachen nichts geändert wurde, zum Beispiel an derjenigen, daß mehr Steuergelder in eine Hauptstadt als in eine Provinzstadt, eine Stadt in der Region fließen.

Geistliche Fürsten in Regensburg

Daß ab 1663 der »Immerwährende Reichstag« zu Regensburg tagte und die Stadt durch die vielen Gesandtschaften recht gut ernährte, hatte mehrere Gründe, vor allem aber zwei: Zum einen umgab Regensburgs Name immer noch der Glanz einer großartigen Tradition als Reichstagsstadt; zum anderen war Regensburg eine Art Spiegel der politischen Verhältnisse im Reich. So lebten innerhalb der starken Mauern der alten Donaustadt – in verhältnismäßiger Friedlichkeit – die verschiedenen politisch-religiösen Kräfte nebeneinander: die protestantische Reichsstadt mit ihrem bürgerlichen Rat, der aus dem Adel kommende, gefürstete Bischof, eigener reichsunmittelbarer Landesherr und Inhaber eigenen Territoriums innerhalb und außerhalb der Stadtmauern, ebenso die reichsunmittelbaren und gefürsteten Stifte Sankt Emmeram (Benediktinerabtei), Niedermünster und Obermünster (beides Damenstifte).

Freilich, an Streitigkeiten hat es unter den vielerlei Herrschaften nicht gefehlt; dennoch waren keine Stadtkriege daraus entstanden. Wer heute an das idyllische »Helenentor« beim Schloß der Fürsten von Thurn und Taxis spaziert, kann so ein Streitobjekt besichtigen. Hinter der fürstlichen Einzäunung steht noch ein altes Stadttor, das »Emmeramer Tor«, das nach dem Kloster daneben benannt war. Dieses Tor war zugemauert worden, weil sich der protestantische Rat und das katholische Benediktinerstift nicht einig werden konnten, wem es geöffnet und wem es verschlossen bleiben sollte. (Im Dreißigjährigen Krieg waren Schweden oder »Kaiserliche« eben für die jeweilige Partei recht unterschiedliche Gäste!)

Das Kloster Sankt Emmeram trägt den Namen des heiligen Emmeram. Nach seinem Märtyrertod bei Kleinhelfendorf nahe München, wo er von dem jungen Herzog Lantpert grausam erschlagen wurde, ließ des Mörders frommerer Vater, Herzog Theodo, den Leichnam Emmerams in Regensburg feierlich beisetzen. Theodo dürfte um das Jahr 690 auch der Stifter des Klosters geworden sein, wie sich ja die Agilolfinger überhaupt als Klostergründer hervortaten. Die junge Abtei hatte große Bedeutung in ganz Süddeutschland. Der Abt war immer zugleich Bischof von Regensburg, bis zum Jahre 975, als der heilige Wolfgang, Abt und Bischof, diese beiden Ämter trennte, selbst das Bischofsamt übernahm und seinen Freund, den seligen Ramwold, zum Abt bestellte. Der größte Förderer des Stifts war der vorletzte Karolinger, König Arnulf (um 850–899), der sich neben das Kloster eine neue Pfalz baute und gleich seinem Sohn, Ludwig dem Kind (893–911), in Sankt Emmeram begraben liegt. Er schenkte der Abtei den wertvollsten Schatz, den »Codex Aureus«, ein in Gold gefaßtes Evangeliar, auf Purpurpergament geschrieben. Heute gehört diese Kostbarkeit zum Bestand der Bayerischen Staatsbibliothek, da dergleichen offenbar weder in der Provinz noch in der Region – wo sie daheim war – aufbewahrt werden kann. Die beiden reichsunmittelbaren Damenstifte Obermünster und Niedermünster genossen ebenfalls die Förderung durch die Karolinger. Während die Stiftskirche von Obermünster im letzten Krieg bis auf den Turm verlorenging, erweist sich der Bereich von Obermünster heute als eine wahre Fundgrube Regensburger Geschichte. Ausgrabungen der sechziger Jahre haben ein unterirdisches Museum hinterlassen, das in seiner Art gewiß einmalig ist. Es zeigt Regensburger Reste aus römischer Zeit bis in die späte Karolingerzeit, vier Kulturschichten übereinander. Der heutige Bau der Niedermünsterkirche ist der fünfte an dieser Stelle, obwohl er aus dem 12. Jahrhundert stammt. Reichsunmittelbarkeit erhielt das Damenstift Niedermünster von Kaiser Heinrich II., dessen Mutter Gisela von Burgund hier begraben liegt. Niedermünster, Obermünster und die Fürstabtei Sankt Emmeram teilten 1803 das Schicksal der Freien Reichsstadt Regensburg, kamen zunächst an Carl von Dalbergs Fürstentum (zu dem auch Aschaffenburg gehörte) und 1810 an das junge Königreich Bayern. Das Bistum Regensburg, das sich zum reichsunmittelbaren Hochstift entwickelte, wurde 739 vom heiligen Bonifatius gegründet. Zur Zeit der Agilolfinger, also bis 788, hatte es die Anlage eines bayerischen Metropolitanbistums, eine Rolle, die dann Salzburg übernehmen konnte, dem Regensburg im Jahre 798 unterstellt wurde. Der heilige Wolfgang (um 924–994), ab 973 Bischof von Regensburg und Abt von Sankt Emmeram, trennte, wie gesagt, 975 diese Ämter. Schon 973 war er für die Einrichtung eines eigenen Bistums in Böhmen, das seinen Sitz in Prag haben sollte, eingetreten. Bis dahin war Regensburg auch für ganz Böhmen zuständig gewesen. Ein weiterer Großer auf dem Regensburger Bischofsstuhl war Albertus Magnus (um 1200–1280), Mitglied des Dominikanerordens und großer Naturwissenschaftler seiner Zeit. Nur zwei Jahre, 1260–1262, wirkte er in Regensburg als Bischof und zugleich als Lehrer. Sein berühmtester Schüler war der heilige Thomas von Aquin. Das Regensburger Bischofsamt legte er freiwillig nieder, aus Gründen, die heute nicht mehr bekannt sind.

In späteren Jahrhunderten gab es auch Wittelsbacher auf dem Regensburger Bischofsthron. So kann man im Hauptschiff des Domes das Grabmal aus Erzguß und Rotmarmor sehen, das Herzog Wilhelms V. Sohn Philipp Wilhelm gewidmet ist, der 1596 im Alter von 20 Jahren Bischof von Regensburg wurde, zwei Jahre später aber schon starb. Sein Bruder, der spätere Kurfürst Maximilian I., hat von seinem Hofbildhauer Hanns Krumper dieses Denkmal, das den jünglingshaften Bischof vor dem Kreuz kniend zeigt, anfertigen lassen. Unter den Wittelsbachern auf dem Regensburger Bischofsstuhl ist von 1648 an Franz Wilhelm von Wartenberg, ein »Halb-Wittelsbacher«, Sohn Herzog Ferdinands von Bayern (eines Onkels des Kurfürsten Maximilian I. und des eben genannten jungen Bischofs Philipp Wilhelm) und der Haager Landrichtertochter Maria Pettenbeck. Er ist ein praktisch veranlagter Mensch, der nach dem Dreißigjährigen Krieg wieder aufbauen muß. 1649 gründet er, quasi nach selbst gesehenem Münchner Muster, ein bischöfliches Hofbräuhaus, den heutigen »Bischofshof« in Regensburg. Dieser Bischofshof war die ursprüngliche Residenz der Regensburger Bischöfe, der nun der Wartenberger eine Brauerei anfügte. Heute ist der »Bischofshof« eine Großgaststätte mit Hotel.

Das Bild des Reformationsaltars hat 1553 der Schüler Albrecht Altdorfers, Michael Ostendorfer, gemalt. Der Altar, der sich heute im Museum der Stadt Regensburg befindet, war für die lutherische Neupfarrkirche bestellt worden, in der am 15. Oktober 1542 erstmals in Regensburg das evangelische Abendmahl gefeiert wurde. Die Freie Reichsstadt Regensburg wurde vom Herzogtum Bayern und dem Kaiser lange daran gehindert, sich offiziell zur Reformation zu bekennen.

Salzburg. Blick über den Mirabellgarten zur Stadt mit dem Dom und der Festung Hohensalzburg. – Die
Stadt war seit der Zeit des Missionars und ersten Salzburger Bischofs Rupert
Mittelpunkt eines Bistums, das zuerst Regensburg untergeordnet war, ab 798 aber Erzbistum der Bayern wurde. Bis zum
12. Jahrhundert entwickelte sich Salzburg zu einer eigenständigen Macht, deren politische Bedeutung
im 18. Jahrhundert von der kulturellen Bedeutung abgelöst wurde.

Die Fürsterzbischöfe von Salzburg

Salzburg, so kann man sagen, ist ein früh verlorenes Stück Bayern, ein Hauptstück sogar. Und trotzdem hatte 1966 der damalige österreichische Bundespräsident nicht unrecht, als er vor allen aufmarschierten Trachtlern und Schützenkompanien des Bundeslandes Salzburg anläßlich der Feier der 150jährigen Zugehörigkeit Salzburgs zu Österreich erklärte: »Salzburg ist eine Perle in einer durchaus österreichischen Fassung« – wobei er die »Perle« mit wundersam weichem Wiener »B« aussprach.

Salzburg aber war am Anfang der bayerischen Geschichte eine Perle in einer durchaus bayerischen Fassung. Und so soll die Geschichte dieses Gebietes in diesem Buch auch kurze Würdigung finden, zumal über alle Zeiten fort zahlreiche Beziehungen zwischen beiden Seiten bestanden haben. Da ist zunächst die Gründung von Salzburg. Sie erfolgt von Regensburg aus, dem Sitz der bayerischen Agilolfingerherzöge. Um das Jahr 700 schenkt dort Herzog Theodo dem fränkischen Missionar Hrodbert (Sankt Rupert) das, was aus römischer Zeit von dem tempelreichen und von einem Kastell bekrönten »Juvavum« übriggeblieben war.

Der heilige Rupert gründet das Benediktinerkloster Sankt Peter, das Frauenkloster Nonnberg und baut sich eine Bischofskirche. Bis zum Jahr 987 ist der Abt von Sankt Peter zugleich auch Bischof von Salzburg. Salzburgs Bistum ist zunächst der Metropole Regensburg unterstellt. Als Kaiser Karl der Große aber den letzten Agilolfinger, Tassilo III., absetzt, wird 798 Salzburg zum neuen Erzbistum für die bayerischen Suffraganbistümer Regensburg, Freising, Passau und Säben-Brixen im heutigen Südtirol.

Aus bayerisch-fränkischem Raum kommen die großen Erzbischöfe des mittelalterlichen Salzburg, die aus der Kirchenprovinz durch Abrundung und Abgrenzung eines Territoriums das reichsunmittelbare Hochstift und Fürstentum vorbereiten, das Salzburg im 14. Jahrhundert endgültig ist. Diese großen Förderer eines Salzburger Eigenstaates sind Erzbischof Konrad von Abenberg (bei Nürnberg), der 1106 bis 1147 regiert, und Erzbischof Eberhard II. von Regensburg (1200–1246). Letzterer gilt in der Geschichtsschreibung als der Vater des heutigen Landes Salzburg.

Der Rückhalt zu all den machtvollen Unternehmungen Salzburgs ist in erster Linie in Hallein zu suchen. Dort wird auf dem Dürrnberg das Salz gewonnen, das Salzburgs Kassen immer wieder füllt. Dieser Dürrnberg ist historisch einer der interessantesten Berge der ganzen Alpenwelt. Menschliche Spuren sind hier schon in der Neusteinzeit zu finden; im späten Latène (1. Jh. v. Chr.) ist eine industrielle Großsiedlung der Kelten, deren ausgegrabene Fürstenbestattungen einen Begriff dieses frühen Reichtums geben können (Halleiner Museum) nachgewiesen.

Es kann nicht gesagt werden, daß die geistlichen Herren Salzburgs schlechter regiert hätten als die Talar-Fürsten anderer Regionen. Während man aber zu Köln oder im einstigen bischöflich-freisingischen Werdenfelser Land der Meinung war, daß unter dem Krummstab (des Bischofs oder Abtes) gut zu leben sei, gibt es im Fürsterzbistum Salzburg nicht nur den allgemeinen Bauernkrieg von 1525/26, sondern schon Jahre zuvor, 1462/63, einen Bauernaufstand. 1731/32 zwingt ein Salzburger Fürsterzbischof, Leopold von Firmian, an die 20 000 Bauern, vornehmlich aus dem Pongau, zum Auszug aus ihrer Heimat, da sie dem protestantischen Glauben nicht abschwören wollen. Die heimatverbundenen Menschen aus dem Gebirg', aus heute für jedermann so anziehend klingenden Orten wie Wagrain, Werfen, Radstadt, Bischofshofen, St. Johann und Gastein verlassen ihre Dörfer und Bergweiden um des Glaubens willen, ziehen in einige schwäbische Reichsstädte, vor allem aber, auf Einladung des Preußenkönigs Friedrich Wilhelms I., nach Ostpreußen, einige nach Holland und Nordamerika.

Die schillerndste Gestalt in der ganzen Geschichte des Fürsterzbistums Salzburg regiert von 1587 bis 1612: Wolf Dietrich von Raitenau. Aus Allgäuer Adel stammt er, studiert in Rom und Pavia und wird der erste absolutistische Barockfürst in Salzburg, wo er sich durch Rechtsbeschränkungen beim Domkapitel viele Feinde macht. In einer Art heimlicher Ehe ist er mit der schönen Salome Alt verbunden, die ihm zahlreiche Kinder schenkt, deren Nachkommenschaft bis auf heutige Tage reicht. 1611 begeht er den gleichen Fehler, den einer seiner Vorgänger schon 1393–1404 begangen hat: Er läßt die benachbarte Fürstpropstei Berchtesgaden besetzen, was den großen Nachbarn Bayern und dessen tatkräftigen Herzog und späteren Kurfürsten Maximilian I. eingreifen läßt. 1612 wird Berchtesgaden wieder frei, und Wolf Dietrich wandert auf die Festung Hohensalzberg, wo er Gefangener bleibt bis zu seinem Tod am 16. Januar 1617. Sein Mausoleum ist heute der Mittelpunkt des Sebastianifriedhofs in Salzburg. Dort hat man ihn seinem Nachlaß gemäß, bombastisch bis zum Ende, beigesetzt: »Mein Diener und sechs Franziskaner sollen mich zu nächtlicher Stunde zu Grabe geleiten und niemand darf meinethalben Trauerkleider anlegen.«

Fürsterzbischof Wolf Dietrich, am fröhlich-sonnigen Ufer des Bodensees (Lochau bei Bregenz) geboren, wurde zum Begründer des barocken Salzburg, wenn auch die von ihm begonnenen Werke und Pläne erst von seinen Nachfolgern vollendet und verwirklicht werden konnten. Zuletzt war das Fürsterzbistum von den großen wirtschaftlichen Kräften seiner Nachbarn Österreich und Bayern doch so eingeschränkt, daß es seine eigenen Leistungen in erster Linie auf Kunst und Kultur legte, wozu auch die 1623 gegründete Universität zu zählen ist, deren Professoren sich zum Teil aus bayerischen und schwäbischen Benediktinerklöstern rekrutieren.

Im heutigen Bayern ist noch viel Salzburgisches erhalten. Da ist die Stadt Mühldorf, damals eine Enklave Salzburgs mitten im bayerischen Gebiet; da ist vor allem der »Rupertiwinkel«, der westliche Salzachuferteil um Tittmoning und Laufen, genauer gesagt, die einstigen Salzburger Pflegämter Staufeneck (bei Piding), Teisendorf, Tittmoning, Laufen und Waging. Bis heute hat es der demokratische Freistaat Bayern – bei aller Liebe zum Föderativen (was den Bund in Bonn betrifft) doch selbst immer im Lande münchnerisch-zentralistisch – nicht verstanden, diesen 1816 endgültig an Bayern gekommenen Salzburger Anteil auch bayerisch zu machen. In Laufen und Tittmoning gibt es daher mit Recht nach wie vor stärkere Beziehungen zu Salzburg, wenn auch keineswegs zu Österreich. Am bayerischen Salzachufer, wo die uralte Tradition und vielfache Kunstfertigkeit der Schiffer noch lebendig ist, hat man sich ein Salzburg bewahrt, das es nicht mehr gibt, da ja die Perle, wie der Herr Bundespräsident aus Wien gesagt hat, längst eine »durchaus österreichische Fassung« hat. Ob nun der Norden des Rupertiwinkels, um Tittmoning mit seiner salzburgischen Jagdresidenz, unsinnigerweise zum Landkreis Traunstein geschlagen wurde, der südliche Teil aber zu einem Landkreis »Berchtesgadener Land« kam, schön ist er nach wie vor und voll herrlicher geistiger Strömungen, von denen man sagen kann, daß sie das bessere Salzburg von einst fortführen, nicht dasjenige, aus dem man des Glaubens wegen auswandern mußte. Eher das Salzburg Mozarts, jenes Genies, das unter der Zucht des Fürsterzbischofs auch nicht bleiben wollte und am Ende im freieren Wien landete.

Eine Salzburger Hinterlassenschaft kann man auch noch in der Herreninsel im Chiemsee erkennen. Das dortige Augustiner-Chorherrenstift wurde durch Salzburgs Erzbischof Eberhard II. von Regensburg im Jahr 1217 zu einem Salzburger Eigenbistum gemacht. So war die heute weitgehend verschwundene Klosterkirche zugleich eine Bischofskirche. Der Sitz des Bistums, das die bayerischen Pfarreien Salzburgs verwaltete und das als Pfahl im Fleisch des weiß-blauen Herzogtums gedacht war (merkwürdige Ansichten von christlicher Tugend mußten kirchliche Machthaber entwickeln können), war freilich zu Salzburg selbst, im dortigen »Chiemseehof«. Vom Glanz des ehemaligen Inselklosters und nominellen Bischofssitzes ist das sogenannte »Alte Schloß« übriggeblieben, das in einigen Räumen noch jene Pracht widerspiegelt, die ein Propst und Bischof zur Barockzeit zu entfalten pflegte.

Das Berchtesgadener Land: Sonne und Salz

Der bayerische Schriftsteller und Romanschreiber Ludwig Ganghofer hat geschrieben: »Wen Gott lieb hat, den lässet er fallen in dieses Land«, in das Berchtesgadener Land, das im Zeichen von Sonne und Salz lebt. Die

Wer heute das Schloß Herrenchiemsee des bayerischen Märchenkönigs besucht, den Anblick vom Park her
mit dem Wasserspiel des Latonabrunnens (Bild oben) genießt, abends die dreitausend
Kerzen im Spiegelsaal brennen sieht, sollte nicht vergessen, daß dieses Schloß gebaut wurde, als die mehr als
tausend Jahre alte Geschichte Herrenchiemsees als Klosterinsel, Augustiner-Chorherrenstift
und Sitz eines Salzburger Unter-Bistums schon beendet gewesen ist.

ersten, die Gott in dieser Weise geliebt haben muß, sind Augustiner-Chorherren vom Kloster Rottenbuch im Ammergau. Unter Führung des ersten Berchtesgadener Propstes Eberwin kommen sie 1105 in die Bergwälder zu Füßen des Watzmann, weil es Graf Berengar von Sulzbach, dritter und letzter Gemahl der Gräfin Adelheid von Mögling-Frontenhausen, so will. Er stiftet das Chorherrenstift im Auftrag seiner Schwiegermutter Irmgart. Nur fünf Jahre halten Eberwin und seine Kanoniker das harte Leben im Gebirg' aus, dann ziehen sie sich nach Baumburg im Chiemgau zurück, wo Graf Berengar einen zweiten Wunsch seiner Familie zu erfüllen hat: Seine Gemahlin Adelheid hatte ihm ihr Gelübde übertragen, ein Kloster zu Baumburg zu stiften.

1120 geht Eberwin mit seinen Brüdern nach Berchtesgaden zurück. Baumburg und Berchtesgaden leben fortan getrennt als Chorherrenstifte weiter. Berchtesgaden blüht mächtig auf, errichtet 1212 die erste Saline, zu deren Siedebetrieb auch das Holz in Hülle und Fülle vorhanden ist. 1290 bestätigt Rudolf von Habsburg dem Stift die Reichsunmittelbarkeit, nachdem es 1142 päpstliches Eigenkloster geworden war. Der Bau der romanischen Stiftskirche Sankt Peter erfolgt im 12. Jahrhundert. Der erhaltene romanische Kreuzgang ist eine Kostbarkeit unter den romanischen Kunstwerken in Bayern.

Der große Wald- und Salinenbesitz läßt die Berchtesgadener Pröpste zu Reichsfürsten aufsteigen. 1389 wird die Herrschaft allerdings wegen zu hoher Schuldenlast dem benachbarten Hochstift Salzburg unterstellt, was 1404 die bayerischen Herzöge wieder annullieren lassen können. Auch als 1611 der Salzburger Fürsterzbischof Wolf Dietrich von Raitenau das Berchtesgadener Land besetzt, wirft ihn Bayernherzog Maximilian I. wieder hinaus. Von 1594 bis 1723 sind bayerische Prinzen jeweils »Kommendatarpröpste«, die zugleich Kurfürsten in Köln sind. Ab 1724 setzen die Berchtesgadener Kanoniker ihre eigenen Leute in der Wahl durch, weigern sich, Wittelsbacher Scheinpröpste weiterhin anzuerkennen. So hat sich diese Reichspropstei als eigenes Fürstentum gut zwischen der Konkurrenz von Bayern und Salzburg am Leben erhalten können, wenn auch am Ende der letzte Fürstpropst, Joseph Conrad Freiherr von Schroffenberg, alle Salinen wegen der Schuldenlast an Bayern verkaufen muß. Schroffenberg muß dann die Säkularisation von 1803 erleben, die Berchtesgaden einem neuen Erzherzogtum Toskana zuschlägt. 1805 kommt das Gebiet an Österreich, 1810 an Bayern, dem es 1816, nach dem Wiener Kongreß, endgültig bleibt.

Mit Bayern, Salzburg und Berchtesgaden ist die »bayerisch-österreichische Salinenkonvention von 1829« ver-

Berchtesgaden mit dem Watzmann. – Die systematische Besiedlung und Kultivierung des von Bergen eingeschlossenen Landes erfolgte nach der Gründung des Augustiner-Chorherrenstiftes im Jahre 1105. Das Kloster konnte sich 1294 durch die Übertragung des Blutbanns aus der Hand Kaisers Rudolfs von Habsburg eigene Landesherrlichkeit erwerben. Die Pröpste von Berchtesgaden, denen das Salz als Quelle des Reichtums zu Hilfe kam, waren bis 1803 Reichsfürsten.

bunden, der älteste, heute noch gültige Staatsvertrag Europas, der am 25. März 1957 zwischen den Republiken Österreich und Bayern neu bestätigt wurde, gerade an dem Tag, an dem eine weit größere Konvention in Europa unterzeichnet wurde, die »Römischen Verträge«, die der »Europäischen Gemeinschaft« zum Leben verhalfen. Die »bayerisch-österreichische Salinenkonvention« von 1829 beruht auf uralten Abmachungen und Rechten. Sie räumt Salzburg, und damit dem heutigen Österreich, das Recht ein, seine Salzstollen im Halleiner Dürrnberg auch unter heute bayerisches, einstmals Berchtesgadener Gebiet voranzutreiben, andererseits darf Bayern seine drei »Saalforstämter« Unken, St. Martin bei Lofer und Leogang auch auf heute österreichischem, einst salzburgischen Grund betreiben. Diese Forste, die das Sudholz in die bayerische Saline Reichenhall (auf der Saalach) lieferten, gehörten und verblieben im Eigentum der bayerischen Herzöge, als Ludwig der Kelheimer 1228 zwei Grafschaften im Pinzgau (dort liegen diese Wälder) an das Reich schenkte, das diese als Lehen an Salzburg weitergab. So kam es zu bayerischem Wald-Großbesitz auf Salzburger Boden. Noch heute ist die Gesamtfläche der drei bayerischen Forstämter in Österreich 184 qkm groß, der reine Waldbestand umfaßt rund 110 qkm.

Mit diesem Vertrag hängen auch uralte Arbeitsrechte zusammen. Als den Salzburgern gegen Ende des 13. Jahrhunderts am Halleiner Dürrnberg allmählich das Salz ausging, handelten sie mit dem Nachbarn, dem Fürstpropst von Berchtesgaden, aus, daß sie ihre Stollen von Hallein aus auch unterirdisch im Dürrnberg unter Berchtesgadener Territorium treiben dürfen, vor allem unter den Orten Au, Scheffau und Schellenberg. Der Propst von Berchtesgaden stellte dabei unter anderem die verbriefte Bedingung, daß nur seine Klosterleute in jenen Stollen arbeiten durften, die unter Berchtesgadener Gebiet lagen. So kam es zu jenen 90 Bauernlehen im Gebiet von Au, Scheffau und Schellenberg, auf denen »dürrnbergische Bergschichten« haften. Der jeweilige Inhaber eines dieser Lehen (manche sind heute längst reiche Leute aus der Stadt, die sich hier auf ehemaligem Bauerngrund ihr Refugium erbauten) hat ein absolutes und unkündbares Recht auf Schichtarbeit im heute österreichischen Salzbergwerk im Dürrnberg. Er arbeitet dann sozusagen unter seinem Grund und Boden. Für viele Bergbauern ist dieses Salzschichtlehen in all den Jahrhunderten ein wertvolles Zubrot gewesen. In Zeiten moderner Gewerkschaften mutet es fast seltsam an, daß an die 90 Grundeigentümer im Berchtesgadener Land noch heute total unkündbare Arbeitsplätze im Dürrnberg haben, nur weil vor 700 Jahren zwei Kirchenmänner, der Bischof von Salzburg und der Propst von Berchtesgaden, dies vertraglich so geregelt haben. Die IG-Bergbau kann den Berchtesgadener Stiftspropst Konrad III. (1257–1283), der diese Klauseln alle ausgehandelt hat, als Vorfahren aller tüchtigen Gewerkschaftssekretäre in ihren Annalen vermerken, wenn sie will.

Berchtesgadner Impressionen: Der romanische Kreuzgang im Schloß (ehemaliges Augustiner-Chorherrenstift, Bild oben); das vorweihnachtliche »Butt'nmanndllaufen« (Bild Mitte) und eine fröhliche Rutschenfahrt im Salzbergwerk (Bild unten).

Fast schon Österreich: das Hochstift Passau

Es ließe sich im Passauer Heiliggeiststift, der Weinstube, die zu einem traditionsreichen Altersheim gehört, wohl am besten über die Geschichte Passaus nachsinnieren – beim Stiftswein aus den eigenen Wachauer Rebgärten. Dieser Stiftswein ist nämlich Überbleibsel einer großen Herrlichkeit eines in der Säkularisation von 1803 untergegangenen reichsunmittelbaren und gefürsteten Hochstifts Passau, das im frühen Mittelalter die weitläufigste deutsche Diözese darstellte. Sein Einflußbereich ging bis über Wien hinaus an die ungarische Grenze (im ganz frühen Mittelalter sogar nach Ungarn und Mähren hinein). Der Passauer Dom war die Mutterkirche für den Wiener »Steffl«, den dortigen Stephansdom, und die ungarische Stephanskrone hat ihren Namen vom Passauer Dompatron Sankt Stephan.

Begonnen hat alles mit den Römern, die bei einer keltischen Siedlung im Laufe ihrer Machtzeit zwei Kastelle errichteten, Boiodurum und Castra Batava. Der heilige Severin, dessen uralte Kirche noch am Innufer steht, wirkte um 475 in Passau, das von den letzten Römern gerade verlassen worden war.

Der heilige Bonifatius schließt 739 die Gründung eines Bistums Passau ab, das weit nach Osten Mission betreibt, wo es mit den Missionaren von Byzanz, Cyrillos und Methodios, zusammenstößt. Die Ungarneinfälle des 10. Jahrhunderts unterbrechen diese Tätigkeit. Nach der Schlacht auf dem Lechfeld (955), die den Ungarn zum Verhängnis wird, bekommt Passau seinen ersten großen Bischof: Pilgrim, bayerischem Uradel entstammend (971–991), den Mann, der im Nibelungenlied als Oheim der Kriemhilt auftritt und von dem es im Nibelungenlied heißt, es sei auf seine Veranlassung hin in lateinischer Sprache aufgezeichnet worden. Tatsächlich ist das Nibelungenlied am Passauer Bischofshof entstanden, allerdings erst zur Zeit des Bischofs Wolfger (1194–1204), jenes offenbar kunstsinnigen Mannes, von dem es in einer seiner Reiserechnungen heißt, daß er am 12. November 1203 »bei Zeiselmauer dem Sänger Walther von der Vogelweide für einen Pelzmantel fünf Schillinge« gegeben habe.

Die Dreiflüssestadt Passau wird von der Festung Oberhaus überragt. Diese war zunächst eine Demonstration eines reichsunmittelbaren Bistumsherrn, der ab 1280 keine bayerischen Landtage mehr besucht und der sich sogar aus der Beaufsichtigung durch das Erzbistum Salzburg befreien und sein Bistum dem Papst selbst unterstellen kann. Die Befestigung über der Stadt ist aber im späten Mittelalter zugleich eine Drohung gegen das mehrfach sich erhebende Bürgertum Passaus gewesen, das so gerne sich eigene Verwaltung, ja reichsstädtische Freiheit verschafft hätte, dem Beispiel Regensburg folgend.

Im ausklingenden Mittelalter bröckelt die Macht Passaus ab. Kaiser Friedrich III. erreicht 1469 beim Papst

die Loslösung von Wien und Wiener Neustadt als zwei neue Bistümer, die aber bis 1728 immer noch eine Passauer Oberverwaltung haben und nur ein kleines Gebiet umfassen. 1784 muß Passau unter dem aufklärerischen Kaiser Joseph II. einer von ihm durchgeführten Reform der Diözesen zustimmen, wobei die neuen Bistümer Linz und St. Pölten entstehen. Zuletzt ist das fürstliche Hochstift Passau eigentlich nur noch die Stadt, ihr südliches Vorfeld um Neuburg am Inn und der südliche Bayerische Wald, wo so viele Orte auf die Rodungsaufträge Passauer Bischöfe hinweisen: Bischofsreut, Firmiansreut, Leopoldsreut, Auerspergreut. Und eben ein wenig noch im Österreichischen, das, was bis heute geblieben ist: die Weinberge des Heiliggeiststifts in der Wachau. Unter dem letzten Bischof, Leopold von Thun, wird das

Venedig eingebracht haben. Passau, das alljährlich mit den »Europäischen Wochen« seine alte kulturelle Verbindung mit Osteuropa herausstreicht, ist mittlerweile eine bayerische Universitätsstadt geworden, die auch als solche in die Länder traditioneller östlicher Beziehungen hinüberschaut.

Freising, Bistum des heiligen Korbinian

»Dheomodi«, althochdeutsch für »demütig«, lateinisch »abrogans«. Und »Abrogans« nennt man jenes lateinisch-althochdeutsche Synonymwörterbuch, das der Freisinger Bischof Arbeo (764–783) verfaßt hat, sicher für die Freisinger Domschule. Der »Abrogans« ist das älteste Zeugnis der bayerischen und deutschen Literatur, das wir haben. So kann Freising als die Wiege allen deutschen Schreibens angesehen werden und der Bischof Arbeo als der erste aller Autoren unserer Sprache. Wie eigenartig, daß unsere Literatur also mit dem »dheomodi« beginnt, mit dem damaligen Wort für das heutige »demütig«. Arbeo, der tüchtige Mann, ein in Mais bei Meran geborener Bayer, hat noch zwei weitere Werke hinterlassen, die Lebensbeschreibungen des heiligen Emmeram und des heiligen Korbinian. Der aber war, als Arbeo Bischof in Freising wurde, erst gute 30 Jahre tot. Um das Jahr 716 muß Korbinian vom Herzog Theodo

Hochstift 1803 säkularisiert und von Bayern in Besitz genommen. Das Bistum wird 1817 der neuen Erzdiözese München-Freising unterstellt. Geblieben ist eine wunderschöne Stadt, die sich in den bischöflichen, den klösterlichen (um Niedernburg und das Jesuitenkolleg) und in den bürgerlichen Bezirk teilt und die sich – wegen der ständigen Hochwassergefahr – mit teilweise doch recht entstellenden Betonufern versehen mußte. Als das großartigste Bauwerk Passaus steht der barocke Dom (mit gotischem Chor), der sich den Salzburger Dombau zum Vorbild nimmt und der die größte Kirchenorgel der Welt birgt. Heiter und beschwingt gibt sich die Residenz, zu der vom Rathaus und Donauufer her schmale, dunkle Gassen führen, die zusammen mit der dreifachen Wasserlage der Stadt Passau den Ruf eines bayerischen

Bild oben: Passau, an der Mündung des Inn und der Ilz in die Donau gelegen. – Bild unten: Relieffiguren Kaiser Friedrich Barbarossas und seines Onkels, des Bischofs Otto von Freising, in der Vorhalle des Freisinger Domes.

Kunsthistorische Kontraste im Freisinger Dom. Bild oben: Die ursprüngliche Romanik von Langhaus
und Chor ist mit einem fröhlichen Mantel barocker Stukkatur und Malerei überdeckt,
den die Brüder Egid Quirin und Cosmas Damian Asam 1723/24 geschaffen haben. – Bild unten: Unter dem Chor des
Domes die noch rein romanische Krypta mit ihren verschieden geformten Säulen, deren reichste die
Bestiensäule mit ihrem rätselhaften Bilderschmuck aus der Zeit um 1205 ist.

nach Freising geschickt worden sein, wo einer von Theodos Söhnen, Herzog Grimoald, vermutlich eine Königspfalz auf dem heutigen Domberg bewohnte. Zu dieser mußte wohl eine Pfalzkapelle gehört haben, der Jungfrau Maria geweiht. Aus ihr machte Korbinian seine Bischofskirche, neben der bald Domkloster und Domschule und einige weitere Stifte und Kirchen entstanden. Den »Mons doctus« nennt man deshalb heute diesen einen der drei Freisinger Hügel, zwischen denen sich die Bürgerstadt lagert, den Lehrberg also. Der andere Hügel wird heute der »Nährberg« genannt, wobei Weihenstephan gemeint ist, die weltberühmte Forschungsstätte der Landwirtschaft. Der dritte Hügel schließlich heißt heute, ob seiner Kasernen, der Wehrberg.

Der »Nährberg« nimmt seinen Anfang ebenfalls beim heiligen Korbinian, der dort ein Benediktinerkloster mit Kirche erbaute, das dem heiligen Stephan geweiht war. Der heutige gute Ruf des Weihenstephaner Biers geht auf Bischof Egilbert (1005–1039) zurück, der dem Kloster ein eigenes Braurecht verschaffte. Heute lernen auf diesem breiten Hügel rund um ein vielbesuchtes Bräustüberl mehr als 2000 Studenten der Technischen Universität München, deren Fakultäten Landwirtschaft und Gartenbau, Brauwesen, Lebensmitteltechnologie und Milchwirtschaft hier beheimatet sind, dazu noch eine Reihe weiterer Schulen und Versuchsanstalten der Landwirtschaft und ihrer Zweige.

Nach dem Bistumsgründer Korbinian und dem Kulturbringer Arbeo war der bedeutendste Freisinger Bischof ein Babenberger: Otto I., Onkel Kaiser Friedrich Barbarossas und des welfischen Bayernherzogs Heinrich des Löwen. Dieser Neffe, der aus seinem Bayern etwas machen will, brennt dem bischöflichen Onkel 1157 oder 1158 die Zollbrücke in dessen Herrschaft Oberföhring nieder, um seinem herzoglichen Dorf München auf die Beine zu helfen. Oberföhring mit der einträglichen Isarbrücke hatte Freising im Jahre 903 erhalten, damit es seinen, in diesem Jahr abgebrannten Dom (mit der Bibliothek) wieder aufbauen könne. Der Geber war damals der letzte Karolinger, Ludwig das Kind. Da die Entstehungsgeschichte Münchens in der Geschichte Altbayerns dargestellt wurde, sei über den großen Bischof Otto nur noch vermerkt, daß auch er sich als Schriftsteller hervortat und daß er den großen Brand von Freising im Jahre 1159 nicht mehr erlebte. Das Jahr zuvor ist er, noch nicht fünfzig Jahre alt, gestorben, wobei die Verbitterung über das Unrecht, das ihm durch Heinrich dem Löwen angetan worden war, vielleicht mit schuld war.

Ab dem 13. Jahrhundert sind die Bischöfe von Freising reichsunmittelbare Herren, die 1249 die Herrschaft Garmisch, 1294 die Grafschaft Werdenfels mit Partenkirchen und 1319 die Grafschaft Ismaning erwerben. Zu diesen hochstiftlichen Gebieten gehörte neben Freising selbst seit jeher das Gebiet um Isen, wo um 750 der Freisinger Bischof Joseph ein Benediktinerkloster gegründet hatte, das sich zu Beginn des 12. Jahrhunderts in ein Kollegiatstift

verwandelte, dessen Propst immer ein Freisinger Domkanoniker war. Mehrmals sind Wittelsbacher Bischöfe von Freising gewesen. Ihr erster war Bischof Ernst, der 1583 auch der erste wittelsbachische Kurfürst von Köln wurde. Freisings letzter Bischof ab 1790 ist zugleich Fürstpropst von Berchtesgaden: Joseph Konrad von Schroffenberg. 1803 kam Freising mit seinen Besitzungen an Bayern, der Bischofsstuhl blieb lange vakant, bis dann 1821 gar der Sitz des neuen Erzbistums München-Freising nach dem abgeschlossenen Konkordat in die Landeshauptstadt München verlegt wurde. In Freising aber blieben die Zeugen der bischöflichen Zeit, vor allem der geschlossene Domberg, den man (wie heute noch) nur durch zwei Tore betreten konnte. Der von außen gesehen noch nahezu rein romanische Dom wurde nach dem großen Brand von 1159 mit reicher Hilfe Kaiser Friedrich Barbarossas und seiner Gemahlin Beatrix wieder erbaut. Die Steinbildnisse des Kaiserpaares sieht man am Westportal. Besonders das 18. Jahrhundert hat das Innere im Sinne des Barock verwandelt, wobei Egid Quirin und Cosmas Damian Asam zur Jahrtausendfeier des Freisinger Mariendomes (1724) diesen mit Stuck und Malerei in einen festlichen Saal verwandelten.

Die Ortenburger und andere reichsfreie Herren in Ober- und Niederbayern

Neben der Reichsstadt Regensburg, den Fürstbischöfen und Fürstäbten sind da noch einige Adelsfamilien, die sich zur damaligen Zeit in Bayern Reichsfreiheit verschaffen konnten, obwohl sie an Macht und Besitz in keinem Vergleich zu den wittelsbachischen Landesherren standen.

Das bedeutendste Adelsgeschlecht, das sich in Ober- und Niederbayern vom Landesherrn unabhängig machen konnte, sind zweifellos die Ortenburger. Sie gehören, gleich den Andechsern und Wittelsbachern, zum bayerischen Uradel. Im 11. Jahrhundert ist ihr Name erstmals bezeugt. Es wird vermutet, daß sie aus dem rheinisch-fränkischen Geschlecht der Spanheim hervorgegangen sind. Eine Linie des Hauses Ortenburg hat 1090 bis 1170 die Markgrafschaft Istrien inne sowie von 1122 bis 1276 das Herzogtum Kärnten. Die bayerische Linie der Ortenburger beginnt mit Graf Rapoto I. (gestorben 1190), der als Erbauer der ersten Ortenburg bei Vilshofen in Niederbayern gilt. Sein Sohn Rapoto II. erhält 1208 die bayerische Pfalzgrafenwürde, nachdem der bisherige wittelsbachische Pfalzgraf in Bamberg zum Königsmörder geworden war. Die Ortenburger können sich in dieser ersten Hälfte des 13. Jahrhunderts zahlreiche Besitzungen, Herrschaften und Vogteien erwerben, von denen viele als Reichslehen zu betrachten waren. Neben den Wittelsbachern bilden sie nun eine starke Macht in Bayern. Doch wie manche andere machtvolle Linie des bayerischen Adels (etwa die Andechser und Bogener) stirbt auch die Ortenburger Hauptlinie mit

Rapoto III. in der Mitte des 13. Jahrhunderts (1248) im Mannesstamm aus. Der größte Teil ihres Machtbereichs fällt an den wittelsbachischen Landesherrn, obwohl eine Nebenlinie der Ortenburger Ansprüche erhebt, eine Nebenlinie, die auf Pfalzgraf Rapotos II. jüngeren Bruder Heinrich zurückgeht und sich bis heute erhalten hat.

Der Ortenburger Nebenlinie bleiben im wesentlichen die Kernherrschaft Ortenburg mit dem Markt gleichen Namens, dazu noch einige andere Edelsitze und Hofmarken. Der überwiegende Teil untersteht hier der herzoglichen Landeshoheit, weshalb die Ortenburger Grafen auch zu den Landständen zu rechnen sind. Für das engere Herrschaftsgebiet um Ortenburg halten die Grafen aber am Rechtszustand der Reichsunmittelbarkeit fest und befinden sch darin im stärksten Widerspruch zu den Wittelsbachern.

Der markanteste Ortenburger nach den mittelalterlichen Rapotonen ist Graf Joachim von Ortenburg, der 1563 das Luthertum in seiner Grafschaft einführt, nachdem er zuvor mit anderen Adeligen in der »Kelchbewegung« für mehr religiöse Freiheit eingetreten war. Er wurde dabei vom bayerischen Herzog Albrecht V. sogar der Verschwörung bezichtigt. Obwohl Ortenburg im Jahre 1521 in die Reichsmatrikel eingetragen worden war, fochten die bayerischen Herzöge Wilhelm IV. und dessen Sohn Albrecht V. die ortenburgische Reichsunmittelbarkeit an. Diese wird aber 1573 durch ein Reichskammergerichtsurteil bestätigt. Erst 1602 erkennt Bayernherzog Maximilian I. dieses Urteil an.

Am Ende kommt Ortenburg doch noch an Bayern: 1805, nach der Säkularisation und Mediatisierung kirchlicher und weltlicher Herrschaften. Die protestantischen Ortenburger im katholischen Niederbayern erhalten im Tausch Schloß und Herrschaft Tambach in Oberfranken, die einst dem Kloster Langheim gehört hatten. Doch schon 1806 wird auch dieses Tambach für das neue Großherzogtum Würzburg mediatisiert, 1814 kommt es an Bayern. Die Ortenburger aber bleiben auf diesem Schloß, kaufen 1827 ihr Stammschloß Ortenburg wieder zurück. Seltsam ist, daß die heutigen Ortenburger nach 400 Jahren durch Heirat wieder katholisch geworden sind, so daß heute in der Schloßkirche zu Tambach, die ja von Klosterleuten aus Langheim erbaut wurde, wieder katholische Gottesdienste stattfinden, während man den protestantischen Tambachern eine neue Kirche gebaut hat.

In Ortenburg, das immer noch eine starke protestantische Gemeinde hat, steht das Schloß der ehemaligen Reichsgrafen, das den Geist der Renaissance ausstrahlt. Viel bewundert werden die um 1600 entstandenen Kassettendecken im Rittersaal und besonders im ehemaligen Festsaal, der heutigen Schloßkapelle. In der seit 1563 protestantischen Pfarrkirche findet man die Grabdenkmäler der Ortenburger, besonders die imposante Tumba des Grafen Joachim von Ortenburg, die dieser 24 Jahre vor seinem Tod, im Jahre 1576, von dem Regensburger Bildhauer Petzlinger hat anfertigen lassen.

In Niederbayern, vor den Toren Passaus, gab es im Tal der unteren Ilz ein weiteres Reichslehen, die Grafschaft Hals, an die heute noch die imposanten Ruinen über dem Ort erinnern. Das Halser Geschlecht wird urkundlich erstmals 1112 erwähnt. Ab 1190 sind die Herren »von Cam-

Prunkstück des Schlosses der Reichsgrafen von Ortenburg ist die kostbare Schnitz-, Drechsel- und Intarsienarbeit der Kassettendecke in der sogenannten Schloßkapelle, die einst ein würdiger Festsaal gewesen ist. In einem ovalen Mittelfeld zeigt sich das Wappen der Ortenburger in reichster Verzierung. Gedrechselte Knäufe wachsen aus den einzelnen Feldern der Holzdecke, die um 1600 entstanden ist und zum kostbarsten Renaissancegut Niederbayerns gehört.

be« im Besitz von Hals. Erben der Halser werden im 14. Jahrhundert die mächtigen Leuchtenberger, Landgrafen, die für den Ort 1376 eine Art Stadtrecht und ein Münzrecht erhalten. Durch Kauf gelangt die Herrschaft nach den Leuchtenbergern noch an die Aichberger und Degenberger, die sie 1517 an Herzog Wilhelm IV. von Bayern veräußern. Markt und Burg Hals haben in der Folgezeit sehr unter Krieg und Großbränden zu leiden.

Gleich dem Werdenfelser Land mit seiner urbayerischen Bevölkerung, die 1803, ohne gefragt zu werden, von ihren bischöflichen Herren zu Freising zum Kurfürstentum und baldigen Königreich Bayern überwechselte, sind die Miesbacher und die Einwohner einiger umliegender Orte geschichtlich gesehen auch recht späte Bayern. Sie kamen 1734 zum Kurfürstentum. Bis dahin erstreckte sich an der Mangfall um Miesbach und um den Schliersee eine reichsunmittelbare Grafschaft namens Hohenwaldeck. Diese nannte sich nach einer Burg über dem Schliersee, von der heute kaum noch eine Ruine vorhanden ist. Hauptort der Reichsgrafschaft war Miesbach, wo die Hohenwaldecker ebenfalls ein Schloß hatten, dazu noch die Burgen Parsberg und Holnstein. Die Reichsfreiheit leitete sich aus der Immunitätsherrschaft der Freisinger Bischofskirche ab, deren gehobene Ministerialen die Waldecker zunächst gewesen sind, ehe sie ihre Herrschaft zu eigenem Besitz erwerben konnten. Als die Waldecker 1483 ausstarben, konnten – nach langem Widerstand des Herzogtums Bayern – die mit den Waldeckern verschwägerten Herren von Maxlrain die Grafschaft kaufen. 1521 wurde ihnen der Reichslehencharakter bestätigt, 1548 wurden sie in den Reichs-

grafenstand erhoben. 1581–1584 sorgten die Bayernherzöge dafür, daß die Reformation in Hohenwaldeck rückgängig gemacht werden konnte. Sie beriefen sich dabei auf einen Vertrag aus dem Jahr 1559, der ihnen 1734 dann auch das Erbrecht sicherte, als die Herren von Maxlrain keine männlichen Nachkommen vorweisen konnten.

Im heutigen Oberbayern gab es von 1246 bis 1566 auch die reichsunmittelbare Grafschaft Haag bei Mühldorf, obwohl die Inhaber, das Geschlecht der Fraunberger, ursprünglich herzogliche Ministerialen gewesen sind. Sie starben 1566 aus, nachdem ihr letzter, Ladislaus von Fraunberg, die evangelische Prinzessin Maria Salome von Baden geheiratet und das Luthertum angenommen hatte.

In der heutigen Oberpfalz, die ja zum größten Teil geschichtlich mit den Wittelsbachern zusammenhängt, gab es ebenfalls einige reichsfreie Herrschaften, allen voran die Landgrafschaft Leuchtenberg. Die Stammburg der Leuchtenberger ist heute eine imposante Ruine über dem Tal der Luhe, ihre spätere Residenz zu Pfreimd ist zum Rathaus geworden. Mitte des 12. Jahrhunderts werden die Leuchtenberger erstmals genannt, erhalten 1196 Amt und Titel von Landgrafen und erreichen um die Mitte des 15. Jahrhunderts schon den Stand von Reichsfürsten. Nach dem Aussterben des Hauses im Jahre 1646 kommt die Landgrafschaft an Bayern und bleibt dort endgültig ab 1714 (Frieden von Rastatt). 1817 ernennt Bayernkönig Max I. Joseph seinen Schwiegersohn Eugen Beauharnais (den Stiefsohn Napoleons und bisherigen Vizekönig von Italien) zum »Herzog von Leuchtenberg und Fürsten von Eichstätt«. Eugen Beauharnais erbaut sich in München das prachtvolle Leuchtenbergpalais und richtet sich das kleine Schloß in Ismaning vor München ein. Sein großartiges Grabmal befindet sich an der Westwand der Münchner Michaelskirche.

Das »Neue Schloß« in Neustadt an der Waldnaab erinnert an die Fürsten von Lobkowitz, denen die Herrschaft Neustadt ab 1575 von der böhmischen Krone zugekommen war. 1641 wird Neustadt mit dem benachbarten Störnstein zu einer gefürsteten Reichsgrafschaft Störnstein vereint, für die von 1698 bis 1720 das Neue Schloß in Neustadt an der Waldnaab erbaut wird. Nach der Mediatisierung verkaufen die Fürsten Lobkowitz ihren Besitz an das Königreich Bayern.

Im Südwesten der Oberpfalz zählten als reichsfreie Herren auch die von Wolfstein; sie wurden im Jahre 1523 Reichsfreiherren auf Sulzbürg-Pyrbaum. Bei ihrem Aussterben (1740) kam auch dieses Gebiet an Kurbayern.

1631 wurde auf Betreiben des bayerischen Kurfürsten Maximilian I. für den Feldherrn Johann Tserclaes von Tilly (1559–1632) die Herrschaft Breitenegg geschaffen und vom Kaiser in die Reichsunmittelbarkeit erhoben. Wesentlicher Bestandteil war vor allem der idyllisch gelegene Markt Breitenbrunn (bei Dietfurt), in dessen unmittelbarer Nähe die Familie Tilly die gotische Wallfahrtskirche Sankt Sebastian großzügig bedachte.

Franken –
die große Vielfalt in Bayern

Die Politik im Zeitalter Napoleons
hat Franken an Bayern gebracht. Damit kam
zum geschlossenen Block des altbayerischen Kurfürstentums die große fränkische Vielfalt. Es ist eigenartig,
daß sich gerade dasjenige Gebiet, das mit seinem Namen an
den Germanenstamm der Franken und an das erste deutsche
Reich der Frankenkönige erinnert und hiervon auch den
Ausgang genommen hat, im Laufe von mehr als tausend Jahren
Geschichte in kleine und kleinste Herrschaften
aufgespalten hat. Wahrlich ein Fleckerlteppich aus Ritter-
gütern und weltlichen und geistlichen Hoheitsgebieten ist
dieses Franken gewesen, aus dem freilich ein
paar größere Machtblöcke herausragen, wie etwa die Fürstbistümer Würzburg und Bamberg, die Reichsstadt
Nürnberg mit ihrem dazugehörigen Umland und die beiden Markgrafschaften Ansbach und Bayreuth. Bei aller Vielfalt
aber war gerade in Franken die alte Reichsidee besser
aufgehoben als in politisch einheitlicheren
Landschaften. Das zeigt sich sogar noch in den
Bildern, mit denen Giovanni Battista Tiepolo um 1750
den Kaisersaal der Residenz der Würzburger Fürstbischöfe
ausmalte. Da huldigt man dem unvergessenen Freund und
Gönner Würzburgs, Kaiser Friedrich Barbarossa,
zeigt im Wandfresko (Bild links) dessen Würzburger
Hochzeit mit Beatrix von Burgund.

Frankens Geschichte hat viele Herren

Viele bayerische Franken (und nicht wenige Franken sind nur ungern Bayern) werden das nicht akzeptieren: daß ein geeintes Franken, von dem Jahrhunderte hindurch immer wieder geträumt und geredet wurde, eigentlich erst durch politische Gewalt nach dem Reichsdeputations-Hauptschluß von 1803 gewonnen wurde, als man die vielen größeren, kleineren und ganz kleinen kirchlichen und weltlichen Frankenherrschaften säkularisierte und mediatisierte und sie fast ausnahmslos dem Kurfürstentum und (ab 1806) Königreich Bayern einverleibte, das hier ganz gewiß ein politisches Zufallserbe antrat. – Napoleon war an allem Schuld!...

Das Stichwort für Franken – und nicht nur für dessen Geschichte – lautet »Vielfalt«. Welche Unterschiede in Brauch, Lebensart, Sprache und eben auch Geschichte sind in diesem bayerischen Franken daheim, zwischen Hof und Dinkelsbühl (das man früher zu Schwaben rechnete), zwischen Aschaffenburg und Eichstätt (das heute zu Oberbayern zählt und schon immer zwischen Altbayern und Franken gelegen ist)! Und so hat sich eben auch im uralten Königsland Franken in den vergangenen Jahrhunderten eine politische Vielfalt breitgemacht, die vielleicht nicht immer zum Segen gereichte und letzten Endes eben in der Eingliederung all dieser Vielfalt zu Bayern sein Ende gefunden hat. Da waren zwei sehr mächtige Fürstbistümer Würzburg und Bamberg, ein weniger mächtiges Fürstbistum Eichstätt, die Aschaffenburger Residenz der Mainzer Kurfürsten, die verstreuten Besitzungen der Ballei Franken des Deutschordens, der den Sitz der Ballei in Ellingen, den Sitz des Deutschmeisters selbst aber im damals ebenfalls fränkischen Mergentheim hatte.

Bei den weltlichen Herrschaftsbereichen stehen vorne dran die aus dem Nürnberger Burggrafenamt der Hohenzollern hervorgegangenen Markgrafschaften »Ob dem Gebirg« (Bayreuth, Kulmbach, Hof) und »Unter dem Gebirg« (Ansbach), wobei mit dem »Gebirg« das »Muggendorfer Gebürg« gemeint war, die heutige Fränkische Schweiz. In Franken entwickelten sich auch die Fürstentümer Hohenlohe (Schillingsfürst) und Schwarzenberg (im Steigerwald, ab 1655 auch mit der Reichsherrschaft Seinsheim verbunden), die Grafschaften Castell und Pappenheim und die Herrschaften Wiesentheid (Grafen von Schönborn), Speckfeld und Thurnau. Nicht zu vergessen sind die Reichsstädte: Nürnberg, ein eigener machtvoller Stadtstaat mit viel Landbesitz in Franken, Rothenburg ob der Tauber mit der davor liegenden »Landwehr«, Windsheim, Schweinfurt, Weißenburg und das heute fränkische Dinkelsbühl, das damals zum schwäbischen Reichskreis gehörte.

Keineswegs nur an den berühmt-berüchtigten Raubritter Eppelein von Gailingen ist zu denken, wenn man von der in sechs Kantone eingeteilten Reichsritterschaft Frankens spricht. Die große Vielfalt der Herrschaftsver-

hältnisse wird schließlich noch durch außerfränkische Mächte ergänzt. Vom Kurfürstentum Mainz und seinem Aschaffenburg war schon die Rede. Um Hammelburg und seine Weinberge erhalten ab 777 die späteren Fürstäbte von Fulda Besitz. Bayern, das alte Herzogtum, hatte aus dem Erbe der Staufer ebenfalls fränkisches Gut erhalten, das aber im Landshuter Erbfolgekrieg von 1504 an die Reichsstadt Nürnberg verlorengeht, vor allem die Ämter Lauf, Hersbruck und Altdorf. Ein wahrhaft bunter Fleckerlteppich auf einer altfränkischen Landkarte!

Frankens Weg durch die Jahrhunderte

Franken hat seinen Namen nicht, wie etwa Bayern oder Schwaben, von der Niederlassung eines Volksstammes in diesem Gebiet. Es leitet sich vom Großreich der Franken ab, die am Niederrhein und an der Schelde saßen. Diese schickten eine dünne Oberschicht zu den im heutigen Franken ansässigen Völkern, um das Mainland und die nördlich davon liegenden Gebiete zum Vorfeld des fränkischen Merowingerreiches auszubauen. Im 6. und 7. Jahrhundert wird das Gebiet auch als »Thüringen« bezeichnet, und der vom Merowingerkönig Dagobert I. eingesetzte Herzog Radulf (7. Jh.) nennt sich trotz fränkischer Abstammung »Herzog von Thüringen«. Im 7. Jahrhundert treten irische Missionare auf, an ihrer Spitze der heutige Schutzpatron Frankens, Sankt Kilian, der zusammen mit seinen Glaubensbrüdern den Märtyrertod erleidet.

Im 8. Jahrhundert, unter den allmählich zur neuen Königsfamilie der Karolinger heranwachsenden Hausmeiern, sind die Zentren der Verwaltung Würzburg und Hammelburg, dazu entstehen weitere Königshöfe. Das Land heißt jetzt »Ostfranken«. 742 gründet der heilige Bonifatius das Bistum Würzburg und setzt den Angelsachsen Burkard als ersten Bischof ein. 744 errichtet Bonifatius die bald sehr mächtige Abtei Fulda und 745 das Bistum Eichstätt, das schon damals an einem fränkisch-schwäbisch-bayerischen Dreieck gelegen ist.

Die Idee eines »Herzogtums Franken« wird bis in die Neuzeit hinein am Leben bleiben. Zunächst gibt es 902–906 die »Babenberger Fehde« zwischen den sogenannten »älteren Babenbergern« (beim heutigen Bamberg), die auch »Popponen« genannt werden, und den Konradinern. Es geht um die Vormacht in Franken, um die Herzogswürde. Die Popponen unterliegen, und Konrad I. wird im November 911, nach dem Tod des letzten ostfränkischen Karolingers, Ludwig dem Kind, am Königshof zu Forchheim zum deutschen König gewählt. Er verbraucht sich rasch in den Fehden gegen die selbstbewußten deutschen Stammesherzogtümer. Seine tödliche Verwundung holt er sich 918 im Kampf gegen den Bayernherzog Arnulf. Konrads Bruder Eberhard nimmt dann bis zu seinem Tod im Jahre 939 eine herzogliche Stellung in Franken ein, trägt aber nie den dazugehörigen Titel. Die Würzburger Bischöfe nennen sich später

oft »Herzöge von Franken«, und die Markgrafen von Ansbach-Bayreuth träumen am Beginn der Neuzeit einen fränkischen Herzogstraum und hängen einer Illusion der Einigung ganz Frankens unter ihr Regiment an. Doch dazu waren die beiden großen Bistümer Würzburg und Bamberg, das 1007 von Kaiser Heinrich II. gegründet wurde, von Anfang an zu gut von den Königen und Kaisern ausgestattet, um ihr Dasein als kräftige Territorialstaaten aufzugeben.

Das Jahr 1525 bringt die grausamen Ereignisse des Bauernkrieges in Schwaben, der Pfalz und in Franken, wo insbesondere das Bistum Würzburg der Hauptschauplatz wird. Die Bauern, unterstützt von einem Teil der Ritterschaft, besonders von Florian Geyer aus Giebelstadt bei Ochsenfurt, fordern Aufhebung der Leibeigenschaft, Freiheit von Wald, Wasser und Weide, Einziehung des Klostergutes zugunsten des Reichs. Im Zeichen des Bundschuhs berufen sie sich auf Martin Luther, wollen zum neuen Glauben das »alte Recht« freier Bauern wieder einführen. Die Bauernhaufen

Bild oben: Der Pfeiferhänsle von Niklashausen im Taubertal war ein junger religiöser Schwärmer mit Namen Hans Böhm, der das Volk zur »Niklashäuser Wallfahrt« (1476) aufrief. Da er auch Parolen gegen Adel und Geistlichkeit ausgab, wurde er in Würzburg zum Flammentod verurteilt. – **Bild unten:** Ein halbes Jahrhundert nach dem »Pfeiferhänsle« war 1525 die Sozialrevolution des Bauernkrieges ausgebrochen, in dessen Verlauf auch um Würzburg gekämpft worden ist.

Frankens handeln kompromißlos. An die zweihundert Burgen und fünfzig Klöster im Würzburgischen, 150 Burgen und sechs Klöster im Bambergischen werden von ihnen heimgesucht. Zu Würzburg, wo die Bewohner der Bischofsstadt, auch der berühmte Bildschnitzer Tilman Riemenschneider, sich auf ihre Seite stellen, beißen sich die Bauern förmlich die Zähne aus. Ein Entsatzheer rückt an, vertreibt die Scharen aus der Stadt und richtet auf den heutigen Zuckerrübenfeldern im Ochsenfurter Gau ein entsetzliches Blutbad unter den Bauern an. Während Franken, gleich Schwaben und der Kurpfalz, den Bauernkrieg voll auskosten muß, bleiben die kurpfälzische Oberpfalz und auch die beiden Markgrafschaften in Franken, Ansbach und Bayreuth, von den blutigen Ereignissen genauso verschont wie das Herzogtum Bayern. Machte man doch Unterschiede in der Behandlung der Bauern?

Nach den Bauernkriegen und der ersten Reformationszeit, die in Franken ihre Anhängerschaft in den beiden Markgrafschaften und in den Reichsstädten fand, setzte in den Bistümern die Gegenreformation ein. Dafür steht im Würzburger Bistum ein ganz großer Name: Fürstbischof Julius Echter von Mespelbrunn, nach dem sich eine ganze Epoche und ein eigener Baustil im westlichen Franken nennt. Er ist der würdige Vorgänger jener barocken Kirchenfürsten zu Würzburg, Bamberg und Eichstätt, die ihre Residenzen und Hauptstützpunkte im 17. und 18. Jahrhundert von begabten Baumeistern prachtvoll verändern lassen. In dieser Pracht leben die fränkischen Residenzen der napoleonischen Zeit entgegen, die dann in den Jahren 1803 bis 1816 aus der vielfältigen Landkarte Frankens einen großen bayerischen Zugewinn macht, ohne den sich Bayern gewiß nicht als Königreich hätte etablieren können. Im 20. Jahrhundert kommt dann noch freiwilliger Zuwachs an Bayern. Die Bewohner des aufgelösten Herzogtums Sachsen-Coburg-Gotha in und um die bisherige Residenzstadt Coburg entscheiden sich in einer Abstimmung gegen ei-

Fürstbischof Julius Echter, 1545 im romantischen Wasserschloß Mespelbrunn im Spessart geboren, kam im Jahr 1573 auf den Würzburger Bischofsstuhl und wurde für ganz Franken die bedeutendste Persönlichkeit der Gegenreformation. Er gründete 1576 das berühmte Juliusspital und rief 1582 eine Würzburger Universität ins Leben, die es von 1402 bis 1413 schon einmal kurzfristig gegeben hatte. In ganz Franken entwickelte sich eine Bauperiode des »Julius-Echter-Stils«.

**Die Eva von Tilman Riemenschneider (1491,
Original heute im Mainfränkischen Museum Würzburg)
gehört mit der Figur des Adam zum Schmuck
des Marktportals der von den Bürgern Würzburgs erbauten
spätgotischen Marienkapelle (1377–1479).**

ne künftige Zugehörigkeit zu Thüringen und für einen Wechsel in den Freistaat Bayern.

Die unsichere und unruhige Zeit des 14. und 15. Jahrhunderts brachte eine frühe Verbindung zwischen Altbayern und Altfranken auf dem Vertragsweg zustande. Am 1. Juli 1340 wurde der »Fränkische Landfriedensbund« geschlossen, den Kaiser Ludwig der Bayer auf der Höhe seiner Macht angeregt hatte. Der Bund, der auch ähnlich in anderen Gebieten geschlossen wurde, wollte dem Fehdewesen Abhilfe schaffen. Dabei wird erstmals seit dem frühen Mittelalter wieder eine Art gemeinsames Franken deutlich, tritt dieses Gebiet doch nahezu vollständig in seinen einzelnen Herrschaften dem Bund bei: die drei Bistümer, fast alle Reichsstädte Frankens, die Burggrafen von Nürnberg, die Henneberg, Rieneck, Heideck, Castell, Hohenlohe und Schlüsselberg. Im Jahre 1500 wird auf dem Reichstag zu Augsburg unter Kaiser Maximilian I. der Begriff eines fränkischen Gesamtgebietes noch einmal hervorgehoben. Im Zuge der neuen Reichskreiseinteilung wird ein »Reichskreis Franken« geschaffen, der im Grunde eine Art zweiter Landfriedensbund ist, mit Exekutivgewalt zur Wahrung des Landfriedens und zur Durchführung der Reichskammergerichtsbeschlüsse, der Reichssteuereinziehung, der Münz- und Polizeiaufsicht. Man sieht, so uneinig war der bunte Fleckerlteppich Franken am Ende doch nicht, eher eine politische Gemeinschaft.

Das Gemeinsame an den vielen fränkischen Einzelterritorien ist auch die Kunst, die sich nicht auf Grafschaften und Bistümer beschränken läßt. Von den namenlosen Meistern der Romanik, etwa zu Würzburg oder Bamberg, über den spätmittelalterlichen schnitzenden und bildhauernden Wundermann Tilman Riemenschneider bis zu den Barockkünstlern unter Führung Balthasar Neumanns leistet Franken Großartiges, nicht weniger auch in der Literatur, die schon im Mittelalter große Namen hat: Walther von der Vogelweide findet zu Würzburg endlich Ruhe, Wolfram von Eschenbach schreibt seinen »Parzival«, der Tannhäuser kommt womöglich auch aus Franken, ein mächtiger Henneberger, Otto von Botenlauben, hat seine Minnesängerburg bei Kissingen, und mit seinem »Renner« produziert Hugo von Trimberg lehrhafte Dichtung im frühen 14. Jahrhundert. Ein Franke des 19. Jahrhunderts, ein Ritter aus uraltem Geschlecht, Hans von Aufseß, faßt auch Frankens Glorie mit dem Ruhm deutscher Kultur in seinem »Germanischen Nationalmuseum« zusammen, zu Nürnberg. Auf einem Wiesenhügel bei Gaibach aber läßt 1824 ein anderer fränkischer Ritter, Graf Franz Erwein von Schönborn, eine Säule zu Ehren jenes Landes errichten, das ihm und seiner Familie die reichsfreien Herrschaftsrechte weggenommen hat: Bayern. Es ist die Konstitutionssäule, zum Gedenken an die erste bayerische Verfassung von 1818, die erste Verfassung eines deutschen Staates überhaupt. Leo von Klenze, Hofarchitekt König Ludwigs I. zu München, hat die Pläne zur Säule geliefert.

Würzburg:
Sankt Kilians machtvolles Bistum

Die aus dem Inferno der letzten Kriegstage, in der sie fast vollständig zerstört wurde, wiedererstandene Stadt Würzburg, Sitz der ersten Frankenherzöge zur späten Merowingerzeit, ist nun mehr als 1200 Jahre Mittelpunkt eines Bistums, das sich zum großen geistlichen Territorialstaat in Franken entwickeln konnte. Die ersten Förderer sind die Karolinger gewesen, ihnen schloß sich der Sachsenkaiser Otto II. (973–983) mit der Verleihung zahlreicher Hoheitsrechte und königlicher Schenkungen an. Während Kaiser Heinrich II. mit der Gründung des Bistums Bamberg (1007) die Ausdehnung Würzburgs im Osten eingeschränkt hatte, erwächst in Kaiser Friedrich Barbarossa, der 1156 seine Kaiserin Beatrix zu Würzburg heiratet (Tiepolo-Fresko im Kaisersaal der Würzburger Residenz), dem Bistum ein neuer Förderer, der 1168 auf einem hier abgehaltenen Reichstag dem Bischof eine fränkische Herzogswürde bestätigt, die zu vergeblichen Rechtsansprüchen führt. Das Bistum muß sich bis in die Mitte des 13. Jahrhunderts in seiner territorialen Entwicklung ständig mit dem bedeutendsten Adel des Gebiets auseinandersetzen, mit den Hennebergern, die ihren Stammsitz im Grabfeld haben, zwischen dem Thüringer Wald und der Rhön. Dieses, von den älteren Babenbergern abstammende Geschlecht hat das Würz-

Doppelgrabmal des Minnesängers Graf Otto von Botenlauben und seiner Gemahlin Beatrix von Courtenay-Odessa, die er auf einem Kreuzzug geheiratet hatte, in der von ihm gestifteten ehemaligen Zisterzienserkirche Frauenroth (um 1250).

burger Burggrafenamt inne. Die Aufgabe des Amtes um 1230 beendet die bis dahin recht beträchtliche Expansion der Henneberger, deren heute bekanntester Name derjenige des Minnesängers Otto von Botenlauben (1177–1244) ist. Seine Burg über Bad Kissingen ist Ruine; noch aber kann man in Frauenroth, wo er ein Zisterzienserinnenkloster stiftete, die wunderschöne Grabplatte sehen, die ihn und seine Gemahlin Beatrix zeigt, die aus hohem französisch-morgenländischem Geschlecht, dem der Courtenay-Odessa, stammt.

Das Bistum Würzburg wuchs in den folgenden Jahrhunderten zu einem Gebilde heran, das sich im Raum zwischen Schwäbisch Hall und Bad Hersfeld erstreckte. Die Reformation fand im Bistumsgebiet zunächst großen Anklang, gipfelte in den fürchterlichen Kämpfen des Bauernkrieges von 1525, fand am Ende in Würzburgs bedeutendster Bischofsgestalt, Julius Echter von Mespelbrunn, einen tatkräftigen Gegenreformator, dessen Wirken von 1573 bis 1617 durch Umsicht und Klugheit gekennzeichnet ist. Er läßt die Residenz auf dem Marienberg neu ausbauen (um 1600), gründet 1576 das berühmte Juliusspital, das sich den Segen der Würzburger Weinberge zur Altenpflege zunutze macht (gleich dem bereits 1319 gegründeten Bürgerspital zum Heiligen Geist) und eröffnet schließlich 1582 die Würzburger Universität, die es von 1402–1413 schon einmal kurzfristig gegeben hat. In der »Schönbornzeit«, so genannt nach den Bischöfen aus dem Hause Schönborn, zeigt das Bistum mit dem Bau der Residenz (ab 1719) auch äußerlich, daß es nun ein barocker Staat des Absolutismus geworden ist, der 1802 mit der Einverleibung nach Bayern sein Ende findet. Beim Ende des reichsunmittelbaren Bistums verfügt Würzburg über 54 Ämter, die Hauptstadt, die mittelbar unterstellten Besitzungen des Domkapitels sowie über 14 Abteien, Propsteien und Kartausen. 1806 kommt Würzburg von Bayern weg an ein Großherzogtum Toskana, hat auch französische Besatzung. 1814 ist es dann endgültig bayerisch.

Das Stadtgebilde Würzburg beginnt seine Geschichte, nachdem es bereits keltische Fliehburg und Fischerdorf am Main gewesen war, um das Jahr 650, wo die Merowingerkönige ihren mainfränkischen (»thüringischen«) Herzögen eine Pfalz am rechtsmainischen Ufer zuweisen. Bald kommt der irische Missionar Kilian mit dem Priester Kolonat und dem Diakon Totnan an diese Herzogspfalz, tauft Herzog Gozbert, erklärt dessen Ehe mit seiner ehemaligen Schwägerin Geilana für unrechtmäßig und wird in Abwesenheit des Herzogs auf Befehl der Herzogin mit seinen beiden Helfern enthauptet (689).

Ein »Castellum Virteburch« wird 704 erstmals genannt, und 706 wird auf der »Würzburg«, dem späteren Marienberg, die Rotunde der Marienkirche geweiht, der ältesten Kirche rechts des Rheins und außerhalb des römischen Limes. 1034 beginnt unter Bischof Bruno (heiliggesprochen, ein Vetter Kaiser Heinrichs des Heiligen)

der heutige Dombau anstelle eines 788 in Anwesenheit Kaiser Karls des Großen geweihten ersten Domes. 1133 wird die »Alte Mainbrücke« erbaut, die einen bedeutsamen Brückenschlag zwischen dem Norden und dem Süden Deutschlands darstellt.

Gleich der alten Mainbrücke mit ihren später aufgesetzten Heiligenstandbildern ist so manches Bauwerk Würzburgs gleichsam eine Seite oder ein Kapitel in der Stadtgeschichte. So erinnert allein die Festung Marienberg, die bis 1719 die Residenz aller Würzburger Bischöfe war, an manchen großen Namen. 1201 wurde ihr Bau von Bischof Querfurt begonnen, 1253 zog mit dem Bischof Lobdeburg der erste Regent auf die Burg, 1333–1345 läßt der bedeutende Bischof Wolfskeel – sein schönes Grabmal befindet sich im Dom – die Burg mit einer Mauer umgeben.

Gleich den Bürgern anderer Bischofsresidenzen gelüstet es auch die Würzburger nach Reichsfreiheit, und gleich den Untertanen der bischöflichen Stadt Passau droht auch ihnen eine Festung über dem Fluß und der Stadt. 1397 kommt der wegen allzu großer Dummheit und Unbeherrschtheit (er wird der Mörder des heiligen Johannes Nepomuk) später abgesetzte König Wenzel nach Würzburg, trinkt offenbar zu viel vom Wein und verspricht den Würzburgern Reichsfreiheit, nimmt dieses Versprechen aber bald wieder zurück. Es kommt schließlich zum offenen Kampf der Bürger, die sich seit

Bild links: Würzburgs und Unterfrankens Schutzpatron St. Kilian ist eine von zwölf barocken Steinfiguren auf der Alten Mainbrücke zu Würzburg. – Bild rechts: Das Nordportal der Marienkapelle auf dem Würzburger Marktplatz zeigt im Tympanon eine originelle Darstellung der Verkündigung Mariens. Die Gottesmutter ist mit dem über der Szene schwebenden Gottvater mit einer Art Schlauch oder Nabelschnur verbunden, ein Hinweis auf die Unbefleckte Empfängnis.

1316 den »Grafeneckart« als Rathaus eingerichtet haben, gegen ihren Herrn und Bischof. Er endet im Jahre 1400 mit der vernichtenden Niederlage der Bürgerlichen gegen das bischöfliche Heer bei Bergtheim, vor den Toren der Stadt. Noch einmal lodert der Gegensatz zwischen Bischof und Bürgern im Bauernkrieg von 1525 auf, als die Bürger (und Tilman Riemenschneider ist einer ihrer Bürgermeister) sich auf die Seite der Bauern stellen und dafür ein Strafgericht erdulden müssen. Trotzdem findet der große Bildschnitzer, der 1483 von seinem Geburtsort Heiligenstadt bei Eichsfeld (Nordthüringen) nach Würzburg gekommen war, ein Grab im Dom, als er 1531 das Zeitliche segnet.

1573 bricht die Ära des Fürstbischofs Julius Echter von Mespelbrunn an, die Gegenreformation und reichen Segen zugleich bedeutet. Der Julius-Echter-Stil des Kirchenbaus dieser Zeit ist allenthalben im Lande zu sehen. Aus dem Wasserschloß Mespelbrunn, im grünen Herzen des Spessart gelegen, kommt dieser tatkräftige Mann,

dessen eigenartigstes Abbild wohl im alten Teil der Wallfahrtskirche von Hessenthal (bei Mespelbrunn) zu sehen ist. Dort gibt es ein imposantes Familiengrab der Echter von Mespelbrunn, auf dem die Eltern des Bischofs und alle seine Geschwister plastisch dargestellt sind. Auf der Männerseite dieses steinernen Familienbildes ist Julius Echter der dritte von links.

Das 17. Jahrhundert bringt nach dem Ende des Dreißigjährigen Krieges eine starke Neubefestigung von Marienberg und Stadt. Die Anlagen auf dem Marienberg sind noch erhalten, diejenigen der Stadt sind zum freundlich-grünen Ringpark geworden. Unter Fürstbischof Friedrich Karl von Schönborn (1719–24) erfolgt Planung und Baubeginn der Residenz in der Stadt. Balthasar Neumann, der als armer Tuchmachersohn 1711 mit einem Lehrbrief der Glocken- und Geschützgießer aus seiner Heimat Eger nach Würzburg gekommen war, erhält eine riesenhafte Aufgabe, vor der ein einzelner erschrecken müßte. Vorschläge und Pläne von allen Seiten

Die Rokoko-Apotheke des Würzburger Julius-Echter-Spitals hat sich als kulturgeschichtliche Kostbarkeit in ihrer originalen Einrichtung bis auf den heutigen Tag erhalten. »Für Arme, Bresthafte und Kranke« hat Julius Echter von Mespelbrunn, Fürstbischof zu Würzburg, 1576 das Spital gestiftet, das gleich dem viel älteren Bürgerspital der Stadt in erster Linie seine soziale Tätigkeit aus den stets gut fließenden Einnahmen eigener Weinberge finanzierte.

(auch vom Wiener Hofbaumeister Lukas von Hildebrandt) mußten mit den eigenen Ideen und dem Gesamtplan koordiniert, einzelne Künstlerleistungen entsprechend eingebracht werden. Bis zu seinem Tod (1753) war Neumann mit dieser Residenz beschäftigt, der er, gemeinsam mit dem Venezianer Tiepolo, die Krone aufsetzte: Tiepolos gewaltige Fresken (ab 1750) in Neumanns kühn und stützenlos konstruiertem Treppenhaus und im Kaisersaal. Die 600 qm große »Verherrlichung des Fürstbischofs als Mäzen der Künste unter dem Schutz des Sonnengottes Apollo« ist noch heute das größte Deckengemälde der Welt. Am 8. November 1753 verläßt Giovanni Battista Tiepolo Würzburg nach getanem Werk. Am 19. August zuvor war der Mann gestorben, der dem Venezianer das unvergleichliche Behältnis seiner Bilder geschaffen hatte, Balthasar Neumann, der neben der Würzburger Residenz noch an vielen anderen Orten gebaut und geplant hat. Würzburgs Kunst hat sich in ihm vollendet, Größeres konnte nicht mehr kommen.

Eines der schönsten Barockschlösser Deutschlands ist die Fürstbischöfliche Residenz in Würzburg, die von der Bauleidenschaft der Fürstbischöfe aus dem Hause Schönborn in Auftrag gegeben und drei Jahrzehnte lang von Balthasar Neumann gebaut wurde. – Bild oben: Blick auf die Residenz vom Hofgarten her. – Bild unten: Das Große Treppenhaus der Residenz, in dessen Gewölbe Giovanni Battista Tiepolo 1752/53 das größte Gemälde der Welt gemalt hat.

Aschaffenburg:
Mainzer Residenz am Spessart

Im Gegensatz zu Würzburg, das außerhalb des römischen Limes lag, entstand eine Siedlung Aschaffenburg (alamannisch »Ascapha«, um 700 auch so beim anonymen »Geographen von Ravenna« erwähnt) an jener Mainlinie, die bis hinauf nach Miltenberg den »nassen Limes« der Römer darstellte. Um 957 gründet Liudolf von Schwaben das Kollegiatstift Sankt Peter und Alexander, durch das Aschaffenburg zum Hauptort vor dem großen Spessartwald wird. Bereits 982 kommt Aschaffenburg an das Erzstift Mainz. Dieses macht den Ort unter Erzbischof Werner von Eppenstein (1259–84) zur zweiten Residenz von Mainz. Kurfürst Johann Schweikkard von Kronberg läßt in den Jahren 1605–1614 durch den Straßburger Baumeister Georg Ridinger die Vierflügelanlage des Schlosses »Johannisburg« errichten. Er gründet auch ein Jesuitenkolleg mit Gymnasium. Kurfürst Friedrich Karl von Erthal baut ab 1775 den südlich von Aschaffenburg gelegenen Tiergarten zum Park »Schönbusch« um. Ab 1778 kann hier der in Paris geschulte Portugiese Emanuel Joseph d'Herigoyen Architekturen in den Park stellen, die schon im Zeichen des Klassizismus stehen. Ab 1782 übernimmt die Gartengestaltung der Schwetzinger Hofgärtner Friedrich Ludwig Sckell und macht aus dem Schönbusch einen der frühesten »Englischen Gärten«, sozusagen das Musterstück für seinen späteren Englischen Garten zu München. 1799 fällt Kurmainz in die Hände des französischen Revolutionsheeres. Friedrich Karl von Erthal weicht nun auf seine von ihm geliebte Aschaffenburger Residenz aus, stirbt hier 1802 und muß daher die Auflösung des Kurfürstentums nicht mehr erleben. Aschaffenburg wird 1803, zusammen mit Regensburg, ein Fürstentum für den Kurerzkanzler Karl Theodor von Dalberg, der hier 1808 eine »Karls-Universität« errichtet. 1810 gelangt Aschaffenburg an ein Großherzogtum Frankfurt und 1814, mit Würzburg, an das Königreich Bayern. König Ludwig I. läßt sich in den Jahren 1842–1849 nahe beim Schloß Johannisburg das »Pompeianum« bauen, eine Nachbildung des Castor- und Pollux-Hauses in Pompeji.

Abt Sturmius von Fulda bezieht seinen Klosterwein aus Hammelburg

Zwei frühere Ämter der Fürstabtei Fulda gehören heute zum bayerischen Franken: Hammelburg und Bad Brükkenau. Beide haben ihre Besonderheiten vorzuweisen, das eine die Heilquellen, die dann König Ludwig I. so bevorzugte und bei ihnen im Stil seiner klassizistischen Münchner Bauten einen Kursaal und ein Badhaus errichten ließ, ohne die heiteren Häuser der Fuldaer Barockzeit zu zerstören. Das andere, Hammelburg, dessen Gebiet schon in vorgeschichtlicher Zeit menschliche Siedlungen trug, hat den ältesten urkundlichen

Hohe Kunst in Aschaffenburg, der einstigen Sommerresidenz der Mainzer Kurfürsten: Schloß Johannisburg (Bild oben) und das Altargemälde (Predella) der »Beweinung Christi« von Mathias Grünewald (um 1525; Bild unten) in der Stiftskirche.

Nachweis des Weinbaus in Franken und ist zudem noch das nördlichste Weinbaugebiet Frankens. Karl der Große hat 777 eine Urkunde ausgestellt, in welcher er dem ersten Abt des Klosters Fulda, dem heiligen Sturmius, das Königsgut Hammelburg mit acht eigens erwähnten Weinbergen schenkt. Die Abtei Fulda, bedeutendstes Benediktinerkloster in Deutschland und Grabstätte des heiligen Bonifatius (der 744 Fulda gründete und Freund und Lehrer des Sturmius war), hatte von Karl dem Großen den Auftrag, die von ihm bezwungenen Sachsen zu missionieren. Mit dem königlichen Geschenk der Weinberge zu Hammelburg, das sich im Laufe der Jahrhunderte zur fuldaischen Amtsstadt entwikkelte, war die Versorgung der Abtei mit eigenem Wein gesichert.

Das Miltenberger Schnatterloch und die Quelle des heiligen Amor

Wenn es auch schier unmöglich ist, alle einzelnen Gebietserwerbungen in diesem Buch darzustellen, die Bayern zur und nach der Zeit Napoleons machte, so darf hier doch das Städtchen Amorbach so wenig ausgelassen werden wie der Fachwerkzauber von Miltenberg. Wer hätte den zur Mildenburg ansteigenden Platz des weltberühmten »Schnatterlochs« noch nicht bewundert, wenigstens auf einem Bild? Und dazu den »Riesen«, einen der ältesten Gasthöfe in ganz Deutschland?

In der ersten Hälfte des 8. Jahrhunderts kam ein missionierender Wanderprediger in den heute bayerischen Odenwald-Anteil und gründete dort das Benediktinerkloster Amorbach, als dessen Abt er um 776 gestorben ist. Sein Name soll Amor gelautet haben, und als solcher ist er auch in die Schar der Heiligen aufgenommen worden. Mit dem römischen Liebesgott Amor hat er gewiß nichts zu tun, wenn auch die Quelle bei einem Kirchlein vor Amorbach, Amorsbrunn, immer wieder Ziel verliebter Leute gewesen ist und solcher, die Kindersegen erhofften. Der Legende nach soll in Begleitung des heiligen Amor auch der heilige Pirmin gewesen sein, der spätere Abt der Reichenau im Bodensee. Aus eben der Amorsquelle, die später zum Wallfahrtsort wurde, soll der heilige Pirmin die ersten Odenwäldler getauft haben. Die Benediktiner ließen von ihrer romanischen Klosterkirche 1742 nur die gemauerten Türme stehen. Nach den Plänen des Mainzer Baudirektors Max von Welsch entstand ein wahres Juwel des ausklingenden Barock und des Rokoko, dessen Orgelkonzerte heute bekannt sind. Nach der Säkularisation von 1803 wurden Amorbach, Miltenberg und das Umland den Fürsten Leiningen zugeschlagen, die 1816 wiederum mit ihrem Besitz an das Königreich Bayern gekommen sind.

Die barocke Kirche der ehemaligen Benediktinerabtei Amorbach im bayerischen Odenwald ist heute eine evangelische Pfarrkirche. Berühmt ist ihre Inneneinrichtung, an der erstklassige Künstler gearbeitet haben: die Wessobrunner Johann Michael Feichtmayr und Johann Georg Übelherr (Stuck), der Augsburger Freskenmaler Matthäus Günther und der Würzburger Bildhauer Johann Wolfgang van der Auvera. Das prächtige Chorgitter ist das Werk des Würzburger Schmieds Markus Gattinger.

Die Feuerprobe der heiligen Kunigunde, dargestellt auf einem Gemälde Wolfgang Katzheimers (um 1490) in der Staatsgalerie der Bamberger Neuen Residenz. Das Bild erzählt die Legende der heiligen Kunigunde, die das von ihrem Gemahl Heinrich II. angerufene Gottesurteil annahm und zum Beweis ihrer ehelichen Treue unversehrt über glühende Pflugscharen ging. Das heiliggesprochene Kaiserpaar Heinrich und Kunigunde gründete Dom und Bistum Bamberg.

Bischofsstadt auf sieben Hügeln: Bamberg

Bamberg, das 800 Jahre lang Hauptstadt eines reichsunmittelbaren und später gefürsteten Bistums und Hochstifts gewesen ist, erhebt sich gleich der Ewigen Stadt Rom auf sieben Hügeln, wovon die meisten der kirchlichen Seite zugedacht sind, einer aber immerhin auch den aussichtsreichen Bierkellern, die ja nun im wirklichen Sinn des Wortes keine Keller, sondern schattige Gärten sind, von denen man auf die Bamberger Pracht hinausschauen kann.

Die Stadt selbst, und damit auch das Bistum, hat ihren Namen vom Geschlecht der »älteren Babenberger« (die »jüngeren« sind auch aus der Gegend und werden später die ersten Herren eines selbständigen Österreich), die hier eine Burg stehen haben, nach der Babenberger Fehde mit den Konradinern aber ab 907 ausgestorben sind. Im Jahre 1002 hat Bamberg eine Hofhaltung Kaiser Heinrichs II., der später mitsamt seiner Gemahlin Kunigunde heiliggesprochen wird; nicht weil er als mißtrauischer Gatte seine Frau zum Beweis ihrer ehelichen Treue über glühende Pflugscharen gehen ließ (sie haben, der Legende nach, Kunigunde nichts getan), sondern weil er ein völlig neues Bistum Bamberg gründete, das er auf Kosten der vorhandenen fränkischen Bistümer Würzburg und Eichstätt gebietsmäßig einrichtete und zudem mit Besitzungen und Hoheitsrechten in ganz Süddeutschland ausstattete. Der kaiserliche Bistumsgründer, dessen Lieblingsort Bamberg war, unterstellte sogar das so weit entfernte Georgenkloster zu Stein am Rhein (zwischen Konstanz und Schaffhausen) im Jahre 1012 dem Bischof von Bamberg.

Für die frühe Geschichte des Bistums Bamberg gibt es auf den geistlichen Hügeln der Stadt heute drei bedeutende Gräber. Das eine hat Tilman Riemenschneider im Jahre 1513 vollendet: das Hochgrab Kaiser Heinrichs des Heiligen und der Kaiserin Kunigunde, das Stiftergrab also. Es befindet sich im Dom, der in seiner heutigen Form aus dem 13. Jahrhundert stammt und in vier Bauabschnitten entstanden ist. In diesem Dom befindet sich auch das einzige Grab eines Papstes auf deutschem Boden: dasjenige Clemens II., der 1046 von Kaiser Heinrich III. eingesetzt wurde und diesen wiederum zum Kaiser krönte. Clemens II. war einer von bisher zwei deutschen Päpsten. Das dritte Grab aus Bambergs ersten Jahrhunderten ist in der Klosterkirche Sankt Michael zu finden, nicht auf dem Domberg, sondern auf dem benachbarten Michelsberg, das mit Reliefplastik geschmückte Hochgrab Bischofs Otto I., des zweifellos bedeutendsten Mannes auf dem Bamberger Bischofsstuhl (1102–39). Er ist gewiß wegen seiner Tüchtigkeit im Amt und wegen seines einfachen, klaren Lebens heiliggesprochen worden. Seit 1102 war er auch deutscher Kanzler, hing der Klosterreform von Cluny an, missionierte in Pommern und gründete zahlreiche Klöster, darunter auch dasjenige zu Prüfening bei Regensburg (1109). Bei späterer Öffnung seines Grabes in der Bamberger Michaelskirche (auch diese wurde von ihm neu gebaut, nachdem ein Erdbeben die Vorgängerin vernichtet hatte), fand man keinen Bischofsstab, sondern nur einen Wanderstab mit einer Krücke aus Gemshorn, der heute noch in der Kirche ausgestellt ist. In die Krücke ist ein Zitat aus dem 1. Korintherbrief eingraviert: »Gratia Dei sum id quod sum«, was ich bin, bin ich durch Gottes Gnade.

Die Jahrhunderte nach Bischof Otto I. verlaufen im großen und ganzen so wie in den Nachbarbistümern auch. Das Domkapitel, grundsätzlich aus dem Adel rekrutiert, verschafft sich Sonderrechte gegenüber dem Bistum und dem Bischof, die Bürger der Residenzstadt begehren mehr Freiheit und meutern gegen die Steuerfreiheit der fünf geistlichen »Immunitätsbezirke« in der Stadt: den Dom, St. Stephan, St. Jakob, Kloster Michelsberg und noch St. Gangolf. Die fleißige Bürgerstadt erkannte dies als schreiendes Unrecht, konnte sich aber nie in dieser Frage durchsetzen. Da könnte man fast vermuten (was ein Geschichtsschreiber nie sollte), daß die Bamberger den Herzog Bernhard von Weimar recht freudig begrüßt haben, als dieser 1633–1634 im Dreißigjährigen Krieg das Hochstift besetzt hielt, einer von der Protestantischen Partei also, der zudem mit dem Gedanken an ein weltliches Herzogtum Franken seinen Einzug hielt. Nachdem Bischof Marquard Sebastian Schenk von Stauffenberg (ein Vorfahr jenes Stauffenberg, dem das Attentat auf Hitler mißlang) in zehn Jahren Amtszeit von 1683–1693 die Schulden des Hochstifts getilgt hatte, kam ab 1693 bis 1729 Bischof Lothar Franz von Schönborn an die Reihe, der ab 1695 auch Erzbischof von Mainz war. Ein Schönborn, ein Bauherr wie die Schönborns in Würzburg. 1697 wird mit dem Bau der neuen Residenz begonnen, und von 1711 bis 1718 läßt sich dieser machtvolle Mann sein Sommerschloß »Weißenstein« zu Pommersfelden bauen, das mit seinem großzügigen Treppenhaus und den festlichen Sälen ein Vorgeschmack auf die Würzburger Residenz ist. Baumeister in Pommersfelden ist Johann Dientzenhofer, der, gleich Balthasar Neumann an der Würzburger Residenz, auch Vorschläge des Wiener Hofbaumeisters Johann Lukas von Hildebrandt verwenden kann. 1729 – 1746 ist Friedrich Karl von Schönborn zugleich Bischof von Würzburg und von Bamberg, baut zu Würzburg an der Residenz weiter, holt seinen Balthasar Neumann auch zu den großartigen Bamberger Wallfahrtskirchen Vierzehnheiligen (bei Staffelstein) und Gößweinstein (Fränkische Schweiz). Draußen in Seehof bei Bamberg aber wird die Orangerie in den weiten Park jener vierflügeligen Sommerresidenz gebaut, die sich 1687–1695 der Bischof Marquard von Stauffenberg hat errichten lassen. In der Seligkeit des Rokoko geht Bamberg in die kältere Zeit der Aufklärung und schließlich in die Auflösung des Hochstifts, das 1802/03 von Bayern besetzt wird. In die Stadt der sieben Hügel, des Rauchbiers und des mitten auf die Reg-

Bild oben: Die Alte Hofhaltung auf dem
Domberg in Bamberg (16. Jh.) geht auf eine
Kaiserpfalz zurück. – Bild unten: Die
Grabkapelle der heiligen Walburga aus dem 13. Jahrhundert
im Münster von Heidenheim am Hahnenkamm.

nitzbrücke gesetzten Alten Rathauses (es trennt die
geistliche von der weltlichen Stadt) zieht 1808 der
Dichter E.T.A. Hoffmann als Theaterdirektor in Bamberg
ein, bezieht am 1. Mai 1809 den zweiten Stock des
schmalen Hauses am heutigen Schillerplatz, verliebt
sich unsterblich in seine Gesangsschülerin Julia Mark,
verliert die Sechzehnjährige an eine Vernunftsehe, bekommt
Streit und Ärger darüber und macht daraus eine
seiner romantisch-düsteren Geschichten: »Nachricht
von den neuesten Schicksalen des Hundes Berganza«.
Im März 1813 ist die Geschichte fertig, und bald darauf
verläßt Hoffmann Bamberg mit Ziel Dresden: Theaterkapellmeister.
Seine Julia, den Engel von Bamberg, hat
er zeitlebens nicht vergessen. »Sagen Sie ihr, daß das
Engelsbild... mich nicht verlassen kann beim letzten
Hauch des Lebens.«

Eichstätt: Bistum zwischen drei Stämmen

Alle guten Dinge sind drei. Und drei ist eine »heilige
Zahl«. Drei Bistümer in Franken: Würzburg, Bamberg,
Eichstätt. Das dritte Bistum, Eichstätt, hat seine eigenen
Dreiheiten: Zwischen den drei Stämmen des heutigen
Bayern ist es gelegen, zwischen Franken (zu dessen
Reichskreis und zu dessen Erzbistum Mainz es gehörte),
Schwaben und Altbayern. Und drei Geschwister hängen
mit seiner Gründung und frühesten Geschichte zusammen,
drei Heilige: Willibald, Wunibald und Walburg,
Kinder des angelsächsischen Königspaares Wunna und
Richard. 720 unternehmen die Brüder Willibald und
Wunibald mit dem ebenfalls heiliggesprochenen Vater
Richard eine Pilgerfahrt nach Rom. Der Vater stirbt
unterwegs in Lucca und wird dort in San Frediano beigesetzt.
Die Söhne gelangen nach Rom und auch ins Heilige
Land. Willibald ist dann bis 739 als Mönch im Kloster
Montecassino verbürgt, wird auf Bitten des heiligen
Bonifatius von Papst Gregor III. nach Deutschland geschickt,
wo er in Eichstätt ein Kloster gründet und den
ersten Dombau beginnt. 741 weiht ihn Bonifatius zum
Bischof. Willibald stirbt 787. Sein Bruder Wunibald baut
750 in Heidenheim am Hahnenkamm (bei Gunzenhausen)
ein Doppelkloster für sich und seine Schwester Walburga,
ist dort Abt und stirbt 761. Die Lebensbahn der
Äbtissin Walburga endet 779. Die Reliquien der beiden
Geschwister werden im Jahre 870 von Heidenheim nach
Eichstätt gebracht. Dort entwickelt sich eine starke Wallfahrt
zur Gruftkapelle der heiligen Walburga, die sich im
ehemaligen Kanonissenstift befindet, das 1035 in ein
Benediktinerinnenkloster Sankt Walburg umgewandelt
wurde. Zur bestimmten Jahreszeit gibt die Grabplatte
der Heiligen Tropfen ab, die als »Walpurgisöl« in wundertätigem
Ruf stehen, was auch das großflächige Gemälde
Joachim von Sandrarts am Hauptaltar (1664) berichtet,
das die heilige Walpurga in der Glorie zeigt.
Das Hochstift Eichstätt hat seine erste Einschränkung
durch das neue Bistum Bamberg erfahren, kann sich

Das Willibaldsdenkmal im Eichstätter Dom, lange Zeit als Werk des Augsburger Loy Hering angesehen, wird neuerdings dem 1540 in Augsburg gestorbenen Ulmer Meister Gregor Erhart zugeschrieben. Der heilige Willibald, angelsächsischer Königssohn, missionierte zusammen mit seinen Geschwistern Walburga und Wunibald um 740 im Eichstätter Gebiet. Als der heilige Bonifatius eine Einteilung der Bistümer vornahm, machte er ihn 741 zum Bischof von Eichstätt.

später kaum gegen seine Domvögte, die Grafen von Hirschberg, durchsetzen, bis es diese 1305 beerbt. Ab 1300 wird auch über der bischöflichen Residenzstadt, in deren heutigem Bild noch immer die geistlichen Bauten vorherrschen, eine Art Festung erbaut, die »Willibaldsburg«, die 1609 von Elias Holl, dem Baumeister des grandiosen Augsburger Rathauses, verändert und erweitert wird. Zur leichteren Verwaltung war das Bistum Eichstätt in ein nördliches Oberstift und in ein südliches Unterstift geteilt. 1802, schon vor der offiziellen Säkularisation des Kirchengutes, besetzt Bayern das Bistum, gibt den größten Teil noch im gleichen Jahr an das Großherzogtum Toskana, erhält Eichstätt 1805 bereits wieder zurück. 1817 wird Eichstätt als »mediates Fürstentum« an Eugen Beauharnais, den Schwiegersohn des bayerischen Königs, gegeben, der auch den Titel eines Herzogs von Leuchtenberg erhält. 1832/34 wird dieses Fürstentum Eichstätt von Bayern zurückgekauft, das erst 1855 die letzten Reste der Mediatherrschaft auflöst.

Die Markgrafen von Ansbach und Bayreuth

Daß man immer einen scharfen preußischen Wind zu verspüren vermeint, wenn das Wort »Ansbach-Bayreuth« fällt, liegt sicher an dem markigen Lied »Auf Ansbach Dragoner, auf Ansbach-Bayreuth« (Hohenfriedberger Marsch). Schwer wiegt dabei auch die Tatsache, daß die Geschichte der Markgrafschaften Ansbach-Bayreuth mehrfach mit dem Schicksal der Mark Brandenburg, mit Preußen, verbunden ist, das am Ende, 1791, nachdem ein Ansbacher Hohenzollern regierungsmüde geworden war, die süddeutschen Markgrafschaften Ansbach-Bayreuth einstreicht und gleich ungemein kräftig verwaltet.

Die aus der Schwäbischen Alb stammenden Zollern (1061 mit einem Burchardus de Zolorin erstmals genannt) werden mit Friedrich I. um 1191 Burggrafen zu Nürnberg, also die Sachwalter des Kaisers an dieser Stelle. 1227 teilen sich die Zollern in eine fränkische und eine schwäbische Linie. Die fränkische Linie erbt beim Aussterben der Grafen von Andechs (und Herzögen von Meranien) im Jahr 1248 das Gebiet um und mit Bayreuth, wozu 1380 dann auch die Andechser Gründung Kulmbach kommt, die vorübergehend den Grafen von Orlamünde gehörte. Schon 1267 haben die Nürnberger Burggrafen, die sich ab der Mitte des 14. Jahrhunderts als »Hohenzollern« bezeichnen, ihre Residenz nach Cadolzburg bei Fürth verlegt. 1331 wird die Vogtei über das St. Gumbertusstift in Ansbach und Ansbach selbst dazugekauft, das ab 1385 Residenz wird. 1287 haben die Zollern auch schon Neustadt an der Aisch ausgebaut. Es geht nun überhaupt tüchtig weiter, auch wird hin und wieder geteilt, besonders nachdem die Hohenzollern mit Friedrich VI. 1415 während des Konstanzer Konzils von Kaiser Sigismund mit der Mark Brandenburg und der darauf

Bild oben: Im 17. Jahrhundert entstanden die mächtigen Bastionen der Veste Rosenberg über der Stadt Kronach mit dem schönen Barockportal. – Bild unten: Die Kulmbacher Plassenburg mit dem Arkadenhof war Festung und Schloß zugleich.

ruhenden Kurfürstenwürde belehnt werden. Es gibt nun eine Markgrafschaft Brandenburg (das künftige Preußen), eine Markgrafschaft »Ob dem Gebirg« (Kulmbach, Bayreuth, Hof, »Sechsämterland« usw.) und eine solche »Unter dem Gebirg« mit dem Sitz in Ansbach. Mitunter sind zwei oder gar alle drei vereint. Markgraf Albrecht Achilles, der einige Zeit über alle drei Markgrafschaften gebietet, erteilt 1473 seine »Dispositio Achillea«: Von seinen 19 Kindern soll der älteste Sohn Brandenburg, der zweitälteste Ansbach und der drittälteste Bayreuth erhalten. Den Beinamen »Achilles« hat Markgraf und Kurfürst Albrecht von Aeneas Sylvius Piccolomini, dem späteren Papst Pius II., erhalten, seiner vielen Kämpfe und Turniere wegen. Albrecht Achilles ist vorausgenommener Barock in seiner Lebenshaltung. Herzog von Franken möchte er werden, wird dabei sogar (damit er an den Türkenkriegen teilnehme) von dem eben genannten Papst Pius II. unterstützt (1460), von Herzog Ludwig dem Reichen 1462 aber in der für Albrecht verlorenen Schlacht von Giengen zurechtgewiesen. Dies hindert den brandenburgischen Markgrafen keineswegs daran, 1475 der Einladung seines bayerischen Besiegers zur großen Landshuter Hochzeit zu folgen, 1400fach zu folgen, wie man weiß, da er mit Gemahlin anreist und sich von 1400 Reitern begleiten läßt. Er ist eben wer, der Achilles aus Franken und Preußen.

Da ist dann ein Jahrhundert nach dem fränkischen Achill auch noch ein hohenzollerscher Alcibiades: Markgraf Albrecht Alcibiades (1522–57). Gleich dem Feldherrn und Staatsmann Alcibiades (meist »Alkibiades« geschrieben) ist auch dieser Albrecht hochbegabt, aber skrupellos, führt selbstsüchtige Kriege und wird verbannt. Volljährig geworden übernimmt er 1541 die ihm als Kind schon zugefallenen Landesteile Kulmbach und Bayreuth. 1553 beginnt er den »Markgräflerkrieg«, den zweiten genaugesagt, denn den ersten Markgräflerkrieg hatte sein Urahne Albrecht Achilles schon gegen die Nürnberger geführt und bei Pillenreuth entscheidend verloren (1450). Sein Nachfahre, der Alcibiades, kämpft nicht nur gegen Nürnberg, nein gegen fast ganz Franken, gegen Nürnberg, Bamberg und Würzburg. So gelingt ihm und seinen Gegnern auch eine viel umfassendere Verwüstung des fränkischen Lebensraumes. Seine Niederlage aber erhält Albrecht Alcibiades am 9. Juli 1553 bei Sievershausen (bei Peine). Sein Besieger, Moritz von Sachsen, holt sich in dieser Schlacht tödliche Wunden, Albrecht Alcibiades aber flieht nach Frankreich, kommt in die Reichsacht und stirbt 1557 in Pforzheim, auf der Suche nach neuen Verbündeten für einen neuen Krieg.

Von 1603 an geht es mit Ansbach und Bayreuth bis 1769 auseinander, man teilt die beiden Markgrafschaften. Diejenige »Unter dem Gebirg« mit der Residenzstadt Ansbach erhält Markgraf Joachim Ernst, diejenige »Ob dem Gebirg«, deren Hauptstadt nicht mehr Kulmbach, sondern Bayreuth ist, kommt an Markgraf Christian –

wobei diese Trennung durch das »Gebirg« so total und absolut auch nicht ist. Immerhin ist Neustadt an der Aisch, das gar nicht weit von Ansbach entfernt liegt, eine Stadt der Bayreuther. Erlangen dagegen, das unter Markgraf Christian Ernst eine zweite Stadt, »Christian-Erlang'«, angefügt bekommt, die mit jenen französischen Hugenotten besiedelt wird, die nach der Aufhebung des Toleranzedikts von Nantes ihre Heimat verlassen müssen, liegt schließlich auch »unter dem Gebirg« und gehört doch zu Bayreuth, das 1743 hier eine eigene Universität eröffnet. Schon 1617 hatte man in Neustadt an der Aisch eine sehr gelobte »Fürstenschule« eingerichtet.

Die beiden Markgrafentümer schauen sich gegenseitig oft über die Schulter. Bringt der Bayreuther die Hugenotten nach seinem neuen »Christian-Erlang'«, so muß Markgraf Wilhelm Friedrich zu Ansbach (1703–23) selbige auch haben. Baut sich um die Wende des 17. Jahrhunderts zum 18. der Bayreuther Vetter das »Alte Schloß« zur Residenz um, so bekommt auch Ansbach seinen Residenzbau nebst Orangerie und Hofgarten, in welchem dem schwäbischen Botaniker Leonhart Fuchs (nach dem die Fuchsie benannt ist) ein Stein gesetzt ist, ebenso einer dem Findelkind Kaspar Hauser, das am 14. Dezember 1833 hier im Park von unbekannter Hand eine tödliche Stichwunde erhielt, an der es drei Tage später starb. Das waren aber schon die Zeiten des Königreichs Bayern, dessen Staatsbank die 1780 gegründete »Ansbacher Staatsbank« geworden ist.

Hochgrab des Markgrafen Joachim Ernst von Hohenzollern, begonnen 1626, vollendet 1712, in der Zisterzienserkirche von Heilsbronn bei Ansbach, der großen Grablege des fränkischen Adels, besonders der Ansbacher Hohenzollern.

Besondere Kapriolen schlägt die Baulust aber im Bayreuth des Markgrafen Friedrich (1735–63), der von seiner Gemahlin Wilhelmine, der Lieblingsschwester des Preußenkönigs Friedrichs des Großen, zum »Neuen Schloß« in der Stadt, zum »Neuen Schloß« draußen im Park der Eremitage, zum unübertroffen schönen Opernhaus und zu den Lustbauten der »Fantasie« und von »Sanspareil« angeregt, ja mehr oder weniger angehalten wird. Nach Markgraf Friedrichs Tod im Jahre 1763 regiert noch sechs Jahre lang sein Onkel Friedrich Christian, mit dem die Bayreuther Linie der Hohenzollern erlischt. 1769 werden Ansbach und Bayreuth zum letzten Mal vereint, dies unter dem kinderlos bleibenden Markgrafen Karl Alexander, der dem Gedanken der Aufklärung und des allgemeinen Volkswohles verhältnismäßig konsequent anhängt. Er selbst wird freilich das Opfer von Gefühlen. In Paris lernt er die dreizehn Jahre ältere Tragödin Hippolyte Clairon kennen, die er mit nach Ansbach nimmt, wo sie keineswegs unangenehm auffällt. Später aber wird die wesentlich jüngere Lady Eliza Craven seine Favoritin. Die bringt, 1791, den Markgrafen zur Übergabe seiner beiden Herrschaften Ansbach und Bayreuth an die königlich-preußische Vetternschaft, gegen eine jährliche Leibrente von 300 000 Gulden. Karl Alexander war vielleicht auch des Regierens müde, er, der als Aufgeklärter sicher die Hohlheit solchen Tuns begriffen hatte. Zudem war ja auch längst vertraglich die preußische

Markgräfin Wilhelmine von Bayreuth, Ölgemälde nach Antoine Pesne (um 1740). Die Markgräfin war Lieblingsschwester Friedrichs des Großen. Ihr kapriziöser Geist machte Bayreuth zum Ort der Musen und der Rokoko-Heiterkeit.

Das Markgräfliche Opernhaus zu Bayreuth, 1745–1748 nach dem Entwurf Joseph Saint-Pierres erbaut, gehört zu den schönsten Opernhäusern der späten Barockzeit in ganz Europa.
Die Ausstattung schufen in erster Linie Giuseppe Galli Bibiena und sein Sohn Carlo, doch waren auch Johann Gabriel Räntz, Sohn des großen Elias Räntz, und Johann Schnegg mit ihrem Schnitzwerk beteiligt. Das Deckengemälde »Apollo und die neun Musen« malte Wilhelm Ernst Wunder.

Erbfolge im Falle von Kinderlosigkeit ausgemacht. So hatten Bayreuth und Ansbach noch preußische Jahre, bis 1810 das Königreich Bayern die Lande ob und unter dem Gebirg übernimmt, mit einer Schuldenlast von 10 Millionen Gulden, die den Franzosen anzukreiden ist, welche Ansbach-Bayreuth seit 1806 selbst verwalteten. Wer heute auf den Spuren der Markgrafen von Ansbach und Bayreuth, auf den Spuren der fränkischen Hohenzollern wandelt, darf einen Abstecher nach Heilsbronn nicht versäumen, zwischen Nürnberg und Ansbach auf halber Strecke gelegen. Dort, in der Kirche des ehemaligen Zisterzienserklosters (1132 von Bischof Otto I. von Bamberg mit Hilfe der Grafen von Abenberg gegründet), ist die Grablege der fränkischen Hohenzollern durch vier Jahrhunderte. Imposante Hochgräber, bescheidenere Grabplatten nennen viele Namen der Burg- und späteren Markgrafen und deren Nebenlinien. Auch ist manches kleinere Adelshaus Frankens hier vertreten. Zu Bayreuth aber sind die Stätten des großen Dichters Jean Paul, der hier 1825 begraben wurde. Er weist schon in ein neues Blühen Bayreuths hinein, in ein geistig-künstlerisches, das in Richard Wagner und seinem Festspielhaus den weltweiten Höhepunkt gefunden hat, unterstützt von Bayernkönig Ludwig II., dem Märchenkönig in München, der seinen genialen Freund wieder einmal nicht im Stich läßt.

Bild oben: Der Dichter Jean Paul (Pastell von Johann Lorenz Kreul). Jean Paul, mit richtigem Namen Jean Paul Friedrich Richter (1763–1825), war der Sohn eines armen Kantors aus Wunsiedel und liegt in Bayreuth begraben. Aus unerschöpflicher Phantasie und scharfer Zeitkritik schuf er großartige Werke. – Bild unten: »Die grüne Familie« in der Porzellansammlung des Ansbacher Schlosses. Die Ansbacher Manufaktur wurde 1758 von Markgraf Alexander gegründet.

154

Reichsfürsten und Reichsritter in Franken

Die Hochstifte, die Markgrafen und die Reichsstadt Nürnberg waren die großen Herren in Franken. Das wäre noch kein Fleckerlteppich. Der kommt zustande, weil es die mittleren Herrschaften der Reichsfürsten, der Reichsgrafen, des Deutschen Ordens und dazu die vielen kleinen Herrschaften der Reichsritter gibt. Diese Ritter sind nicht erst da, als man sie gegen Ende der Ritterzeit sozusagen »organisiert«, sondern haben sich meist aus den Ministerialen der höheren Herren des frühen und hohen Mittelalters gebildet. Bei der fränkischen Reichsritterschaft waren zwischen dem Jahr 1500 und 1800 an die tausend adelige Familien immatrikuliert! 1422 hat König Sigismund den Rittern das Recht zuerkannt, sich zu vereinigen, wie es den fränkischen Rittern am besten dünke. So schloß sich zunächst eine fränkische »Rittereinigung« zusammen, die ihrerseits 1430 mit der schwäbischen Rittereinigung »vom Sankt-Jörgenschild« und der bayerischen »Gesellschaft vom Eingehürn« in engere Verbindung trat. Die Kleinen mußten eben auch sehen, wo sie unter den Großen blieben.

Die Fränkische Reichsritterschaft war in der Tat so etwas wie eine Genossenschaft. Die Mitglieder waren durch die sechs Ritterkantone Odenwald, »Gebirg« (Fränkische Schweiz), Rhön-Werra, Steigerwald, Baunach und Altmühl vertreten, auch vor den Reichsgerichten. Dafür erhoben die Kantone Steuern von ihren Mitgliedern. In die Kantonsmatrikel wurden für gewöhnlich Mitglieder des Reichsadels aufgenommen, die wenigstens acht adelige Ahnen und ein Gut im Wert von mindestens 6000 Talern aufweisen konnten. Der Stadtadel von Nürnberg, die »Millionäre« sozusagen, sowie »Beamte« der obersten Reichsbehörden standen im Vorzug eines erleichterten Aufnahmeverfahrens.

1515 kam es zum ersten fränkischen Ritterkonvent in der Freien Reichsstadt Windsheim, nachdem seit 1511 ein erster Entwurf zu einer Ritterordnung vorgelegen hatte. Als aus der Reichsritterschaft Adelsfamilien, wie etwa die Castell, die Schwarzenberg und Schönborn, zur Reichsstandschaft aufstiegen, blieben sie trotzdem der Reichsritterschaft zugehörig; es wurde jeweils ein Mitglied für seine Person aufgenommen.

Der fränkische Adel hatte auch Gelegenheit, das eine oder andere Familienmitglied in den Deutschen Orden eintreten zu lassen, der sich aus einer 1190 bei der Belagerung von Akkon gegründeten Hospitalbruderschaft gebildet und sich vor allem mit der Mission und Kolonisation in Ostpreußen befaßt hatte. Als die ostpreußischen Zeiten vorbei waren, ist besonders die Ballei Franken mit ihrem Sitz in Ellingen reich und angesehen geworden. Sie konnte sich 1718–1724 auch den barocken Neubau ihres prachtvollen Ordensschlosses leisten, bei dem man sich wundert, daß dies alles für Männer gebaut wurde, nur für Männer, die noch dazu unter drei Gelübden auch dasjenige der Armut beim Ordenseintritt zu schwö-

Zeugen der großen Zeit der fränkischen Reichsritterschaft. Bild oben: Die Burg Egloffstein in der Fränkischen Schweiz. – Bild unten: Bildgrabstein des Ritters Jörg Voit von Rieneck (1476) in der Pfarrkirche von Karlstadt/Ufr.

ren hatten. Nun, man kann im kostbarsten Gehäus' ohne Geld sein.

Unter den fränkischen Adelsfamilien, die mit ihren Namen und Taten besonders aus dem historischen Flekkerlteppich zwischen Main und Donau herausleuchten, sind vor allen Dingen die Schönborn zu nennen, deren Geschlecht immer wieder Fürstbischöfe in Bamberg, Würzburg oder Mainz stellt, ebenso die Seinsheim, die ihrerseits wiederum mit dem Fürstentum Schwarzenberg am Steigerwald zusammenhängen. Gleich den Schönborns blüht auch heute noch das inzwischen gefürstete Haus der einstigen Grafen von Castell, mit deren Namen sich heute zu Castell (Castell-Castell) und Rüdenhausen (Castell-Rüdenhausen) köstliche Frankenweinlagen verbinden.

Eine Sonderstellung nimmt das heutige Fürstenhaus Hohenlohe ein, auch landschaftlich. Vom »Hohenloher Land«, das geographisch zwischen Franken und Württemberg vermittelt, gehört das meiste heute freilich zum Bundesland Württemberg. An Bayern gekommen ist aus dem traditionsreichen Besitz dieser Adelsfamilie, deren Name angeblich von der Burg Hohenloch bei Uffenheim kommt, nur das Gebiet von und um das Städtchen Schillingsfürst, nach dem sich nun eine Linie Hohenlohe-Schillingsfürst nennt. Das Schloß steht in beherrschender Lage über der Hohenloher Ebene. Graf Philipp Ernst von Hohenlohe, der 1744 in den Reichsfürstenstand erhoben wurde, hat es in 28 Jahren, von 1722 bis 1750, als sein Lebenswerk erbauen lassen. Es ist we-

der ein Barockschloß noch ein echter Renaissancepalast. Es ist die getreue Nachbildung des Stadtpalastes der Grafen Alberoni zu Madrid, in den sich Graf Philipp Ernst bei einer politischen Mission in Madrid sozusagen »verschaut« hatte. Sein französischer Architekt Louis Remy de la Fosse mußte auf dem schmalen Schillingsfürster Bergrücken erst mit teils dreistöckigen Grundmauern die notwendige Basis für das weitläufige Schloß schaffen. Eine architektonische Kuriosität, wie es zu Schillingsfürst an Kuriositäten überhaupt keinen Mangel hat. Ob das nun das heute noch zu besichtigende Ochsentretwerk einer Pumpe zur Bewässerung des Schlosses und des Schloßparks ist oder die Tatsache, daß die Fremdenlegion Frankreichs auf das Haus Hohenlohe zurückgeht, freilich nicht als jenes seltsame Instrument, das die »Legion« heute darstellt, sondern in allen Ehren.

Im Jahre 1791 bildeten sich unter dem Prinzen Condé im deutschen Rheinland Freiwilligenverbände aus französischen Emigranten, die militärisch im revolutionären Frankreich eingesetzt werden wollten. Nur, auf deutscher Seite wollte niemand eingreifen, weder der Kaiser in Wien noch sonst ein Fürst. Also wurden diese Emigrantentruppen höchstens als gefährliche Provokation der Revolutionsarmee Frankreichs betrachtet und sollten schleunigst abgezogen werden. Wohin? Die Hohenlohischen Fürsten erklärten sich zur Aufnahme der Truppe bereit, der Herzog von Württemberg erlaubte den Durchzug ohne Waffen, hetzte allerdings dann seine Bauern auf die wehrlose Armee. Doch diese flößte durch

Das stattliche Schloß Schillingsfürst entstand in 28 Jahren Bauzeit von 1722 bis 1750. Graf Philipp
Ernst von Hohenlohe, ab 1744 in den Reichsfürstenstand erhoben, ließ den Bau
als Nachbildung des Stadtpalastes der Grafen Alberoni zu Madrid vom französischen Architekten Louis Remy de la Fosse
errichten. Auf dem Hügelgelände mußte für den ausladenden Grundriß des mächtigen, viel-
fenstrigen Schlosses erst durch hohe Grundmauern Platz gemacht werden.

ihren Marsch mit klingendem Spiel den Bauern so viel Respekt ein, daß die »Legion Mirabeau«, wie sie inzwischen nach ihrem militärischen Befehlshaber hieß, ungehindert ins Hohenloher Land kommen konnte. Nun war das Schloß Schillingsfürst nicht mehr zu groß für all die uniformierten Herren, die hier zechten und tagten. Es war, als sei der französische Hof nicht gerade auf dem Weg zur Pariser Guillotine. Unter dem Kommando der Prinzen Ludwig und Karl von Hohenlohe wurden sogar noch zwei weitere Regimenter mit deutschen Mannschaften aufgestellt, die sich in den napoleonischen Kriegen tapfer als Truppe der Bourbonen schlugen und bis 1829 von den beiden Hohenlohes befehligt wurden. In Frankreich nannte man sie »Légion Hohenlohe«, bis sie schließlich, nachdem die Bourbonen von der politischen Bühne Frankreichs abgetreten waren, zur »Fremdenlegion« wurden, die eine völlig andersgeartete Kolonialtruppe war.

Daheim aber war das Land Hohenlohe-Schillingsfürst 1806 an Bayern gekommen, und der größere Teil des Territoriums fiel an das neue Königreich Württemberg. Vor Gram darüber ging Fürst Ludwig Aloys von Hohenlohe, von der Linie Bartenstein, an den Emigrantenhof des Bourbonenkönigs Ludwig XVIII., wurde Kommandeur der Légion Hohenlohe und starb 1829 als Marschall und Pair von Frankreich. Der 1819 geborene Fürst Chlodwig von Hohenlohe-Schillingsfürst, dessen Leidenschaft die Politik war, sorgte für eine weitere Kuriosität. Er war zunächst bayerischer Ministerpräsident (1866–70) und wurde 1894 deutscher Reichskanzler, als Nachfolger des Generals Caprivi. In dieser Eigenschaft war er automatisch auch Ministerpräsident des preußischen Königreichs. Ein Bayer (und das war der Fürst staatsrechtlich) als preußischer Ministerpräsident! Das hat nach Chlodwig von Hohenlohe nur noch Reichskanzler Georg Friedrich Graf von Hertling, der vom November 1917 bis September 1918 dieses Amt ausübte, fertiggebracht.

Reichsstädte, ja sogar Reichsdörfer

Das bürgerliche Element ist in Franken besonders stark vertreten. Es drängt nach Unabhängigkeit vom einheimischen oder Landesadel, läßt sich von den Kaisern und Königen, wo immer es geht, Reichsfreiheit geben. Und das reicht in der Fachwerkheimeligkeit Frankens sogar so weit, daß es nicht nur die Freien Reichsstädte Nürnberg, Rothenburg ob der Tauber, Dinkelsbühl, Windsheim, Weißenburg und Schweinfurt gibt, sondern, beim letztgenannten Schweinfurt, sogar noch Reichsdörfer: Gochsheim, das ab 1234 reichsunmittelbar ist und im 16. Jahrhundert einen »Reichsschultheiß« nachweisen kann, und Sennfeld. Beide haben als Reichsvögte die Würzburger Bischöfe über sich, sind aber – Reichsdörfer, die bis heute noch besondere Bräuche bewahrten. Die stärkste reichsstädtische Kraft in Franken ist natür-lich Nürnberg, das im 15. Jahrhundert mit rund 50 000 Einwohnern zu den wichtigsten und bedeutendsten Städten Europas gezählt werden kann. Die übrigen Reichsstädte Frankens haben deshalb auch allezeit ihre große Schwester als eine Art Autorität anerkannt, was Nürnberg durch viel moralische und materielle Hilfe honoriert. Als etwa die Reichsstadt Windsheim 1730 von einem großen Brand heimgesucht wird, gehen zwar aus dem ganzen Reich Spenden ein, ein Viertel all dieser Beträge kommt aber allein aus Nürnberg. Es gibt Historiker, die aus diesen Gründen den Reichsstädten Weißenburg und Windsheim fast den Charakter von »Trabantenstädten« zuordnen. Versteht man dies nicht im heutigen Sinne, so ist mit einer solchen Darstellung sicher nicht völlig danebengegriffen.

Auch die Freie Reichsstadt Schweinfurt hat es bis ins 18. Jahrhundert hinein nur zum Volumen einer Kleinstadt gebracht. Dreimal wurde Schweinfurt zerstört: 1003, als sich der damalige Herr, Markgraf Heinrich von Schweinfurt (die Schweinfurter hatten hier ihre Stammburg, sie wurden oft auch nach einer Burg auf dem »Babenberg« bei Bamberg genannt), gegen Kaiser Heinrich den Heiligen erhob, 1242/43, als der Würzburger Bischof mit seinen eigenen Hochstiftsvögten, den Henneberger Grafen, um die Rechte an der Stadt ins Raufen kam, 1554 schließlich im Krieg des Markgrafen Albrecht Alcibiades. Immer wieder aber erhebt sich die 1254 schon als reichsfrei bezeugte, wenn auch mehrmals verpfändete Stadt aus der Asche, baut 1570/72 sogar eines der ersten Rathäuser der deutschen Renaissance, führt vor dem Markgräflerkrieg, 1542, den protestantischen Glauben ein. 1631 hält der Schwedenkönig Gustav Adolf seinen Einzug und macht Schweinfurt in aller Eile zu einer Festung. Im Jahre 1802 kommt die Stadt an Bayern, 1810 noch einmal an ein Großherzogtum Würzburg, 1814 dann endgültig an das bayerische Königreich, in dem sie sich immer konsequenter zur Stadt der Industrie, besonders der Kugellager entwickelt.

Gleich Schweinfurt ist auch Windsheim (das heutige Bad Windsheim) bereits um das Jahr 1000 als stadtähnliche Siedlung nachweisbar, und gleich Schweinfurt wird es vom Reich öfter verpfändet, kann sich aber immer wieder selbst freikaufen. Die ersten Reichsstadtprivilegien gewinnt Windsheim schon 1295, bleibt in seiner Ausdehnung aber immer in bescheidenen Grenzen. Vom 16. bis zum Beginn des 19. Jahrhunderts hat es nie mehr als 600 Haushalte. 1802 kommt auch Windsheim an Bayern, fällt 1804 an Preußen, wird ab 1806 französisch verwaltet, um 1810 endgültig bayerisch zu werden.

Weißenburgs römische Vergangenheit als Auxiliarlager »Biriciana« beweisen die stattlichen Reste dieses um 150 n. Chr. von einem hölzernen in ein steinernes Kastell umgewandelten Platzes. Das 867 erstmals genannte »Uuizinburc« hat Kaiser Konrad II. (1024–39) um das Jahr 1030 seinem aufständischen Stiefsohn Herzog Ernst von Schwaben für das Reich weggenommen. In den reichsfreien Status gelangt die mit Münzrecht versehene Stadt im 14. Jahrhundert. Noch heute zeugen die Stadtwehr mit dem großartigen Ellinger Tor vom Bürgerstolz, der es freilich durch die Nähe der Wülzburg ab dem 16. Jahrhundert schwer hatte. Die Wülzburg, ursprünglich ein Kloster auf einem beherrschenden Berg in Sichtweite der Stadt, war an die Ansbacher Markgrafen gekommen, die nach der Reformation aus dem aufgelassenen Kloster eine drohende Festung machten (1588). 1802 kam Weißenburg an Bayern, 1804 an Preußen, 1806 endgültig an Bayern.

Dinkelsbühl, das heute verwaltungsmäßig im mittelfränkischen Kreis Ansbach liegt und von der Bevölkerung her auch mehr fränkisch als schwäbisch ist, hat sich nach 1500, als das Deutsche Reich in sechs Kreise (Franken, Schwaben, Bayern, Niederrhein, Westfalen und Niedersachsen) gegliedert wurde, für den Schwäbischen Reichskreis entschieden, soll aber doch besser als fränkische Stadt aufgeführt sein, da sie nun einmal in Franken liegt. Eine handfeste allererste Jahreszahl für Dinkelsbühl gibt es erst 1188. In diesem Jahr wird ein »burgus Tinkelspuhel« in einem Ehevertrag zwischen Kaiser Barbarossas Sohn Konrad von Rothenburg und der kastilischen Königstochter Berengaria erwähnt. Dinkelsbühl war unter den Stauferkaisern zusammen mit seinen Nachbarn Rothenburg ob der Tauber und Weißenburg die wichtige Verbindung zwischen den Stauferbesitzungen in Schwaben und deren Reichsgut um Nürnberg. Man sieht also, daß diese Stadt, die 1273 Reichsfreiheit und 1305 das gleiche Recht wie die Reichsstadt Ulm erhält, schon früh zwischen Schwaben und Franken vermittelt hat. Gefördert wird Dinkelsbühl, wie viele Städte in Franken und Schwaben, von Kaiser Ludwig dem Bayern in der ersten Hälfte des 14. Jahrhunderts. 1387 gewinnen im Rat der Stadt die Zünfte entscheidenden Einfluß, 1448 wird mit dem Neubau der Sankt-Georgskirche begonnen, 1541 der Protestantismus endgültig eingeführt. Die herrliche Pracht der Bürgerstadt Dinkelsbühl wird um 1600 um das Glanzstück bereichert: Das sogenannte »Deutsche Haus« wird von der Patrizierfamilie Drechsel errichtet. 1632 steht die Furie des Dreißigjährigen Krieges vor den Toren der Stadt, doch verläuft alles glimpflich, was alljährlich im großen Volksfest der »Kinderzeche« gebührend gefeiert wird. Das Ende der Reichsstadt auch hier ein Hin und Her: 1803 Bayern, 1804 Preußen, 1806 französische Verwaltung, dann wieder Bayern.

Rothenburg ob der Tauber: Gipfel der deutschen Romantik

Die meisten Besucher der herrlichen Stadt Rothenburg ob der Tauber sehen in dieser altfränkischen Stadt mit ihrem Fachwerkzauber, ihren Türmen und Toren ein recht romantisches Spielding, ein Wunderland zum Fotografieren und Filmen. Dabei erzählen die alten Häu-

Bild oben: Das wunderschöne Ellinger Tor in der ehemals Freien Reichsstadt Weißenburg in Mittelfranken. – Bild unten: Fröhliches Lagerleben während der »Kinderzeche« auf den Wiesen um die Stadt Dinkelsbühl an der Romantischen Straße.

Bild oben: Das Rathaus von Rothenburg ob der Tauber. Die ehemals Freie Reichsstadt ist heute in aller Welt wegen des »Meistertrunks« aus dem Dreißigjährigen Krieg und wegen ihrer mittelalterlichen Stadtromantik berühmt.

ser, besonders auch die Wehrgänge und Mauern keineswegs harmlose Geschichten aus romantischer Zeit. Die früheren Bewohner dieser heutigen Fachwerkidylle mußten sich gegen Fürstengelüste, mancherlei Kriegsnot und auch Machtansprüche von innen wehren. Da ist die Geschichte vom »Meistertrunk von Rothenburg«, in der ein schluckgewaltiger Bürgermeister namens Nusch die Gnade des erobernden katholisch-kaiserlichen Feldherrn Tilly erwirkt haben soll, nur ein kleiner Teil einer Kette vieler Schwierigkeiten in all den Jahrhunderten.

Rothenburgs Geschichte beginnt um das Jahr 1000 mit einem Grafengeschlecht von Komburg bei Hall (Schwäbisch Hall), das sich auch nach der »Rothen Burg« nennt. 1116 stirbt dieses Geschlecht aus. Die Erben sind die Staufer, die 1172 die bereits angewachsene Burgsiedlung dem Burggrafen von Nürnberg unterstellen. Bereits 1219 ist ein Stadtschultheiß nachweisbar, 1274 erhebt König Rudolf von Habsburg Rothenburg zur Freien Reichsstadt. Die Handwerker in der Stadt fordern im 14. Jahrhundert das Vollbürgerrecht und bekommen dieses 1336. In diesem 14. Jahrhundert schafft sich Rothenburg, in erster Linie durch Kauf, sein bäuerliches Vorfeld, die sogenannte »Landwehr«, die ab 1430 wegen der Hussitengefahr als »Landhege« mit bewehrten Durchlässen versehen wird. Der größte Bürgermeistername Rothenburgs, derjenige des Heinrich Topler (1373–1408), endet in der Tragödie.

Zunächst erreicht die Stadt unter seiner Führung den Höhepunkt ihrer Macht. Topler betreibt viel eigenmächtige und eigenwillige Politik, soll auch in seinem, außerhalb Rothenburgs gelegenen »Toperschlößchen« manchen geheimen Gast empfangen und mit dem liderlichen König Wenzel viel gezecht haben. Im Streit mit der Nürnberger Burggrafenschaft um die Abhängigkeit vom dortigen Landgericht setzt er auf das falsche Pferd: auf König Wenzel, der wegen Unfähigkeit abgesetzt und durch König Ruprecht ersetzt wird. Das bringt die Freie Reichsstadt in politische und damit auch wirtschaftliche Schwierigkeiten, die allein Heinrich Topler zugerechnet werden. Seine Familie flieht, sein Vermögen wird eingezogen, er selbst verhaftet. Im Verlies seiner Heimatstadt stirbt er 1408 aus bisher ungeklärten Gründen, nachdem seine Hinrichtung unausbleiblich schien.

Aus diesen Ereignissen geht Rothenburg, zwar unabhängig vom kaiserlichen Landgericht zu Nürnberg geworden, hervor, ist aber doch in seiner Macht geschwächt. Ab 1450 begehren die Zünfte der Stadt auf und erzwingen eine neue Stadtverfassung. 1525 wird Rothenburg auf der Bauernseite in den Bauernkrieg mit hineingezogen, 1609 tritt es der Protestantischen Union bei und wird daher im Dreißigjährigen Krieg von der kaiserlichen Armee Tillys belagert und eingenommen. Der Meistertrunk des Bürgermeisters Nusch soll die Stadt damals gerettet haben. Gleich fast allen Reichsstädten sinkt die Bedeutung Rothenburgs in den folgenden Jahrhunderten immer mehr. 1803 wird die Stadt bayerisch.

Der Heiligblutaltar vom Würzburger Meister Tilman Riemenschneider ist einer der drei großen
Altäre, die Riemenschneider im Taubertal hinterlassen hat. Das großartige
Schnitzwerk (1501–05), das die Passion Christi zum Thema hat (im Schrein das Abendmahl, Bild oben), befindet sich im
Westchor der St. Jakobskirche von Rothenburg ob der Tauber. In der benachbarten Kirche von
Dettwang steht Riemenschneiders Kreuzaltar, in Creglingen der Marienaltar.

Nürnberg: des Reiches Schatzkästlein

Die Freie Reichsstadt Nürnberg darf man nicht nur als bürgerliches Gemeinwesen innerhalb der mächtigen Stadtmauern sehen, von denen heute noch manches lange Stück erhalten ist. Die Reichsstadt konnte besonders zu Beginn des 16. Jahrhunderts weit über sich hinausgreifen und ein großes Umland sichern, in welchem auch so mancher Herrensitz der Nürnberger Patrizierfamilien heute noch an diese großen Nürnberger Zeiten erinnert.

Die ersten geschichtlichen Zeichen Nürnbergs verweisen auf die Zeit um 1040: Eine Königsburg mit Fronhöfen, einem Markt und einer Lorenzkapelle ist nachweisbar. 1050 schließlich ist bereits ein Hoftag Kaiser Heinrichs III. zu vermelden, in »Nourenberc«, und dieser Name bedeutet so viel wie »nackter, unbewachsener Fels«, wie er etwa ähnlich im rheinischen Namen »Nürburg« auftritt. 1070 entwickelt sich die Verehrungsstätte des heiligen Sebald am Nordufer der Pegnitz zu einer Wallfahrt. 1173 ist bereits der Anfang der Reichsunmittelbarkeit mit einem eigenen Schultheiß eingeleitet, nachdem zuvor, 1167, Kaiser Friedrich Barbarossa eine neue Reichsburg bauen läßt. 1192 lösen die Zollern die bisherigen Grafen von Raabs im kaiserlichen Burggrafenamt ab, erhalten dies 1273 von König Rudolf von Habsburg als erbliches Reichslehen und werden gleichzeitig mit dem kaiserlichen Landgericht in Franken betraut. Die Zöllern nennen sich nun auch schon »Hohenzollern«. Als die reichen Nürnberger 1274 den Bau der Lorenzkirche beginnen, sind sie schon seit 1219 Reichsstädter, seit dem Jahr, in dem Kaiser Friedrich II. den aus den beiden Teilen des Sebalder und des Lorenzer Viertels zusammenwachsenden Ort an den Pegnitzufern zur Reichsstadt erhoben und kaiserliche Schultheißen und Münzmeister eingesetzt hat.

Im Laufe des 14. Jahrhunderts bauen die Nürnberger Handelsherren ihr Geschäft dadurch aus, daß die Reichsstadt mit 72 Ländern und Städten gegenseitige Zollfreiheiten und Handelsvorrechte abschließt, wenn man will, eine Art frühe Klein-EG. Aus 74 Anlässen kommt Kaiser Ludwig der Bayer nach Nürnberg, sein Nachfolger Karl IV. hat 52 Notwendigkeiten in der Stadt zu tagen. Er veröffentlicht auch 1356 die »Goldene Bulle«, eine neue Reichsordnung, die der Stadt das Recht auf den jeweils ersten Reichstag jedes neu gewählten deutschen Königs einräumt. Man sagt zu oft, daß Nürnberg durch diese »Goldene Bulle« aufgeblüht sei. Es war aber vielmehr die Tüchtigkeit der Nürnberger die Voraussetzung zu einer Stadt, in der Kaiser und Fürsten hinter sicheren Mauern und umgeben von weltstädtischer Bequemlichkeit auch tagen konnten und wollten. Ehe diese Bulle Nürnberg privilegierte, war der Reichtum der Patrizier so gewachsen, daß einer von ihnen, Konrad Groß, 1333 bis 1341 das von ihm gestiftete Heiliggeistspital bauen und um diese Zeit auch ganz nebenbei Kaiser

Auf dem Hauptmarkt in Nürnberg, zu Füßen der Liebfrauenkirche und rund um den »Schönen Brunnen« findet alljährlich der »Christkindlesmarkt« mit seinem reichen Angebot an Spielwaren, Baumschmuck und Lebkuchen großen Zulauf.

Ludwig dem Bayern das Reichsschultheißenamt abpfänden konnte. Ihrem böhmischen Gönner Karl IV. gegenüber erwiesen sich die Nürnberger auch insofern dankbar, als sie sein Bildwerk zum Mittelpunkt des »Männleinlaufens« machten. Dies ist ein Glockenspiel, das man 1509 in die Westfassade der Frauenkirche am Hauptmarkt einbaute und das die sieben deutschen Kurfürsten zeigt, die Kaiser Karl IV. huldigen. Der Kaiser hatte 1335 die Frauenkirche gestiftet und sie von einem Prager Meister bauen lassen.

Am Anfang des 15. Jahrhunderts in Nürnberg stehen weitere Privilegien, die diesmal Kaiser Sigismund der Stadt verleiht. 1422 erhält die Stadt das Recht, selbst Münzen zu schlagen. Zwei Jahre später macht sie der Kaiser zum Aufbewahrungsort der Reichsinsignien, die erst 1796 nach Wien gebracht werden, aus Furcht vor den Revolutionsheeren Frankreichs. 1427 kauft Nürnberg die ruinöse Burg der Burggrafen, die sich mittlerweile nach Cadolzburg und Ansbach abgesetzt haben. Nun stehen also Kaiserburg und reichsstädtische Burg nebeneinander auf dem »Norimberg«.

Von etwa 1450 bis 1550 wird Nürnberg die Stadt großer Humanisten, von denen Konrad Celtis (1459–1508, aus Wipfeld bei Würzburg) und der aus Eichstätt stammende Nürnberger Patrizier und Dürerfreund Willibald Pirckheimer (1470–1530) die bedeutendsten Erscheinungen sind. Celtis wird am 18. April 1487 von Kaiser Fried-

Nürnberger Taschenuhr (Germanisches Nationalmuseum Nürnberg), dem Schlossermeister Peter Henlein zugeschrieben, der das Prinzip der Taschenuhr um 1510 erfunden hat. Man nannte die kleinen Zeitmaschinen auch »Nürnberger Ei«.

rich auf der Burg zum »poeta laureatus« gekrönt, zum gepriesenen Dichter. Wen wundert es da noch, daß in dieser Stadt auch der Schuhmacher Hans Sachs zum Federkiel des Poeten greift und daß ehrsame Handwerksmeister die strenge Schule der »Meistersinger von Nürnberg« gründen! Zu den rein geistigen Strömungen dieser Nürnberger Zeit kommen überhaupt die vielen praktischen Künste, das »Nürnberger Ei« (erste Taschenuhr) des Peter Henlein (um 1510), der erste Globus des Nürnberger Kosmographen Martin Behaim, den dieser 1491/93 als Schüler des Regiomontanus herstellt, der seinerseits wieder in der Stadt Nürnberg jene Schriften und Werkzeuge (Epheremiden, »Jakobsstab«) produziert, die Columbus und seine Forscherkollegen benötigen, um die Welt rund und weit machen zu können.

Und dann erst die Nürnberger Künste um diese Zeit! Albrecht Dürer, der größte von allen Nürnberger Künstlern, wird 1471 geboren. Der geniale Bildhauer Veit Stoß schafft 1517/19 den »Englischen Gruß« für den Chorbogen der Lorenzkirche, in die 1493–1496 der Steinbildhauer Adam Krafft bereits das filigrane Sakramentshäuschen gestellt hat. 1508–1519 arbeitet der beste Erzgießer seiner Zeit, Peter Vischer, am Sebaldusgrab für die gotische Kirche dieses Heiligen. Dazu kommen die politischen Geschicklichkeiten Nürnbergs, das im Landshuter Erbfolgekrieg auf der Seite des Kaisers Maximilian I. steht und von ihm aus bisher bayerischem Besitz die wertvollen Ämter Lauf, Hersbruck, Altdorf, Reicheneck, Velden, Betzenstein und Stierberg erhält. Fast ein kleines Herzogtum ist nun die Stadt in ihrem Umland, das mit den beiden großen Reichswäldern, dem von Sankt Sebald und dem von Sankt Lorenz beginnt. In diesem Reichswald werden auch von eigens dafür privilegierten »Zeidlern« (Imkern) die Bienenvölker gehalten, deren Honigüberfluß letzten Endes Nürnberg auch zur Stadt der Lebzelterei macht.

1525 wird in Nürnberg die Reformation eingeführt. Da ist nun die Schwester des Humanisten Willibald Pirckheimer zu vermelden, Caritas Pirckheimer. Trotz vieler Demütigungen von seiten der Bürgerschaft bleibt sie mit ihren Klarissen dem alten Glauben treu. Es kommt sogar zwischen ihr und dem Lutherfreund Philipp Melanchthon im November 1515 zu einer Art »ökumenischen Gesprächs«, bei dem Caritas den von Melanchthon abgelehnten Standpunkt vertritt, man sei den einmal abgegebenen Gelübden lebenslang verpflichtet.

1580 kann die Stadt Nürnberg ihr nach Altdorf hinaus verlegtes Gymnasium zur Akademie erheben, an der 1599 auch der spätere Feldherr Wallenstein eingeschrieben wird, der hier allerdings in erster Linie durch einige böse Streiche auffällt. 1623 wird aus der Akademie eine Universität, an der noch der große Leibniz promovierte. Für Nürnberg aber beginnt im 17. Jahrhundert, bedingt durch den Dreißigjährigen Krieg, ein wirtschaftlicher und politischer Rückgang. Mit dem Reich werden auch die Reichsstädte müde. Gegen Ende des langen Krieges,

1500

A̲D

Albertus Durerus Noricus
ipsum me proprys sic effin-
gebam coloribus ætatis
anno XXVIII.

**Das berühmte Selbstbildnis Albrecht Dürers zeigt den großen Maler im Alter von 29 Jahren, in der
Kraft der vollen Mannesjahre. Das Bild hängt heute in der Alten Pinakothek zu
München, wo sich auch die »Vier Apostel«, ein weiteres Hauptwerk des 1471 in Nürnberg geborenen und 1528 dort auch
gestorbenen Künstlers, befinden. Umfangreich ist das zu seiner Zeit besonders gut zu
verkaufende graphische Werk Dürers (Apokalypse, Passionen, Marienleben).**

1644, blüht barocke Dichtkunst im wahrsten Sinne des Wortes auf: Um Georg Philipp Harsdörffer, Sohn einer ratsfähigen Nürnberger Familie und gewesener Student zu Altdorf, entsteht der »Pegnesische Blumenorden«, eine barocke Dichterzunft, die auf einer Pegnitzinsel (ab 1676 auch im eigenen »Irrhain« bei Kraftshof vor der Stadt) ihre poetischen Zusammenkünfte hat. Der Orden besteht übrigens heute noch.

Als die Gebiete der Markgrafen von Ansbach und Bayreuth 1791 an Preußen fallen, entschließen sich die Nürnberger als Nachbarn in einer Abstimmung ebenfalls für einen Anschluß an Preußen. Der kaisertreue Rat setzt aber diese Volksabstimmung nicht in die Tat um. Als 1806 die nun ehemals Freie Reichsstadt an Bayern kommt, sind noch ganze 700 Gulden in der Stadtkasse. Auf der Burg aber wehen künftig zwei Fahnen, traditionshalber: die der Hohenzollern und die der Wittelsbacher.

Im Coburger Land wohnen Wunsch-Bayern

Als nach der Novemberrevolution von 1918 das Ende der Fürstentümer in Deutschland herangekommen war, stellte sich für die Menschen im bisherigen Herzogtum Sachsen-Coburg und Gotha die Frage nach der politisch-verwaltungsmäßigen Zukunft. Zum neuen Freistaat Thüringen oder zum neuen Freistaat Bayern, das war die Frage. Das alte Herzogtum Gotha, das erst seit 1826 zu dem Herzogtum Sachsen-Coburg gehört hatte, entschloß sich für Thüringen, die Einwohner des südlicheren, eigentlich fränkischen Landesteils Sachsen-Coburg stimmten in einem Volksentscheid mehrheitlich für den Freistaat Bayern, dem das Coburger Land im Sommer 1920 auch angeschlossen wurde, nachdem zuvor in einem Vertrag dem Freistaat Bayern die besondere Fürsorge um jene kulturellen Institutionen auferlegt worden war, die heute unter den Begriff der Coburger »Landesstiftung« fallen. Dazu gehören vor allem die wertvollen Sammlungen auf der Veste Coburg und das »Landestheater«.

Wer heute nach Coburg kommt, ohne die Geschichte der Stadt und ihres Umlandes zu kennen, steht ein wenig ratlos vor den großen Bauten der Stadt. Da ist die späte Gotik der Morizkirche, die nahezu »ortseigene« Renaissance der Kanzlei, des Gymnasiums »Casimirianum« und des vorbarocken Zeughauses, da ist unter der weithin sichtbaren Veste Coburg die Stadtresidenz der »Ehrenburg«, die so viele neugotische Maskierungen hat, und da stehen in den Straßenzügen geradezu englisch-gotische Bürgerhäuser. Dazu kommt noch am Markt das Rathaus, vorwiegend auch im Stil der Renaissance. Mitten auf dem Platz, den der Duft hier feilgebotener Thüringer Bratwürste durchzieht und der viele Stunden in der Woche dem Farbenreichtum der Obst- und Gemüsestände gehört, steht in Erz gegossen ein englischer Prinzgemahl: Albert von Coburg, dessen Gemahlin, Königin Vic-

toria, eine Coburger Mutter hatte und Gemahl und Mutter einmal betrauerte: »Ach Gott! Wie schrecklich sehne ich mich nach allem, was deutsch ist! Waren doch mein Mann und meine Mutter deutsch aus dem selben Orte, und nun sind beide dahin!« Das Denkmal auf dem Markt hat die langlebige Königin Victoria der Stadt ihres verstorbenen Gemahls und ihrer verstorbenen Mutter geschenkt. Und ihr englischer Einfluß dürfte eben so manche Fassade Londoner Nobelviertel in Coburg hinterlassen haben.

Die Renaissance um den Marktplatz, die Kanzlei, das Zeughaus und das Schulhaus des »Casimirianum« stammen ebenfalls von einem Langlebigen aus dem Hause Sachsen-Coburg: Herzog Casimir (1564–1633), der ab 1586 regiert, läßt alle drei Bauten von Peter Seneglaub errichten. An der Stadtresidenz der »Ehrenburg« aber haben von 1543 an die Landesherren immer wieder herumbauen lassen, bis sich die einzelnen Komplexe im mittleren 19. Jahrhundert neugotisch und auch ein wenig englisch maskierten, nach Art der Königin Viktoria. Überhöht wird alles Bauen der Stadt Coburg von der ge-

Bild oben: Die Veste Coburg birgt wertvolle Sammlungen der Kunst und Kulturgeschichte. – Bild unten: Im »Lutherzimmer« der Veste Coburg wartete der Reformator 1530 auf den Ausgang der Augsburger Religionsverhandlungen.

waltigen (zu Beginn dieses Jahrhunderts stark überarbeiteten) Veste Coburg, die man ob ihrer beherrschenden Lage mitunter auch »Frankens Krone« nennt. Hier war 1530 Martin Luther lange und bange Wochen ein von der Welt abgeschiedener Gast, der auf das Ergebnis der Religionsverhandlungen von Augsburg wartete und sich dabei in der sicheren Obhut seines sächsischen Landesherrn Johann Casimir befand. Von seiner Stube aus hat er den Vogelschwärmen zugeschaut und vom »Reichstag der Dohlen und Krähen« allegorisch geschrieben. Rührende Zeilen wanderten von der Veste aus auch zu seinem Söhnchen heim.

Coburgs Geschichte? Eine verwirrende Wechselei von einem Geschlecht und von einer Linie zur anderen. 1248 bekommen die mächtigen Grafen von Henneberg Coburg von den ausgestorbenen Andechs-Meraniern. Zwei Schwiegersöhne des letzten Hennebergers wiederum teilen 1354 das Coburger Land unter sich, das 1485 an die sogenannte »Ernestinische Linie« der Wettiner fällt. Diese wiederum teilen 1572, wobei der große Bauherr Johann Casimir das unmittelbare Gebiet Coburg erhält. 1672 erbt Herzog Ernst der Fromme von Sachsen-Gotha auch Sachsen-Coburg, doch wird 1680 schon wieder zerstückelt. Nach mancherlei weiterem Hin und Her vereint man sich 1826 zum Herzogtum »Sachsen-Coburg und Gotha«, das im 19. Jahrhundert nicht teilt, sondern in alle wichtigen Fürstenhäuser Europas hineinheiratet, wobei die Hochzeit des in Coburg geborenen Prinzen Albert mit Königin Victoria die Krönung dieser Eheschließungen ist. Die Coburger sind darüber hinaus mit den Häusern Belgiens, Rußlands, Österreichs, Hessens, ja sogar mit dem unglücklichen Kaiser von Mexiko, Erzherzog Ferdinand Maximilian von Habsburg (erschossen 1867) verheiratet. Auch der zu Mayerling so tragisch endende Kronprinz Rudolf von Habsburg hat eine Coburgerin zur Frau.

Mit dem Lande Coburg kam auch dessen bayerische Exklave Königsberg (das heutige »Königsberg in Bayern«) 1920 an den Freistaat Bayern. Dieses bezaubernde Fachwerkstädtchen ist die Heimat des hier 1436 geborenen Johannes Müller, der sich als Astronom und Mathematiker in lateinischer Abwandlung nach seinem Geburtsort »Regiomontanus« nennt, »der Königsberger«. Mit 12 Jahren studierte er in Leipzig, mit 21 Jahren lehrte er als Magister an der Universität Wien. Mit seinen Erkenntnissen und Berechnungen war er der früheste eines Dreigestirns Regiomontanus – Kopernikus – Kepler, das die moderne Astronomie und das heutige Weltbild begründet. 1476 starb er in Rom, an einer Seuche, wie anzunehmen ist, an Gift, wie ein damaliges Gerücht behauptete. Zu Nürnberg wertete Regiomontanus seine Erkenntnisse und Erfindungen (vor allem die Ephemeriden und den »Jakobsstab«) kommerziell in einer Druckerei und in der Herstellung astronomischer Geräte aus, wobei der Nürnberger Martin Behaim von ihm die Kenntnisse für seinen ersten Erdglobus gewann.

Zwischen Ries und Bodensee: die schwäbische Nachbarschaft

Gleich dem heute bayerischen Franken
zeigt auch die historische Landkarte von
Bayrisch-Schwaben eine bunte Vielzahl von kleinen
Herrschaften, aus denen ein paar weltliche und geistliche
Machtblöcke herausragen: die meist von den Staufen
übernommenen Besitzungen der Wittelsbacher, das habsburgische
Schwaben (ein Teil des sogenannten »Vorderösterreich«), die mehr oder weniger zusammenhängenden
Gebiete des Fürstbistums Augsburg und der Fürstabtei Kempten. Rittertümer, kleinere geistliche Territorien
und die Reichsstädte Augsburg, Memmingen, Kaufbeuren,
Lindau und Nördlingen kennzeichnen weiterhin
die historische Landschaft, wobei sich Augsburg durch
seine Pracht und großkaufmännische Macht
besonders hervortut. Viele Gesichter hat auch die Landschaft
im bayerischen Schwaben. Oben im Norden hat ein
riesiger Meteoriteneinschlag das kreisrunde und fruchtbare
Becken des Rieses hinterlassen. Vor dem
Gebirge, zur Donau hin, sind zur Eiszeit oft tief
eingeschnittene Täler des Lech, der Wertach und der
Iller entstanden. Im Süden baut sich die Welt der Allgäuer
Alpen auf, und ganz im Südwesten hat das heutige Bayern
mit der Inselstadt Lindau und dem malerischen
Wasserburg am Bodensee (Bild links) ein
Fenster zur Landschaft des Bodensees.

Bayerns langes Liebäugeln mit Schwaben

Ist das bayerische Franken in seiner Geschichte und früheren territorialen Gliederung schon Vielfalt genug, so wird im heute bayerischen Teil Schwabens, der Heimat von Schwaben und Alamannen zwischen dem Ries und dem Gebirge, die historisch-territoriale Vielfalt noch vielfältiger. Die Charakteristik der einzelnen Herrschaften gleicht derjenigen in Franken: geistliche und weltliche Territorien unterschiedlicher Größe und Macht, Reichsstädte und die Reichsritterschaft »Zum Sankt-Jörgenschild«. Die größeren weltlichen Territorien sind das wittelsbachische Herzogtum Pfalz-Neuburg (die »Junge Pfalz« aus dem Landshuter Erbfolgekrieg), die habsburgische Markgrafschaft Burgau (»Vorderösterreich«), die Besitzungen der Reichsfürsten Fugger-Babenhausen und der Reichsgrafen Fugger und diejenigen der Grafen und späteren Fürsten von Oettingen im Ries. Dazu gibt es noch zahlreiche Grafschaften und kleinere Herrschaften und die schwäbische Reichsritterschaft. Auch Bayrisch-Schwaben hat seine Reichsstädte, allen voran das großartige Augsburg, dazu noch Kempten, Lindau, Memmingen, Kaufbeuren, Donauwörth und das heute noch so wohlerhaltene Nördlingen. Neben kleineren Reichsabteien und einer »Reichskartause« Buxheim (bei Memmingen) sind die großen geistlichen Herren vor allem das Hochstift Augsburg mit seiner Residenz- und Universitätsstadt Dillingen, die Reichsstifte Kempten, Ottobeuren, Sankt Ulrich und Afra in Augsburg, Lindau, Wettenhausen und Roggenburg.

Gleich Franken ist auch das alte Schwaben, das man freilich nicht mit unserem heutigen Bayrisch-Schwaben vergleichen darf, zu einem großen Teil Reichsland, das aus dem alten Herzogtum Alamannien hervorgegangen war, dessen Name sich im 9. Jahrhundert in Schwaben umwandelte, wobei zu dieser Zeit schon nicht mehr das alte alamannische Herzogtum existierte, sondern ein in Grafschaften eingeteiltes und von Franken weitgehend beherrschtes Gebiet. Erst unter Burchard dem Jüngeren aus dem Geschlecht der Hunfridinger (917–26) entsteht ein neues Herzogtum Schwaben, in welchem später die Welfen, Zähringer und Rheinfeldener die tonangebenden Adelsfamilien sind. Die Welfen sind Herzöge von Bayern, die Zähringer haben im 11. Jahrhundert das Herzogtum Kärnten inne und die Rheinfeldener dasjenige von Schwaben. Als König Heinrich IV. wegen des Investiturstreits (Einsetzung der Bischöfe durch den Kaiser) in den päpstlichen Bann gerät und aus diesem durch den Gang nach Canossa befreit wird, werden die drei Herzöge der Welfen, der Rheinfeldener und der Zähringer abtrünnig. Nach seiner Rückkehr gibt an Ostern 1079 König Heinrich IV. das Herzogtum Schwaben an Friedrich von Büren, macht ihn auch zu seinem Schwiegersohn. Dieser Friedrich wird im Laufe seines Lebens zum Bauherrn der Burg Staufen (Hohenstaufen) bei Göppin-

gen und gibt damit seinem Geschlecht, das bald zu deutschen Königswürden gelangt, den neuen Namen. Die Staufen haben den größten Teil Schwabens zum Kronland, besonders auch den östlichen, das heutige Bayrisch-Schwaben. Als der letzte Staufer, Konradin, in Neapel von seinen Feinden hingerichtet wird (1268), können die wittelsbachischen Bayernherzöge Ludwig der Strenge (II.) und Heinrich XIII. (Niederbayern-Landshut) einen Gutteil des ihnen von Konrad zugeschriebenen Erbes in Schwaben und auf dem »Nordgau« (östliches Franken und Oberpfalz) einziehen. Damit nimmt ein langes Liebäugeln mit dem schönen und fleißigen bayerischen Nachbarland seinen Anfang.

Dies kann Bayern 1268/69 aus dem schwäbischen Staufererbe sogleich besetzen und behaupten: die Grafschaft Dillingen (ohne die Stadt Dillingen, aber mit der Stadt Lauingen), das Amt Mering, die am rechten Lechufer gelegenen Städte Friedberg (Bayerns Brückenkopf zu Augsburg), Landsberg und Schongau, vorübergehend zunächst nur die Stadt und Reichspflege von Donauwörth. Zuvor, 1248, hat Bayern schon die Grafschaft Neuburg an der Donau erworben.

Kaiser Rudolf von Habsburg (1273–91) versucht, die Reichsstellung in Ostschwaben wieder zu festigen, gibt bis 1289 auch den Städten Augsburg, Lindau, Kempten, Kaufbeuren und Memmingen Vorrechte, die den Weg zur Freien Reichsstadt ebnen. Kaiser Ludwig der Bayer, ein wahrer Bürgerkönig, setzt in der ersten Hälfte des 14. Jahrhunderts diese Entwicklung fort, erhebt Augsburg 1316 ausdrücklich zur Reichsstadt und macht auch das dortige Benediktinerstift Sankt Ulrich und Afra zum Reichsstift. Das habsburgische Burgau belagert er 1324/25 vergeblich, kann aber 1342 die Grafschaften Lechsgemünd-Graisbach und Marstetten nach dem Aussterben der dortigen Adelsgeschlechter einziehen und damit das 1301 wieder ans Reich verlorengegangene Donauwörth einschnüren. Unter Ludwigs Nachfolger auf dem deutschen Kaiserthron, Karl IV., können das Hochstift Augsburg und das Fürststift Kempten ihre Besitzungen abrunden. Im Ries aber wächst die Grafschaft Oettingen zu einem geschlossenen Herrschaftsgebiet heran.

Das 15. Jahrhundert bringt in der zweiten Hälfte ein besonders heftiges Liebäugeln Bayerns mit Schwaben, so heftig, daß auf Betreiben Kaiser Friedrichs III., der um seine Hausmachtgebiete in Schwaben bangen muß, der »Schwäbische Bund« (1488) gegründet wird, dem sich nahezu alle Territorialherren Schwabens anschließen. Herzog Ludwig der Reiche hatte für sein Niederbayern schon 1450 die Herrschaft Heidenheim an der Brenz angekauft, ab 1467 noch einige weitere Städte und Kleingebiete in Schwaben erworben. Sein Sohn, Georg der Reiche, belagert Nördlingen, kauft den wallersteinschen Anteil an der Grafschaft Oettingen, kann sogar die Markgrafschaft Burgau und die Landvogtei Oberschwaben im Jahre 1487 erwerben. Da kommt nun 1488 die

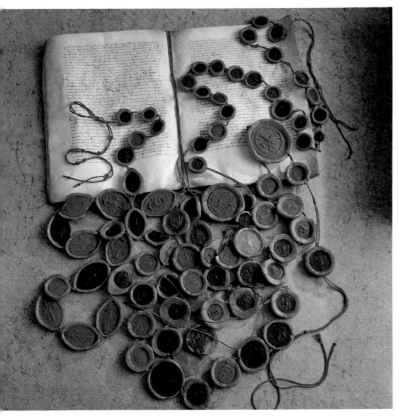

Antwort: der »Schwäbische Bund«. Schon 1491/92 kann der Ankauf Burgaus wieder rückgängig gemacht werden, und Habsburg löst auch die oberschwäbische Landvogtei wieder ein. Der Schwäbische Bund steht mit Kaiser Maximilian I. im Landshuter Erbfolgekrieg von 1504/05 auf der Seite der Münchner Wittelsbacher gegen deren Landshuter Vettern. Am Ende dieses Krieges, der für das nun vereinte Herzogtum bekanntlich viele Verluste brachte, entsteht die »Junge Pfalz« mit ihrem Sitz in Neuburg an der Donau. Kaiser Maximilian läßt sich von den Münchner Wittelsbachern reich mit Landshuter Besitz entlohnen, in Schwaben vor allem mit den bayerischen Erwerbungen an Iller und Brenz.

Mit dem 16. Jahrhundert hält in einigen Teilen Schwabens, besonders in Pfalz-Neuburg und in den Reichsstädten, die Reformation Einzug, wobei Augsburg mehrmals wichtigster Ort für Gespräche um Glauben und Politik ist. 1525 bricht in ganz Ostschwaben der Bauernkrieg aus. Dreifach stoßen die Bauern zu, im »Allgäuer Haufen«, im »Seehaufen« (Bodensee) und im »Baltringer Haufen« des mittleren Schwabens. In der Reichsstadt Memmingen organisieren sich die drei Bauernheere einheitlich und verkünden die »Zwölf Artikel« als ihr gemeinsames Programm, das sich letzten Endes an den Lehren und Thesen Martin Luthers orientiert, vergeblich, wie man weiß. Der Schwäbische Bund, 1488 gegen Bayern gegründet, schlägt nun die Bauern nieder, zuletzt den

Bild oben: Die Siegel des Schwäbischen Bundes aus dem Jahre 1512 (im Stadtarchiv Augsburg). Der Schwäbische Bund existierte von 1488 bis 1534. Er wurde auf Anregung von Kaiser Friedrich III. gegen die Expansionsbestrebungen der bayerischen Wittelsbacher in Schwaben gegründet. Mitglieder waren schwäbische Fürsten, Ritter und Reichsstädte. – Bild unten: Dillingen an der Donau, die Studienkirche mit der palastartigen Front des Jesuitenkollegs.

Allgäuer Haufen, der bei den bayerischen Nachbarhöfen vergeblich ums Mitmachen angeklopft hatte. Gleich den Bauern sind auch im selben Jahrhundert die Handwerker in den Reichsstädten Ostschwabens die Verlierer. Sie haben sich im 14. Jahrhundert in den Stadtregierungen Mitspracherechte erworben, die sie 1548 in Augsburg und 1551/52 in den anderen Städten auf kaiserlichen Befehl (Karl V.) wieder an das Patriziat verlieren.

In der zweiten Hälfte des 16. Jahrhunderts setzt die Gegenreformation ein. Zu diesem Zweck gründet Bischof Otto Truchseß von Waldburg (1543–73, seit 1544 Kardinal) in seiner Regierungsstadt Dillingen eine Universität, die er 1563 den Jesuiten übergibt. Den Jesuiten Petrus Canisius beruft er in Augsburg zum Domprediger. Gegen den »Augsburger Religionsfrieden« des Jahres 1555 protestiert er als einziger Reichsstand. Durch die Gegenreformation gelangt auch die Reichsstadt Donauwörth endgültig an Bayern, das 1607 mit dem Vollzug der Reichsacht betraut wird, die Stadt 1609 zum dauernden Pfand erhält, sie rekatholisiert und 1749 vollrechtlich einziehen kann. Die protestantische Mehrheit der Donauwörther Bürger hatte sich 1607 die Reichsacht zugezogen, da sie – entgegen dem Augsburger Religionsfrieden – die katholische Minderheit in ihrer Religionsfreiheit störte.

Die Statue des großen Landsknechtsführers
Georg von Frundsberg (1473–1528) am Rathaus
der Stadt Mindelheim. Die Frundsbergs
saßen von 1467 bis 1589 (Aussterben des Geschlechts)
auf der Mindelburg über ihrer Stadt.

Auf recht verzwickte Weise kommt die Stadt Mindelheim, die aus einem karolingischen Reichshof entstanden ist, an Bayern. Bis ins 15. Jahrhundert hinein wechselt Mindelheim mit der darüber aufragenden Mindelburg sehr oft die Herren. 1467 erhalten es die Frundsberg, deren bedeutendstes Familienmitglied der Landsknechtsführer Georg I. von Frundsberg ist, zusammen mit den umliegenden Dörfern. 1586 sterben auch die Frundsberg aus. Aus sehr schwierigen Erbverhältnissen wird 1614 Mindelheim von einem der Erben, Wolf Veit von Maxlrain, an Herzog Maximilian von Bayern verkauft. Die Fugger, ebenfalls erbberechtigt, bestreiten die Rechtmäßigkeit des Verkaufs, lassen sich aber vom Bayernherzog bis 1618 mit Geld abfinden. Damit ist Mindelheim noch nicht auf ewig bei Bayern. Im Spanischen Erbfolgekrieg schenkt Kaiser Joseph I. das »Fürstentum Mindelheim« an den Sieger der Schlacht von Höchstädt, den englischen Herzog von Marlborough, der den bayerischen Kurfürsten Max II. Emanuel entscheidend geschlagen hat. 1714 erhält Bayern im Frieden von Rastatt Mindelheim und alle seine anderen schwäbischen Besitzungen wieder zurück.

Das Beispiel einer kleinen Herrschaft, die bald Bayern gehörte, haben wir in Schwabegg, 1110 schon als Amtsburg der Hochvögte des Bistums Augsburg genannt. Aus dem Stauffererbe Konradins geht es 1268 an die Wittelsbacher über. 1550 läßt sich Herzog Albrecht V. von Bayern in aller Form vom Reich mit Schwabegg belehnen. Zuletzt ist es ab 1688 ein Reichslehen in Händen des bayerischen Prinzen Maximilian Philipp, eines Bruders des Kurfürsten Ferdinand Maria. Die Residenz ist Türkheim. Nach dem Tod des Prinzen wird die Herrschaft Schwabegg 1705 an Bayern zurückgegeben.

Im Gegensatz zu Schwabegg (bei Schwabmünchen) gelangt das ebenfalls staufische Hohenschwangau erst später an Bayern. 1440 kauft Herzog Albrecht III. von Bayern-München die Herrschaft Georg von Schwangau ab, doch ist dies noch nicht endgültig. Die Herrschaft wechselt immer wieder ihren Besitzer. 1567 schließlich kann Herzog Albrecht IV. Hohenschwangau dem Markgrafen Georg Friedrich von Ansbach-Bayreuth (Kulmbach) wieder abkaufen, 1604 sichert sich Herzog Maximilian I. die Anwartschaft auf die mit Hohenschwangau verbundenen Reichslehen, die seinem Sohn Ferdinand Maria 1670 dann zuteil werden. So konnte im 19. Jahrhundert Bayernkönig Max II. Hohenschwangau zum Sommerschloß ausbauen und König Ludwig II. daneben sein Märchenschloß Neuschwanstein stellen.

Das bayerische Streben nach dem östlichen Schwaben gereicht zum vollen Erfolg in den Zeiten Napoleons. Trotz Gegenwehr Habsburgs, das die Babenhausener Fuggergrafen schnell noch zu Reichsfürsten macht, gelangen seit dem Reichsdeputations-Hauptschluß von 1803 schrittweise alle Herrschaften an Bayern, zuletzt, 1806, die Grafschaften der Oettingen und Fugger. Im Jahre 1810 bestimmt ein Staatsvertrag mit dem ebenfalls jungen Nachbarkönigreich Württemberg die endgültigen Grenzen, wobei von der herrlichen Reichsstadt Ulm (1803 bayerisch) nur noch das Garten-Südufer, vom Allgäu und Ries aber die jeweils größeren Teile bei Bayern verbleiben.

Augsburg, die Stadt der Kaiser und der Kaisermacher

Mit Regensburg und Kempten gehört Augsburg zu den ältesten Städten des heutigen Bayern. Es ist aus der Hauptstadt der römischen Provinz Raetien hervorgegangen, aus »Augusta Vindelicum«, das mit der Märtyrerin Afra die früheste Heilige auf heute bayerischem Boden in seinen Mauern gehabt hat. Der nächste bedeutende Name in Augsburg ist schon wieder der eines Heiligen: der des Bischofs Ulrich (890–973), der 923 in sein hohes kirchliches Amt kam, 955 die Stadt gegen die Ungarn verteidigte (nachdem er ab 926 sein Augsburg besser befestigen ließ) und damit zur vernichtenden Niederlage der Ungarn beitrug, die ihnen Ulrichs Freund, König Otto I., auf dem Lechfeld vor der Stadt beibrachte. Schon 993 wurde Ulrich als erster »kanonischer Heiliger«, also durch ein ordentliches Verfahren am päpstlichen Stuhl, zur Ehre der Altäre erhoben.

In das Gewölbe der Pfarrkirche St. Ulrich zu Eresing (zwischen Landsberg und dem Ammersee gelegen) hat Franz Martin Kuen aus Weißenhorn die Bilder der Legende des heiligen Bischofs Ulrich gemalt. Im Mittelpunkt steht das Geschehen der Ungarnschlacht auf dem Lechfeld im Jahre 955, die entscheidende Wende und das Ende der jahrzehntelangen Ungareinfälle des 10. Jahrhunderts. Bischof Ulrich hatte damals die Verteidigung Augsburgs geleitet.

In der Stadt Schongau, auf einem Hügel über dem Lechtal gelegen, haben sich die Stadttore und Wehrgänge noch bis auf den heutigen Tag erhalten. Schongau, das erst
zu Beginn des 13. Jahrhunderts gegründet wurde, blühte unter den Staufen rasch auf. 1269, nach dem Aussterben des
Staufergeschlechts, wurde die Stadt bayerisch. Handelsprivilegien förderten Schongau, das an der
schon zur Römerzeit benützten Straße von Augsburg zum Brenner gelegen ist.

Bild oben: Porträt des Bartholomäus Welser, 1550. – Bild unten: Votivkirche St. Thekla in Welden bei Augsburg. Der sogenannte Stiftungsaltar zeigt den Stifter, Graf Josef Maria Fugger, mit seiner Beschützerin Sankt Thekla.

Im Jahr 1270 setzt sich Augsburg gegen den Bayernherzog Ludwig den Strengen zur Wehr, der aus dem konradinischen Staufererbe das nahe Friedberg (zusammen mit dem jungen Staufer hat er es vor dessen Tod erbaut) bekommen hat. An der Schmutter besiegen Stadt und Bischof den Bayern, unter dessen Schutz sich aber 1292 die Stadt Augsburg stellt. Vom Sohn dieses Ludwig, Kaiser Ludwig dem Bayern, wird den Augsburgern im Jahr 1316 ausdrücklich ihre Reichsfreiheit bestätigt, die Rudolf von Habsburg 1276 bereits anerkannt hatte. Von diesem Jahr 1276 an bis 1368 verwaltet das Patriziat die Stadt, muß dann den Zünften eine neue Verfassung erlauben, die von Kaiser Karl IV. 1374 bestätigt, von Kaiser Karl V. aber 1548 zugunsten der Patrizier wieder annulliert wird.

In der Faschingszeit 1428 kommt der junge Bayernherzog Albrecht zum Turnier, erholt sich in der Bernauerschen Badstube am Vorderen Lech, verliebt sich in Agnes Bernauerin, heiratet sie heimlich und muß 1435 ihren grausamen Tod beklagen, den sie von seines Vaters Hand zu Straubing erfahren mußte. Was für ein ungleich besseres Geschick widerfährt da einer anderen Schönen von Augsburg, ein Jahrhundert später! 1547 reist der habsburgische Erzherzog Ferdinand zu einem Reichstag nach Augsburg, sieht die Patrizierstochter Philippine Welser, macht sie zu seiner Geliebten und heimlichen Ehefrau. Als Ferdinands Vater, Kaiser Ferdinand I., von der Sache erfährt, gibt es keinen Hexenprozeß und kein Ertränken. Der Kaiser erhebt Philippine zur »Freiin von Zinnenberg«, und alle Heimlichkeit kann ein Ende haben. So wurden Philippine und ihr Erzherzog, mit dem sie besonders auf dem von ihnen ausgebauten Schloß Ambras bei Innsbruck in Liebe und großer Freude lebte, ein geradezu klassisches Liebespaar. Am Ende wird die 1527 zu Augsburg geborene Welserin 1580 in der »Silbernen Kapelle« zu Innsbruck begraben. Von ihrer Liebe und ihrem Leben spricht man heute noch, ihre Sammlung von Kochrezepten aber ehren die schöne Dame auch noch als tadellose Hausfrau.

Die Welser und die Fugger. Zwei Patrizierfamilien, denen in der ganzen Geschichte der deutschen Reichsstädte keine Familie in ihrem Erfolg gleichzusetzen ist. Die Fugger wurden später Grafen, ja sogar Fürsten, die Welser aber erwarben auf dem neuentdeckten Kontinent Amerika das Gebiet des heutigen Venezuela (1528), das viel Blut kostete, aber auch enormen Gewinn einbrachte. Bartholomäus Welser, der bedeutendste Mann dieses Geschlechts (gestorben 1561), schickte sogar 1541 seinen ältesten Sohn in die Kolonie Venezuela. Dieser wurde dort von einem Sklaven gegen Belohnung erstochen. 1556 verloren die Welser ihren südamerikanischen Besitz wieder.

Jakob Fugger der Reiche (1459–1525) hatte aus seiner Familie von Webern durch Bergwerksrechte eine Familie von Multimillionären gemacht. Er hat die »Fuggerei« gegründet, die erste Reihenhaus- und Sozialsiedlung der

Welt, in welcher heute noch die Jahresmiete den Gegenwert eines einzigen Gulden der Fuggerzeit kostet, wobei allerdings die Umlagen der Stadt Augsburg ein Vielfaches der Miete ausmachen. Jakob Fugger konnte an seinen Kaiser Karl V., dem er sozusagen die Wahl finanziert hatte, schreiben: »Es ist wissentlich und liegt am Tage, daß Eure kaiserliche Majestät die Römisch Kron außer mein nicht hätte erlangen mögen.« Die Fugger hatten bereits Karls V. Vorgänger, dem Kaiser Maximilian I., mit großen Geldbeträgen ausgeholfen. Das war mit ein Grund, warum sich Maximilian so oft und so gern in Augsburg aufgehalten hat. Man nannte ihn schon spöttisch den »Bürgermeister von Augsburg«. So war Augsburg in der Renaissancezeit die Stadt der Kaiser und der Kaisermacher.

Bescheidener vollzog sich da schon das Leben zweier Augsburger Maler, die beide Zeitgenossen Jakob Fuggers des Reichen gewesen sind. Ihr Haus lag im »Künstlerviertel« am Vorderen Lech, wo auch viele Handwerker daheim waren. Ihre Namen: Hans Holbein der Ältere (gest. 1524 zu Isenheim) und sein 1497 am »Vorderen Lech« zu Augsburg geborener und 1543 zu London gestorbener Sohn Hans Holbein der Jüngere, der von des Vaters gotischem Stil auf die gefragte Renaissance umwechselte.

Das 16. Jahrhundert steht in Augsburg auch im Zeichen Martin Luthers, der 1518 nach Augsburg kam, um mit dem päpstlichen Legaten, Kardinal Jakob von Vio de Gaeta (kurz »Cajetan« genannt) ein Streitgespräch zu führen, das Luther durch nächtliche Flucht beendete. 1530 wurde in der Stadt das »Augsburger Bekenntnis« abgefaßt und 1555 der Religionsfrieden geschlossen, dem zu Augsburg immer noch ein besonderer Stadtfeiertag, das »Friedensfest« gewidmet ist. Ehe, auch um des Glaubens willen, der Dreißigjährige Krieg Augsburg Not und Elend bringt, arbeitet der große Baumeister dieser Stadt, Elias Holl, an jenen Werken, die Augsburg architektonisch noch heute bestimmen: Perlachturm, das großartige und ungemein hohe Rathaus, das Zeughaus, die Stadtmetzg, das Heiliggeistspital und manches andere. Elias Holl (1573–1646), dessen Rat auch andernorts gefragt war (etwa im katholischen Eichstätt), machte sein Augsburg, das ihn als Stadtbaumeister beschäftigte, zur Stadt der Renaissance. Noch der Schriftsteller des 20. Jahrhunderts, Stefan Zweig, wird nicht zuletzt wegen der Hollschen Bauhinterlassenschaft sagen: »Ich verdanke Augsburg einen der stärksten bildnerischen Eindrücke, die mir je eine Stadt gegeben.«

Als man ab 1770 die Manufaktur des Kattunfabrikanten Schüle vor dem Roten Tor errichtete, begann Augsburgs neues Leben als Stadt der Industrie. Das hat natürlich auch mit der Tradition der Fugger und Welser und den großartigen Handfertigkeiten etwas zu tun und auch damit, daß man in der Freien Reichsstadt dem Neuen eben meistens aufgeschlossen gegenüberstand. Da wird 1373 schon die erste Feuerbüchse in Augsburg gegossen, 1468

gibt es den ersten Buchdruck, 1689 eröffnet die erste von später zahlreichen lukrativen Kattundruckereien, von denen diejenige des Johann Heinrich Schüle im 18. Jahrhundert das Zeitalter der Industrie eröffnete. Nachdem 1482 schon eine »Neue Zeitung« in Augsburg gedruckt wurde, erschien ab 1810 die »Allgemeine Zeitung« des Verlegers Johann Friedrich von Cotta in Augsburg, ein Weltblatt im damaligen Sinne, das 1824 auf der ersten Bauerschen Schnellpresse Süddeutschlands gedruckt wurde. Der Kunst erwies die 1710 gegründete Augsburger Akademie wertvolle Dienste, erhielten doch einige Maler des Rokoko hier ihre Ausbildung. Und die Musik? Auch wenn Wolfgang Amadeus Mozart zu Salzburg geboren ist, so war sein von ihm so sehr geliebtes und oft genecktes »Bäsle«, gleich seinem Vater Leopold, von absolut schwäbisch-augsburgischer Herkunft.

Viel Freude hatten die Augsburger gewiß nicht, als im Dezember 1805 ihre künftigen Herren in Uniform in die Stadt kamen: die Bayern. Aber Augsburg blühte im Königreich weit mehr als in den letzten Jahrzehnten seiner Reichsstadtzeit. Fleiß der Bewohner und viel Unternehmer- und Erfindergeist haben Augsburg auch in modernen Zeiten Glück und Ansehen gebracht. Ein Name genügt: Der 1858 in Paris geborene Schwabe Rudolf Diesel entwickelt 1893–1897 in der Augsburger Maschinenfabrik seinen revolutionären Motor. Übrigens, als Rudolf Diesel in Paris zur Welt kam, war gerade ein Augsburger Schüler der letzte Kaiser Frankreichs: Napoleon III. Dieser Stiefenkel des ersten Napoleon lebte mit seiner Mutter Hortense (geborene Beauharnais und damit Stieftochter Napoleon Bonapartes) acht Jahre in Augsburg, wo er das Sankt-Anna-Gymnasium mit gutem Erfolg besuchte. Sein Taschengeld war knapp bemessen, und so können noch heute Augsburger Familien Schuldscheine vorweisen, die der kleine dritte Napoleon einigen begüterten Mitschülern unterschrieben hatte, um aus der ständigen Geldmisere zu kommen. Augsburg, eine Stadt der Kaiser.

Das Hochstift Augsburg – als weltliche Herrschaft von Bürgern überwunden

Augsburg, Stadt der Kaiser. Aber auch eine Bischofstadt, und der Bischof war von alters her eigentlich der Herr in der Stadt – bis zum Bischof Hartmann, Graf von Dillingen (1248–86). Die Stadtrechtsentwicklung Augsburgs war zu seiner Zeit so weit vorangeschritten, daß ihn die Bürger, die seit 1251 im Besitz aller Stadtschlüssel sind, auf das Stadtgebiet um Dom und Fronhof beschränken können. So residiert Bischof Hartmann in seinem bereits bewehrten Dillingen, das er 1258 als letzter seines Geschlechts dem Hochstift Augsburg vermacht. Die Bayern, die sich 1261 über den von ihnen unterstützten Interregnums-König Richard von Cornwall an Dillingen heranmachen können, werden bald auf Lauingen und das Umland beschränkt. Zwei Augsburger Bischöfe sind für Dillingen besonders wichtig: Peter von Schaumberg (1424–69), der die Stadt zur ständigen Residenz macht und Kardinal Otto Truchseß von Waldburg (1543–73), der die Universität gründet, die den Jesuiten überlassen wird.

Gerade weil ihre Augsburger Rolle stark eingeschränkt ist, bemühen sich die Bischöfe um die Erweiterung ihres Hoheitsgebiets an anderer Stelle. Als 1310 Kaiser Heinrich VII. dem Bischof die Stadt Füssen verpfändet, kann das Hochstift den Ort halten und eine Sommerresidenz einrichten. Lagen die Augsburger Bischöfe im 13. Jahrhundert im Kampf gegen Bayernherzog Ludwig den Strengen, der das Erbe seines Vetters Konradin (des letzten Hohenstaufen) antreten wollte, so verhalten sich die Bischöfe Friedrich Spät von Faimingen und Ulrich von

Schönegg mehr als loyal gegenüber Ludwigs Sohn, dem vom Papst mit Bann und Interdikt belegten Kaiser Ludwig dem Bayern. Der erstere verkündet die Bannbulle nicht, der letztere ignoriert einfach das Verbot. Die Augsburger Bischöfe des 16. und 17. Jahrhunderts sind in besonderer Weise in die Probleme der Reformation und Gegenreformation verwickelt, wie dies schon dargestellt worden ist. 1733 zeigen es die geistlichen Herren von Augsburg den Reichsstadtbürgern: Sie bauen sich eine recht anmutige Barockresidenz in ihrem Fronhof-Viertel. Im Jahre 1802 beginnt die Besitzergreifung des Hochstifts durch das Kurfürstentum Bayern, das damit, wie auch an anderen Orten, dem Reichsdeputations-Hauptschluß zur Säkularisation geistlicher Herrschaft vom Jahre 1803 ein wenig vorgreift.

Füssen im Allgäu, die schöne alte Stadt überm Lechufer, bestand schon zur Römerzeit als Station »Foetibus«. Hier trat der römische Alpenübergang von Italien über den Reschenpaß nach Augsburg aus dem Gebirge heraus. Im 8. Jahrhundert kam aus St. Gallen der heilige Magnus zur Missionierung nach Füssen, gründete eine Zelle, aus der die Abtei St. Mang entstand. Ab 1313 gehörte die Stadt den Augsburger Fürstbischöfen, die ein Jagdschloß erbauten.

Kempten, geistlich und weltlich zugleich

Der Besucher kann es heute noch deutlich erkennen, daß Kempten Jahrhunderte hindurch eine zweigeteilte Stadt gewesen ist. Auf der einen Seite die adeligen Klosterinsassen des ungemein begüterten Reichsstiftes Kempten, deren Residenz mit Stiftskirche, Hofgarten, Orangerie und Kornhaus üppiges Wohlleben statt frommen Mönchtums anzeigt, auf der anderen Seite die Bürger der Freien Reichsstadt Kempten mit ihrem stolzen Rathaus und vielen wohldekorierten Bürgerhäusern. War man sich früher oft sehr feindlich gesinnt, konnten sich ab 1802, als beide Kempten bayerisch geworden und zu einer einzigen Stadt vereint waren, Fleiß und Tüchtigkeit Kemptens zur modernen Metropole des Allgäus entwickeln, die alljährlich zur »Allgäuer Festwoche« das weite, schöne Umland in die Stadt lockt.

Kempten ist – zumindest auf dem Papier – die älteste Stadt Deutschlands. Nur sie erwähnt der griechische Geograph Strabo (gest. 20 n. Chr.) von allen Städten im heutigen Deutschland in seinen »Geographika«: »Cambodunum«, der Hauptort des keltischen Stammes der Estionen. Die Römer haben diesen keltischen Ortsnamen für ihre eigene Kaufmanns- und Soldatenstadt übernommen, die sie erst auf dem Lindenberg und später an der sichereren Burghalde gebaut haben. Die Geschichte des nichtrömischen Kempten beginnt dann 747 mit einigen Missionsmönchen, die das Kloster Sankt Gallen ins Allgäu schickt und die bis 752 das erste Kloster im Allgäu errichten, das bald zu den am besten privilegierten im ganzen Frankenreich der Karolinger gehört. Vor allem Karl der Große und seine zweite Frau, die Schwäbin Hildegard, versehen Kemptens Abtei reich mit Gütern. Böse dagegen verfahren im 10. Jahrhundert die Ungarn mit der Stadt. Zum Wiederaufbau kommt es ab 941 unter dem Augsburger Bischof Ulrich. Im 11. Jahrhundert verlegt man das Kloster vom heutigen Sankt-Mang-Platz (auf dem die protestantische Kirche der Reichsstadt nun steht) auf eine günstigere Anhöhe. Weiterhin von vielen Seiten reich beschenkt, werden die Kemptner Äbte 1213 in den Stand von Reichsfürsten erhoben, denen allerdings Kaiser Rudolf von Habsburg 1289 die Stadt wegnimmt, der er in dem genannten Jahr die Privilegien einer Freien Reichsstadt verleiht. Von nun an gibt es auf der einen Seite die Bürger, die ihre Geschicke selbst verwalten und auf der anderen Seite den Untertan der Stiftsstadt, der nichts zu melden hat. Nachdem die Bürger von Kempten 1527 sich für die Reformation entschieden haben, gipfeln die Feindseligkeiten zwischen den beiden Kempten in den Vorgängen des Dreißigjährigen Krieges. 1631 läßt der Fürstabt die Reichsstadt durch die Kaiserlichen besetzen und erpressen, 1633 sogar erobern und teilweise niederbrennen. Die protestantischen Bürger lenken zur Revanche in den Jahren 1632 und 1634 und hetzen die schwedische Kriegsfurie auf die Stiftsstadt. Die Pest übt 1635 blinde Unparteilichkeit.

Kempten im Allgäu war historisch zweigeteilt, in eine fürstäbtliche und eine Reichsstadt. Das bürgerliche Kempten demonstrierte mit seinem prachtvollen Rathaus (Bild) von 1474 seine Reichsfreiheit gegenüber dem Fürstabt.

Nach dem Dreißigjährigen Krieg, 1652, baut Michael Beer, einer der Begründer der »Vorarlberger Schule«, die neue Stiftskirche Sankt Lorenz zwischen Barock und Renaissance. Daneben entstehen nach Beers Plänen die Flügel der neuen Residenz. Das 18. Jahrhundert bringt durch den Stuck der Wessobrunner Johann Georg Üblherr und Johann Schütz und durch die Malereien Franz Georg Hermanns die wunderbare Pracht in die Repräsentationsräume des Fürstabtes Anselm I. Reichlin Freiherrn von Meldegg (1728–47). Letzter Prunk eines Adels, der sich in ein goldenes Kloster zurückzieht, das freilich auch in seinem weiten Allgäuer Besitz ab dem 16. Jahrhundert die segensreiche »Vereinödung« einführt, ein Musterbeispiel früher Flurbereinigung.

Als im nun bayerischen Kempten König Ludwig I. zu Besuch kommt, ist er vom 1828 gemalten Vorhang des Theaters hell begeistert. Die auf dem Vorhang abgebildeten tanzenden Musen haben es ihm angetan, die der Kemptner Maler Franz Sales Lochbihler, junge Kemptner Damen als Vorbild, gemalt hat. In des Königs Münchner Schönheitengalerie findet sich allerdings keine Dame aus der Stadt Kempten. Wichtiger wird es den Kemptnern gewesen sein, daß am 1. April 1852 um 12.15 Uhr die Zukunft in der Stadt ankommt: der erste Eisenbahnzug.

Bild oben: Erst der große Vorarlberger Baumeister Michael Beer (1652–54) und dann der Graubündner Johannes Serro errichten nach den Zerstörungen des Dreißigjährigen Krieges in Kempten für die Fürstabtei die frühbarocke Stiftskirche St. Lorenz mit ihrem eigenwilligen Innenraum. – Bild unten: Der reiche Kemptener Fürstabt läßt neben der neuen Klosterkirche auch eine neue Barockresidenz bauen, mit späteren Rokokoprunkräumen (um 1742) wie dem Thronsaal.

Memmingen und Kaufbeuren –
zwei Allgäuer Reichsstädte

Im Gegensatz zur Reichsstadt Donauwörth, die als Reichsvogtei, teilweise durch eigene Schuld, zwischen dem Reich und Bayern hin und her geworfen wurde und ab dem 17. Jahrhundert den Reichsstadttraum endgültig ausgeträumt hatte, konnten sich die Allgäuer Reichsstädte weit besser behaupten. Vier sind es eigentlich an der Zahl: Memmingen, die größte, Kaufbeuren, Wangen und Isny. Während nach 1803 aber Kaufbeuren und Memmingen beim Königreich Bayern geblieben sind, haben Isny und Wangen, die beide schon so sehr an Schweizer Stadtbürgerlichkeit erinnern, nur ein paar Jahre bei Bayern hospitiert, kamen an das Nachbarkönigreich Württemberg.

Memmingen und Kaufbeuren haben eine Art historisches Zwillingsschicksal. Beide Orte gehören zunächst den Welfen, kommen beide nach dem Aussterben der schwäbischen Welfen an die Staufer (1191), erhalten 1286 aus der Hand Rudolfs von Habsburg das Überlinger Stadtrecht und damit den Anfang der Reichsfreiheit. In beiden Städten bringt neben dem Handel vor allem das Tuchmachergewerbe den Reichtum, welcher Stadtumwehrungen, Rathäuser und schöne Kirchen finanzieren kann. 1525 haben Kaufbeuren und Memmingen gleicherweise im Bauernkrieg unter ihrer Bauernfreundlichkeit zu leiden, und in beiden Städten wird auch bald danach die Reformation eingeführt. Wie es sich für Reichsstädte gehört, bringen beide Orte auch bedeutende Künstler hervor. Kaufbeuren (übrigens Geburtsort Ludwig Ganghofers) den Bildhauer Loy Hering (1484–1544) und den Bildschnitzer Jörg Lederer (1470–1550, vielleicht in Füssen geboren), Memmingen die Künstlerfamilie Strigel, deren berühmtestes Mitglied, Bernhard Strigel (1460–1528), als Wegbereiter der deutschen Renaissance-Malerei genannt wird. Zu Memmingen, dessen Hauptstraße ein Teil des alten Handelsweges von Innsbruck nach Ulm ist, muß man auch noch die großartigen Meister des dortigen Chorgestühls in der Pfarrkirche Sankt Martin bewundern, Heinrich Stark, den Schreiner, Hans Herlin (oder auch Dabrazhauser genannt), den Schnitzer, der dabei seine reichen Bürger, die Auftraggeber, recht seelenvoll porträtiert hat. Auch darf die wichtige Rolle des Memminger Stadtbaches nicht vergessen werden, dessen alljährliche Reinigung zum gewaltigen »Fischertag« angewachsen ist, an welchem der Fischerkönig gesucht wird, ein Wesen, das dann ein Jahr lang fast mehr Ansehen genießt als der Oberbürgermeister. Dem Memminger Fischertag haben die Kaufbeurer ihr historisches »Tänzelfest« entgegenzusetzen, bei dem vor allem die Kinder auf ihre Kosten kommen. Viel Gemeinsames also zwischen den beiden Städten, die auch gemeinsam 1802/03 Bayern zugehörig wurden. Zu Kaufbeuren aber kommt nach 1945 die Stadt »Neugablonz« der sudetendeutschen Gablonzer.

Memminger Stadtbilder. Bild oben: Markttag vor dem Rathaus von 1589 und dem »Steuerhaus« von 1495 (links). – Bild unten: Punkt acht Uhr am Morgen treibt ein Böllerschuß die Teilnehmer des Memminger Fischertags in den Stadtbach.

Lindau – die Reichsstadt im Wasser

Lindau im Bodensee, eine Inselstadt, die weit mehr Ausdehnung und Einwohnerschaft auf dem Festland hat, von dem die Stadt im 11. oder 12. Jahrhundert auf die Insel gekommen ist: als das um 810 auf der Insel gegründete freiweltliche Kanonissenstift seinen Ufermarkt von Aeschach (einem der heutigen Lindauer Festland-Stadtteile) auf die Insel verlegt, neben das Stiftsgebäude. Die eigentlichen Ur-Insulaner werden aber sicher jene Fischer gewesen sein, für die schon früh eine Peterskapelle überliefert wird, deren Nachfolgerin die heutige Peterskirche (11.Jh.) neben dem markanten Diebsturm ist.

1216 ist Lindau jedenfalls als »civitas« erwähnt, bekommt 1274 von König Rudolf von Habsburg Privilegien, welche die Reichsfreiheit vorbereiten, hat ab 1396 die Hochgerichtsbarkeit inne. All die Jahrhunderte kann sich nun der Rat der Freien Reichsstadt (in welchem von 1345 bis 1551 auch die Zünfte mitregieren und der sich 1528 für den neuen Glauben entscheidet) mit der mitunter recht hochnäsigen und schikanösen jeweiligen Fürstäbtissin des ebenfalls reichsunmittelbaren Kanonissenstifts herumärgern. Man muß sich nur die zwei unmittelbar benachbarten großen Kirchen der Stadt ansehen, die katholische Marienkirche des Stifts und die evangelische Stephanskirche der Bürgerschaft, dann weiß man, was es da ein halbes Jahrtausend hindurch geläutet hat (und heute noch an Sonntagen schier um die Wette läutet, Seite an Seite). Da ist es tröstlicher, sich am Markt

Bild oben: Daß die bayerischen Lindauer zu den Bodensee-Alamannen gehören, zeigt auch ihr Fasnachtsbrauchtum. Zu den Masken der Lindauer Narrenzunft gehören auch die derbfröhlichen »Moschktköpf« (Bild). – Bild unten: Die alte Tradition des Lindauer Bodenseehafens beweist der mittelalterliche »Mangturm« (links im Bild). 1850–1856 erhielt die Stadt im Bodensee einen neuen Hafen mit Leuchtturm (Aufnahmestandpunkt) und bayerischem Löwen.

Selbst die Rückseite des spätgotischen, in der Renaissancezeit veränderten Alten Rathauses, die
man vom Reichsplatz und Lindaviabrunnen her bewundern kann, erzählt noch viel
von der stolzen Würde der einstigen Freien Reichsstadt Lindau auf der heute bayerischen Bodenseeinsel. Die Ratssäle
lassen sich an der langen Fensterreihe erkennen. Im Erdgeschoß führt das Portal zu den Schätzen
der Stadtbibliothek und des Archivs mit wertvollen Wiegedrucken.

umzudrehen und statt der Kirchen die schöne Fassade des barocken Patrizierpalastes »Zum Cavazzen« anzusehen. Das Stadtmuseum ist heute darin untergebracht, zeigt Wunderschönes, auch das Bild der letzten Lindauer Fürstäbtissin Friederike von Bretzenheim, Tochter einer Mannheimer Schauspielerin und des vorletzten bayerischen Kurfürsten Karl Theodor, die Horst Wolfram Geißler zur weiblichen Hauptfigur seines Bodensee-Romans »Der liebe Augustin« gemacht hat. Der lebenslustigen Friederike weltlicher Bruder, von Karl Theodor zum »Fürsten von Bretzenheim« erhoben, bekommt 1803 Stift und Reichsstadt als Fürstentum, ehe 1805 die Bayern höchstpersönlich auf der Insel einrükken und damit ein Fenster zur lichten Welt des Bodensees gewonnen haben, ein Stück Bodenseeufer, zu dem auch die bayerischen Uferorte Nonnenhorn und Wasserburg gehören.

Nördlingen und die Oettingen in eine Schüssel geworfen

Eine kreisrunde Schüssel in Schwaben, das ist das Ries, das vor knapp 15 Millionen Jahren durch den Einschlag eines großen Meteoriten entstanden ist. In dieser kreisrunden Landschaftsschüssel von etwa 20 km Durchmesser liegt das ebenfalls kreisrunde Nördlingen, das seine »Figur« von Mauern, Wehrgängen und Tortürmen erhält, welche die Altstadt säumen. Aus der Stadt aber wächst der »Daniel« in die Höhe, der Turm der Nördlinger Georgskirche, deren Baustein das Suevit ist, ein Produkt der »Ries-Katastrophe«, des Meteoriteneinschlags. Daß von diesem »Daniel« noch immer der Türmer zur Nachtzeit sein »So G'sell, so« auf die Stadt herunterruft, soll im Zeitalter des Tourismus daran erinnern, daß die Bürger der Freien Reichsstadt Nördlingen sich immer in acht nehmen mußten, auch und gerade nächtens. Sonst wären sie politisch von den Herren von Oettingen, mit denen sie das historische Schicksal in dieselbe Schüssel des Rieses geworfen hat, aufgefressen worden. Einer dieser Oettingen hatte schon die Nachtwache des Löpsinger Tores bestochen, und nur ein grunzendes Schwein hat den Verrat im letzten Augenblick verhindern können. Schwein gehabt, die Nördlinger.

Die Nördlinger Reichsbürger und die Oettingen sind also die maßgeblichen Herren im Ries gewesen. Ein Grafengeschlecht ist in diesem Ries schon seit 897 nachgewiesen; ab 1194 ist auch der Name dieser Riesgrafen mit »Oettingen« beurkundet, und Oettingen selbst ist 1242 eine Stadt mit Mauer. Die Oettinger Grafen teilen sich mehrmals in die verschiedenen Linien auf, die nach Besitzungen der jeweiligen Familie benannt sind: Oettingen-Oettingen, Oettingen-Wallerstein, Oettingen-Spielberg (nach dem Bergschloß Spielberg bei Heidenheim am Hahnenkamm, nahe Gunzenhausen) und Oettingen-Baldern. Am Ende bleiben die zwei Linien Wallerstein und Spielberg als Fürstenhäuser übrig.

Der Lindauer Diebs- oder Malefizturm ist sicher ein Gefängnis gewesen, doch steht er deshalb nicht auf der höchsten Stelle der Inselstadt und im ältesten Teil Lindaus: Er diente mit seinen Erkern auch der Verteidigung der Stadt.

Wohl gerundet und daher leicht zu verteidigen zeigt sich Alt-Nördlingen in der Begrenzung der
fast noch vollständig erhaltenen Stadtbefestigung, die man (bis auf ein kurzes
Stück) auf dem Wehrgang aussichtsreich begehen kann. Man erkennt deutlich die alten Stadttore, durch die die Straßen
hinaus ins ebenfalls runde Ries führen. In der Mitte der ehemaligen Freien Reichsstadt
die heute evangelische Georgskirche mit dem hohen Turm, dem »Daniel«.

Die bürgerlichen Gegenspieler im Ries, die Nördlinger beginnen ihre Geschichte 898, als ein Königshof »Nordilinga« dem Regensburger Bischof übergeben wird, der aus dem Ort einen Markt macht, welcher wiederum ab 1215 zur Stadt der Staufer und des Reichs erhoben wird. Ab 1290 ist jedenfalls das Stadtrecht nachweisbar, das von den Kaisern Ludwig dem Bayern und Karl IV. erweitert wird. Als 1373 Nördlingen als Pfand an den bayerischen Herzog Otto (den Faulen, gest. 1379) von Bayern-Brandenburg kommt, erhält die Stadt auf bayerischem Gebiet Handelsfreiheit. In der weiteren Zukunft mußte sich die Stadt allerdings auch gegen bayerische Umarmungen, vor allem durch Herzog Georg den Reichen (er belagert die Stadt vergeblich 1485) schützen. Nachdem Nördlingen als Reichsstadt die Reformation angenommen hatte, kam es im Dreißigjährigen Krieg auf die Seite der Gegner der kaiserlichen Truppen. Im September 1634 belagern die Kaiserlichen die Stadt, die aber erst übergeben wird, als die herangeeilten Schweden unter Bernhard von Weimar und General Horn in Sichtweite Nördlingens eine vernichtende Niederlage hinnehmen müssen. Die Schlacht von Nördlingen zeigt ein Diorama im Heimatmuseum sehr eindringlich. Die Stadt fleißiger Handwerker, vor allem geschickter Färber, feiert ihre Tradition alle Jahre im sommerlichen »Scharlachrennen«, wobei der Traditionspreis ein Scharlachtuch ist. Bayerisch wurde Nördlingen in den Jahren 1802/03.

Das österreichische Schwaben: die Markgrafschaft Burgau

Als die Tochter der Kaiserin Maria Theresia, Marie Antoniette, dem Thron und der Guillotine Frankreichs vom heimatlichen Wien aus entgegenreist, besucht sie auch Teile von »Vorderösterreich«, den habsburgischen Besitzungen im Westen, vor allem im Schwäbischen und Alamannischen. Ihr Weg bringt sie ebenfalls nach »Österreichisch-Schwaben«, wie man die Markgrafschaft Burgau auch nennt, weil das Gebiet um die Städte Burgau und Günzburg den Habsburgern gehört. Sie haben es 1301 erworben. Schon 1307 wird Burgau, das im späten 16. Jahrhundert ein Renaissanceschlößchen erhält, als Stadt genannt. Ab dem 15. Jahrhundert liegt der Verwaltungsschwerpunkt bei Günzburg. Die bayerischen Wittelsbacher wollen den Habsburgern mehrmals auf dem Verpfändungsweg ihre mittelschwäbischen Besitzungen, ja ganz Vorderösterreich abnehmen, doch wehrt sich dagegen am Ende Kaiser Friedrich III. mit der 1488 erfolgten Gründung des Schwäbischen Bundes. Seitenlinien der Habsburger regieren die Markgrafschaft Burgau, so auch vor dem Dreißigjährigen Krieg der Sohn Karl aus der Ehe des Erzherzogs Ferdinand und der Philippine Welser. 1665 fällt die Markgrafschaft zusammen mit ganz Vorderösterreich an die Habsburger Hauptlinie, 1805 kann Bayern »Österreichisch-Schwaben« einstecken.

Vom Webstuhl auf den Fürstenthron: die Familie Fugger

Die Fugger sind von dem kleinen Ort Graben bei Schwabmünchen 1367 nach Augsburg gekommen, wo sie sich als Weber und Tuchhändler niederließen und 1370 den Bürgerbrief erwarben. Hatte sich der 1469 gestorbene Jakob I. schon am Schwazer Silberbergbau beteiligt, so begründete Jakob II. (1459–1525) den großen Aufstieg der Familie. Er, den man »den Reichen« nannte, hatte Bergwerksrechte in Tirol, Ungarn, Kärnten und Spanien, beteiligte sich ab 1505 am Ostindiengeschäft. Er finanzierte die politischen Pläne der Kaiser Maximilian I. und Karl V. Vor allem Maximilian, der nicht zuletzt wegen seines Bankiers Fugger oft nach Augsburg kam, verhalf ihm zum Erwerb von Territorien, die am Ende aus den Webern, Tuchhändlern und Großkaufleuten noch Reichsgrafen, ja sogar Fürsten werden ließen. 1514 bereits wird Jakob Fugger der Reiche zum Reichsgrafen erhoben, was seinen Erben von Kaiser Karl V. bestätigt wird. Als 1650 die Handlung der Fugger erlischt, sitzen sie als Grafen auf mehreren schwäbischen Schlössern, nach denen sich die einzelnen Familienzweige nennen, von denen die Babenhausen, Glött und Kirchheim (Renaissanceschloß mit dem berühmten Zedernsaal) die bekanntesten sind. Um in Schwaben schnell noch etwas vor dem bereits zugreifenden Bayern zu retten, erhebt der Habsburger Kaiser Franz II. 1803 die Fugger-Babenhausen noch schnell in den Fürstenrang, doch unterwerfen sich 1806 alle Linien des Hauses Fugger dem neuen Königreich Bayern, das am Ende, 1913/14, den Linien Glött und Babenhausen die bayerische Fürstenwürde zuerkennt.

Geistliche Schwabenherrschaften, sogar eine Reichskartause

Neben zahlreichen kleineren Herrschaften in Schwaben gab es auch sehr viel geistliches Regieren, das sich der Reichsunmittelbarkeit erfreuen konnte, wobei mit dem Hochstift Augsburg und dem Reichsstift Kempten die größten dieser Herrschaften schon beschrieben wurden. Da waren aber noch etliche Reichsabteien wie die von Irsee bei Kaufbeuren, von Kaisheim oder von Ursberg (im Mindeltal). Es fehlt in Schwaben nicht einmal an einer Reichskartause, die 1402 in Buxheim bei Memmingen gegründet wird. Im Laufe ihrer Geschichte kommt es 1710–1727 zur barocken Umgestaltung durch die Brüder Dominikus und Johann Baptist Zimmermann, wobei Dominikus Zimmermann, der als reifer Mann das Wunder der Wieskirche geschaffen hat, in der neuen Pfarrkirche Buxheims (die Klosterkirche wurde nur innen barockisiert) sein Frühwerk erstellt.
Von der Tradition und vom barocken Bauvolumen her kann sich Ottobeuren ebenbürtig neben das Reichsstift Kempten stellen, wobei freilich hinter Ottobeuren nicht

Das Fuggerschloß in Babenhausen, einem 1237 erstmals erwähnten Ort und Burgsitz der Grafen von Tübingen. 1539 hat der Augsburger kaiserliche Rat und Patrizier Anton Fugger den Grafen Rechberg Babenhausen abgekauft und es zum Renaissanceschloß ausbauen lassen, das der neuen Würde der Fugger als Reichsgrafen entsprechen mußte. Das »Fuggermuseum« im Schloß zeigt interessante und wertvolle Schätze und Dokumente der gefürsteten Familie der Handelsherren.

**Die Schiffskanzel in der ehemaligen
Klosterkirche Irsee bei Kaufbeuren entstand 1724/25 in
Erinnerung an den Sieg in der Seeschlacht
von Lepanto (1571) gegen die Türken. Die Kanzel zeigt
Bug, Segel und Takelage eines Schiffes.**

das weite Herrschaftsgebiet des Kemptner Fürstabtes stand. Dafür sind die Ottobeurer Bauwerke künstlerisch in vielen Teilen hochwertiger, besonders was die gewaltige Kirche betrifft, zu deren Vollendung nach mancherlei Schwierigkeiten Johann Michael Fischer gerufen wird, der bayerische Baumeister, dessen Lebensaufgabe die harmonische Verbindung von Lang- und Zentralbau gewesen ist.

Die Gründung des Klosters Ottobeuren, das später zum gefürsteten Reichsstift aufsteigt, wird auf einen Gaugrafen namens Silach zurückgeführt, der sich allerdings geschichtlich noch nicht einwandfrei nachweisen läßt. Aus seinem Herrensitz soll die erste Abtei entstanden sein. Gleich dem Kemptener Stift erfährt auch Ottobeuren (gegründet um 764) Bestätigung und reiche Unterstützung durch Karl den Großen und dessen zweite Frau Hildegard. 1299 wird der Abt Konrad II. von König Albrecht I. »Reichsfürst« genannt. 1543 wird in Ottobeuren eine Universität der schwäbischen Benediktinerabteien gegründet, die aber schon zwei Jahre später nach Elchingen verlegt wird. 1622 wirkt Ottobeuren an der Gründung einer solchen Universität in Salzburg mit und ist seither kulturell mit dieser verbunden. Nachdem 1766 Johann Michael Fischer die wunderbare Raumkomposition der Stiftskirche vollendet hat, erfolgt 1802/03 die Säkularisation, wobei Abt und Mönche im Hause bleiben. König Ludwig I. von Bayern, der viele Klöster wieder zum Leben erweckt, läßt später ein Priorat entstehen.

Die »Junge Pfalz« zu Neuburg an der Donau

Als am Ende des Landshuter Erbfolgekrieges mit des Kaisers und anderer Hilfe die Münchner Wittelsbacher gegen die weibliche Erbfolge der Landshuter Wittelsbacher den Sieg davongetragen hatten, wurden für die Enkel des Landshuters Georg des Reichen, Otto Heinrich und Philipp (beide damals noch im Kleinkindesalter), die »Junge Pfalz« geschaffen, die sich vornehmlich aus den einstigen Landshuter Besitzungen nördlich der Donau zusammensetzte. Das Schwäbische daran war verhältnismäßig gering. Das neue Herzogtum Pfalz-Neuburg, das auch zu Neuburg seine Renaissance-Residenz erhielt, wurde in Schwaben mit den Ämtern Neuburg (heute Oberbayern), Reichertshofen, Lauingen, Höchstädt, Gundelfingen, Monheim und Graisbach ausgestattet. Dazu kamen noch die fränkischen Gebiete Heideck, Hilpoltstein und Allersberg und in der Oberpfalz das Landrichteramt Burglengenfeld sowie die Ämter, Städte und Märkte Schwandorf, Sulzbach, Parkstein, Weiden, Regenstauf, Laaber, Hemau, Lupburg und Kallmünz. Das Gebiet dieser »Jungen Pfalz« war also sehr zerrissen. Vom Umfang her war es so angelegt, daß es eine Hofhaltung und die notwendigen Staatsausgaben finanzieren konnte. Der Verlierer Kinder sollten nicht verhungern. Otto Heinrich, der erste regierende Fürst zu Pfalz-Neuburg, ist in die Geschichte als Freund der Künste und der Wissenschaften eingegangen. Seine Residenz zu Neuburg zeigt viel prachtvolle Renaissance. Als Otto Heinrich 1556–1559 zugleich die pfälzische Kurwürde innehat, reformiert er die Heidelberger Universität und läßt den »Ottheinrichsbau« des dortigen Schlosses im Stil der Renaissance erbauen. Seine künstlerischen Anregungen und Ambitionen hatte er nicht zuletzt auf den zahlreichen Reisen seiner jungen Jahre erhalten, die ihn auch ins Heilige Land führten, wo er zum Ritter des Heiligen Grabes geschlagen wurde. Man sagt, dies habe ihn zu besonderem religiösen Nachdenken und also auch zur Einführung der Reformation in seinen Landen veranlaßt. 1559 ist Ottheinrich gestorben. Man hat ihn in der Heidelberger Heiliggeistkirche beigesetzt, neben seinem Bruder Philipp, der im Alter von 45 Jahren schon 1548 gestorben war, letzten Endes an den Folgen einer Syphilis, die er sich als sechzehnjähriger Prinz bei einem Liebesabenteuer zu Padua zugezogen hatte und die ihn zeitlebens quälte. Wien feiert Philipp im Türkenjahr 1529 als den Retter der Stadt: mit einem Voraustrupp von 14 Reichsfähnlein eingeschlossen, verteidigt er sich so tapfer und geschickt, daß ein guter Teil des Sieges ihm zu danken ist.

Des Landshuter Herzogs Georg des Reichen Enkelkinder Ottheinrich und Philipp ruhen nun in der Heidelberger Gruft. Als Söhne von Herzog Georgs Tochter Elisabeth und des Bruders des letzten kurpfälzischen Wittelsbachers stirbt mit ihnen auch die alte pfälzische Kurlinie der Wittelsbacher aus. Die neue Kurlinie eröffnet Friedrich III. von der wittelsbachischen Linie Simmern-Sponheim. Pfalz-Neuburg aber hat Ottheinrich als Kurfürst schon 1557 an Wolfgang von Zweibrücken-Veldenz abgetreten. Dieser Wolfgang eilt 1568 den bedrängten Hugenotten in Frankreich zu Hilfe, stirbt dort 1569 an einer fiebrigen Erkrankung. Sein einbalsamierter Leichnam wird vorübergehend in Angoulême beigesetzt, kommt aber dann über die Häfen von La Rochelle und Lübeck in das Pfalz-Zweibrückische Begräbnis der Schloßkirche von Meisenheim (bei Koblenz).

Ehe Wolfgang von Zweibrücken-Veldenz nach Frankreich gezogen war, hatte er seine Verhältnisse sorgsam geordnet, das Erbe unter fünf Söhnen verteilt. Zwei seiner Söhne, der älteste, Philipp Ludwig, und der jüngste, Karl, verdienen besondere Aufmerksamkeit, der eine wegen seiner Heirat, der andere wegen seines kleinen Erbteils. Der Haupterbe Philipp Ludwig, der das Kernland Pfalz-Neuburg bekam, heiratete eine der Töchter des Herzogs Wilhelm von Jülich-Kleve-Berg. Nach dem Tod seines Schwiegervaters, der keine männlichen Erben hinterließ, kam es zum Jülich-Klevischen Erbfolgestreit. Im Vertrag von Xanten erhielt nun Pfalz-Neuburg 1614 nach langen Streitereien Jülich und Berg, konnte somit in der Zukunft auch in Düsseldorf residieren, wo ein Nachkomme Philipp Ludwigs, Kurfürst Johann Wilhelm von der Pfalz (»Jan Wellem« im Volks-

Das Jagdschloß Grünau bei Neuburg an der Donau ließ Pfalzgraf Ottheinrich in zwei Abschnitten (1530/31 und 1550/55) erbauen. Bild oben: die gesamte Anlage in parkähnlicher Landschaft. – Bild unten: Jagdfresken aus der Renaissance.

So lebten und bauten die Bauern im bayerischen Schwaben. Bilder aus dem Bauernhofmuseum in Illerbeuren: Der Grieshof mit seinem Fachwerk und Fassadenbemalung (Bild oben). – Bild unten: Die anheimelnde Feuerstelle im Uttenhof.

mund genannt), eine Bildergalerie vor allem flämischer und italienischer Meister begründete. Die Werke dieser Düsseldorfer Galerie kamen größtenteils zunächst in die Mannheimer Residenz Karl Theodors und mit diesem am Ende in seine neue und letzte Residenz München. Im Königreich Bayern bildete die Düsseldorfer Sammlung des »Jan Wellem« eine wesentliche Grundlage für die damals geschaffene »Alte Pinakothek« zu München. Diese hatte freilich auch den Bestand einiger kunstliebender bayerischer Wittelsbacher zur Verfügung, vor allem Wilhelms IV. und Maximilians I.

Der jüngste Sohn des Frankreichfahrers Wolfgang aber, Karl, bekam als kleinsten Erbteil nur den Zweibrückener Anteil am Sponheimer Erbe, das im Hunsrück gelegene Birkenfeld. Gerade diese Linie überlebte alle anderen Linien der Wittelsbacher, so daß heute alle lebenden Wittelsbacher auf diesen Karl von Zweibrücken-Birkenfeld zurückgehen. Birkenfeld schickte somit auch Max IV. Joseph 1799 nach des Kurfürsten Karl Theodor Tod nach München, damit er dort Kurfürst aller vereinigten Wittelsbacher Lande und 1806 König von Bayern werde.

Das Königreich Bayern – und dann der Freistaat

Es ist wahr, daß Bayerns erster
König, Max I. Joseph, ein König von Napoleons
Gnaden gewesen ist. Er aber und seine Nachfolger
haben sich – um mit Shakespeare zu sprechen – »höchst königlich
bewährt«. Es war nicht die Laune eines Usurpators,
welche Max I. Joseph auf einen bayerischen Königsthron
gebracht hat. Die gleiche Würde hätte ihm auch der
Kaiser in Wien zugebilligt, war sie doch längst fällig,
nachdem aus Preußen ein Königreich eigener
Machtvollkommenheit geworden war. Max I. Joseph, der vom
Thron seines Denkmals (Bild links) am nach ihm benannten Platz
in München vor dem von ihm erbauten Bayerischen
Nationaltheater die Stadt und sein Land zu segnen scheint,
ist als wahrer Volkskönig in die Geschichte
eingegangen, und auch von seinen Nachfolgern sagt man, daß
die Bayern zu ihnen »Du« gesagt hätten. Vom 1. Januar 1806
bis zum 8. November 1918 ist Bayern ein Königreich. Vorwiegend landesfremde Menschen
beseitigen am Ende des ersten Weltkriegs die parlamentarische
Monarchie in Bayern, das sich dann aus den Wirren
der Rätezeit in einen wenig widerstandsfähigen Freistaat
verwandelt, der im Dritten Reich untergeht, sich aber
am Ende des Hitlerregimes aus der Asche und dem
Elend zu einem heute weithin gefestigten und
kräftigen zweiten Freistaat erhebt.

»Weils'd nur grad da bist, Maxl!«

Das soll er also gesagt haben, der Kalteneggerbräu zu München, wie der Herzog Maximilian Joseph von Zweibrücken-Birkenfeld nach dem Tod des bayerischen Kurfürsten Karl Theodor als dessen Nachfolger in der Haupt- und Residenzstadt des Kurfürstentums Bayern einzieht: »Weils'd nur grad da bist, Maxl!« Und die Hand soll er ihm auch noch gegeben haben, er, der Bräu, dem neuen Kurfürsten. Welch ein Empfang! Hätte der verhältnismäßig sachliche und nüchterne Max IV. Joseph noch nicht gewußt, wohin er nun da von seinem kleinen Birkenfeld gekommen ist, der Kaltenegger hätte es ihm schlagartig klargemacht, daß man zu Bayern mit seinem Herrscherhaus verbunden ist, es auch daraufhin beobachtet, ob es sich wie ein Herrscherhaus benimmt.

Als der neue Kurfürst Max IV. Joseph bei seinem offiziellen Einzug in München am 12. März 1799 (inoffiziell war er schon am 20. Februar, vier Tage nach Karl Theodors Tod, angereist, um alles vorzubereiten) das sichtliche Wohlwollen des Kalteneggers erwirbt, sieht er zwar verworrenen Zeitläuften entgegen, nimmt aber immerhin das nach Österreich und Preußen drittgrößte Machtpotential des gerade vor sich hinsterbenden Heiligen Römischen Reiches Deutscher Nation in Besitz. Wäre er nach heutigen Gesichtspunkten propagandistisch geschult gewesen, er hätte bei seiner Ankunft in München einen Koffer vorzeigen können mit der damals schon wirkungsvollen Aufschrift »Reformen«.

Die Französische Revolution von 1789, die ihre wilden Heere schon mehrmals ins deutsche Land geschickt und Max IV. Joseph um sein Land Birkenfeld gebracht hatte, ließ in dieser Zeit auch in Deutschland Reformen schneller gedeihen. Ehe man Neuerungen diktiert bekam, wollte man sie selber schaffen. So gab es vor allem mit dem neuen Kurfürsten Toleranz in Religionsfragen. Das erzkatholische Bayern, besonders aber die Bürger der Landeshauptstadt erschrecken, als der Weinwirt Michel als erster Protestant in München das Bürgerrecht erhalten muß (1801). Eine Protestantin ist ja bereits an höchster Stelle im Lande: Max IV. Josephs zweite Gemahlin Karoline Friederike Wilhelmine von Baden, die er ein Jahr nach dem Tod seiner ersten Frau, Auguste Wilhelmine von Hessen Darmstadt (gestorben am 30.3.1796), geheiratet hat und die dem Kurfürsten und späteren König noch sechs Töchter zur Welt bringen wird. In erster Ehe wurden der Kronprinz Ludwig (1786) und dessen Geschwister Auguste Amalie (1788), Charlotte Auguste (1792) und Karl Theodor (1795, der Hausherr des »Prinz-Karl-Palais« zu München) geboren.

Nachdem am 3. Dezember 1800 Österreichs Erzherzog Johann, verstärkt durch bayerische Truppen, die Schlacht von Hohenlinden gegen die Franzosen verloren hatte, kam es 1801 zum Frieden von Lunéville, der ein wenig Aufschnaufen brachte. Nun konnte der Reformkoffer geöffnet werden. Ab 1802 können zunächst die Bauern auf den landesherrlichen Domänengütern freie Grundeigentümer werden, der Schulzwang wird eingeführt, und die beginnende Säkularisation (die gewiß auch viel klösterliches Kulturgut vernichtet und verschleudert) macht Bayern nicht nur größer, sondern auch finanziell handlungsfähiger. In dieser Zeit erhält auch die von Kurfürst Karl Theodor begonnene Kultivierung des Donaumooses neuen Auftrieb. Pfälzer fliehen aus ihrer von Frankreich besetzten Heimat und erhalten Siedlerstellen im Donaumoos. 1802 werden auch Pfälzer in den Mooren bei Rosenheim angesiedelt, die ihre neue Heimat Groß-Karolinenfeld nennen, so nach der Kurfürstin und späteren Königin, die sich bald ihrer protestantischen Glaubensbrüder annimmt, für erste Gottesdienste und erste evangelische Kirchen in den Moorkolonien sorgt. Kleine Sorgen diese, gegenüber der großen Politik. Jene macht, zusammen mit dem Kurfürsten, ein Mann, der in München geboren war, gleich Metternich und Goethe in Straßburg Staatsrecht studiert hatte und von 1779 bis 1786 als unbesoldeter Hofrat in bayerischen Diensten gewesen war: Maximilian Joseph Freiherr von Montgelas, Sohn einer Bayerin und eines Generals aus Savoyen, Patenkind des letzten bayerischen Wittelsbachers, Kurfürst Max III. Joseph, des »Vielgeliebten«. Der 1809 in den Grafenstand erhobene Montgelas war seit 1796 bereits politischer Berater von Max Joseph, hatte sich auch vorher schon redlich bemüht, Bayerns Kurfürstentum nicht österreichischen Gelüsten anheimfallen zu lassen. Als nun Max 1799 Kurfürst von Bayern geworden war, wurde Montgelas zunächst Außenminister. Von 1803 bis 1806 und von 1809 bis 1817 leitete er dazu auch das Finanzministerium und war von 1806 bis 1817 auch noch Innenminister. Er war also, neben seinem Kurfürsten und König, die Macht im Lande, eine Macht, die viele von ihm erdachte Reformen auch in die Tat umsetzte und den Staat mit großem Geschick (und zugegebener Wendigkeit) durch die Zeiten Napoleons, der Befreiungskriege und des Wiener Kongresses führte. Als dieser Mann über Nacht von allen seinen Ämtern entlassen wurde (2. Februar 1817), hatte er sich gewiß seine Feinde, die hinter dieser Entlassung steckten, selbst geschaffen, es aber nicht verdient, ohne Anhörung hinweggeschickt zu werden. Als man ihn heimschickte, war die meiste Arbeit getan. Man arbeitete nun an einer Verfassung, wobei sich Montgelas zu seinem Unglück nicht nur in absolute Gegenstellung zur Ministerialbürokratie brachte, sondern auch in Opposition zum damals 31jährigen Kronprinzen Ludwig, der als erklärter Napoleongegner dem Minister Montgelas gerade jene Handlungen nicht verzeihen konnte, die ihm, Ludwig, sein Königreich letzten Endes erhalten haben. Der Mohr hat seine Schuldigkeit getan, der Mohr kann gehen. Dieser Satz trifft auf Montgelas ganz gewiß zu, wenn seine Person auch bis zum heutigen Tage geeignet ist, bei Historikern heftiges Für und Wider, zumindest aber hitzige Diskussionen auszulösen. Ein umfangreiches Reformprogramm konnte Montgelas

König Max I. Joseph im feierlichen Krönungsornat (Joseph Stieler, Alte Pinakothek). Der erste Monarch des neuen Königreiches Bayern ließ sich in der feierlichen Aufmachung malen, obwohl er auf eine Krönung verzichtet hatte.

im Einvernehmen mit seinem Kurfürsten und König Max Joseph durchführen, dessen Hauptziele erreicht wurden: Gleichheit vor dem Gesetz und Gleichheit der Besteuerung, Gleichheit auch im Zugang zu öffentlichen Ämtern, dazu ein durch gute Bezahlung unabhängiges und unbestechliches Beamtentum. Diese Reformen hatten schon einen gewissen sozialen Charakter, wenn sie auch vornehmlich die Macht und die Handlungsfähigkeit des Staates heben sollten. Gewiß hat Montgelas bei der Säkularisation geistlicher und Mediatisierung kleiner weltlicher Herrschaften oft mit kalter und harter Hand zugegriffen und bei der verwaltungsmäßigen Neueinteilung des bis 1816 sich ständig verändernden bayerischen Staates nicht in jedem Falle eine glückliche Hand gehabt; doch wer das Ergebnis einer Gebietsreform des demokratischen Freistaates Bayern in den siebziger Jahren unseres Jahrhunderts untersucht, wird auch auf manche Unzufriedenheit stoßen, die durch ungeschicktes, ja oft herzloses Verwalten hervorgerufen wurde.

Bei ihren Handlungen und Entscheidungen standen Max Joseph und sein Minister Montgelas meist unter dem Druck der politischen Verhältnisse in Europa, ebenso auch unter dem Druck der geistigen Strömungen ihrer Zeit. Um einer Einmischung von außen oder einer einheitlichen Verfassung des deutschen »Rheinbundes« zuvorzukommen, hat man beispielsweise 1808 eine »Konstitution« geschaffen, die sich an diejenige des eben geborenen Königreichs Westfalen hielt. Napoleon wollte für jeden von ihm kontrollierten Staat eine Konstitution, und Bayern hatte eine solche auch nötig, da man die Reformen schließlich auch auf Landesebene rechtlich verankern mußte.

Die bayerische Außenpolitik führte vom Jahr 1805 bis zum Jahr 1813 an die Seite Frankreichs. Bayerns Söhne haben dafür in Feldzügen gegen Österreich und Rußland (wo 1812 von 33 000 Bayern kaum einer mehr zurückkam), beim Aufstand der Tiroler unter Andreas Hofer Tod, Verwundung und Gefangenschaft erlitten. Möglich, daß noch mehr bayerisches Blut geflossen wäre, hätte man sich nicht mit Napoleon zusammengetan.

Viele Historiker des 19. Jahrhunderts, besonders der »Bayernfresser« Heinrich von Treitschke, haben es Montgelas, seinem Fürsten Max Joseph und den Bayern schlechthin vorgeworfen, daß sie mit Napoleon, dem Feind der deutschen Freiheit, gemeinsame Sache gemacht und sich für eine Königskrone verkauft hätten. Nun, da fragt man sich, wo diese deutsche Freiheit denn zu suchen gewesen wäre, vor, während und nach Napoleon? Die Königskrone aber, die hatte – im Fall eines Bündnisses mit Österreich – Kaiser Franz II. schon 1805 angeboten.

Nun kommt die Königskrone also am 1. Januar 1806 auf das Haupt des Kurfürsten. Napoleon ist in der jubelnden Münchner Stadt. Max I. Joseph, wie er als König von Bayern nun heißen wird, sagt beim Galaempfang allen

Gratulanten: »Es freut mich, Euch zu sehen. Ich wünsche Euch allen ein gutes neues Jahr. Und wir bleiben die alten!« Und er meint das auch so. Daß er von einem verlorenen Kleinherzogtum zu einem Königreich in Europa gekommen ist, hat Max Joseph niemals eitel gemacht.

Während Napoleons Anwesenheit zu München, im Januar 1806, gibt es auch eine Hochzeit. Napoleon fordert sie. Sein Stiefsohn Eugène de Beauharnais, Vizekönig von Italien, wird mit Max Josephs ältester Tochter Auguste Amalie verheiratet. Aus der zunächst rein politischen Verbindung wird geradezu eine Musterehe, und selbst als Napoleons Stern am politischen Himmel untergegangen ist, läßt der Bayernkönig seinen Schwiegersohn nicht im Stich und erhebt ihn in den bayerischen Herzogstand. 1809 kämpft dann Bayern an der Seite Frankreichs gegen Österreich bei Abensberg, Eggmühl und Regensburg, sorgt am Ende für einen Sieg in der fast schon für Napoleon verlorenen Schlacht von Wagram. 1812 nimmt denn der Korse 33 000 Bayern nach Rußland mit hinein, in jenem Feldzug, der sein Ende heraufbeschwört. 1813 gelangt Bayerns Wechselspiel auf den Höhepunkt. Nach einigem Zögern darf der bayerische General, Fürst Wrede (einer der beiden Feldherren der Münchner Feldherrnhalle, der andere ist Tilly), den »Vertrag von Ried« (8. Oktober 1813) unterschreiben, der das Königreich Bayern noch rechtzeitig vor der »Völkerschlacht von Leipzig« (16. bis 19. Oktober 1813) auf die Seite der Napoleongegner bringt. Und das sieht nun wirklich recht schofel aus. An dieser bis dahin größten Schlacht der Weltgeschichte, bei der sich 330 000 Soldaten auf alliierter und 200 000 auf französischer Seite gegenüberstehen, ist bayerisches Militär unbeteiligt. Wie wichtig aber dem Kronprinzen und späteren König Ludwig I. diese Befreiungskriege waren, hat er später bewiesen, als er – aus eigener Tasche – die Befreiungshalle

Rückzugsgefecht der Reste des bayerischen Kontingents von Napoleons Rußland-Armee am 4. Dezember 1812 bei Oschmany (Gemälde von Fabre du Faure im Bayerischen Armeemuseum zu Ingolstadt). An Napoleons Rußlandfeldzug, der durch den Brand von Moskau nach anfänglichem Sieg zur verheerenden Katastrophe wurde, mußten sich auch 33 000 Bayern beteiligen. Da sie mit die Last der Rückzugskämpfe zu tragen hatten, kamen nur wenige in die Heimat zurück.

bei Kelheim erbauen ließ, die an diese Ereignisse erinnert. Er, der seit 1813 offene Montgelas-Gegner, hätte das Bündnis mit Frankreich nicht abgeschlossen.

Minister Montgelas, in den Vollmachten eines bayerischen Ministerpräsidenten, verficht Bayerns Sache noch beim Wiener Kongreß (1814/15), der letzten Endes auch nichts anderes als ein Menschen- und Länderschachern ist, diesmal ohne Napoleon Bonaparte, von diesem aber durch seine Hunderttageherrschaft vom März bis Juni 1815 erschreckt. Am 2. Februar 1817 wird Montgelas in den Ruhestand geschickt, die Verfassung von 1818 – die erste und lange Zeit modernste aller deutschen Staaten – ohne ihn herausgebracht. Hinter ihr steckt vor allen Dingen der Kronprinz, ein Mann von 32 Jahren. Die Verfassung wird als Fortschritt allgemein anerkannt, auch in den neu hinzugekommenen Gebieten Bayerns. Im fränkischen Gaibach (bei Volkach) läßt Graf Schönborn ihr zu Ehren die »Konstitutionssäule« errichten.

König Max I. Joseph kann nun so sein Leben zu Ende leben, wie ihn der Hofmaler Joseph Stieler gemalt hat: als nahezu bürgerlich wirkender Landesvater, der 1817 durch ein neues Konkordat die katholischen Verhältnisse in Bayern regelt und München zum Sitz eines Erzbischofs macht. 1818, am 12. Oktober, wird das neue Hoftheater, das spätere »Nationaltheater«, eingeweiht. Noch zu Lebzeiten Max I. Josephs brennt es 1823 ab, wird wieder aufgebaut und am 2. Januar 1825 noch einmal eröffnet. Am 12. Oktober 1825 feiert König Max I. seinen Namenstag beim russischen Gesandten in der Stadt München. Der Diplomat gibt ein glanzvolles Fest, von dem sich Max Joseph frühzeitig verabschiedet. Am anderen Morgen findet ihn sein Kammerdiener tot im Bett zu Nymphenburg. Sein Gesicht trägt jenen Ausdruck von Zufriedenheit, den man am König oft hat wahrnehmen können. Seine Herzurne in der Altöttinger Gnadenkapelle trägt die Inschrift »Das beste Herz«.

Das Gemeindeamt von Ismaning bei München, einem stark angewachsenen Dorf, das sich unter anderem auch durch seine große Weißkrauternte auszeichnet, ist in recht vornehmer Umgebung untergebracht. Die Amtsräume umfassen heute auch die sehr originellen Empire-Räume des einstigen Schlößchens der Freisinger Fürstbischöfe, das ab 1816 für Eugen Beauharnais, Herzog von Leuchtenberg, König Max I. Josephs Schwiegersohn, umgebaut und eingerichtet wurde.

König Ludwig I. – ein deutscher Bayer

Im Alter von 39 Jahren, viel gereist und in den Stürmen
der Napoleonszeit politisch erfahren geworden, kommt
König Ludwig I. im Oktober 1825 auf den bayerischen
Thron. Der Sterbetag seines Vaters, der 12. Oktober dieses Jahres, ist der 15. Hochzeitstag Ludwigs und seiner
Gemahlin Therese von Sachsen-Hildburghausen. Als er
sie 1810 heiratete, wurde auf der nach ihr nun benannten
Wiese ein großes Fest mit Pferderennen gefeiert, das ab
dem darauffolgenden Jahr zum traditionellen »Oktoberfest« wurde, dem heute größten Volksfest der Welt.
Das Licht der Welt hat Ludwig in Straßburg erblickt, am
25. August 1786, als sein Vater noch keinerlei Thronan-
wartschaft besaß, sondern in französischen Militärdien-
sten stand. Der 25. August ist der Ludwigstag. Darum –
und weil der Taufpate, König Ludwig XVI. von Frankreich höchstpersönlich, dies so wünschte – taufte man
den Erstgeborenen auf den Namen Ludwig.
Während der ganzen Jahre, die Bayern mit Napoleon
Bonaparte verbunden war, stand der Kronprinz Ludwig
in fast immer unverhohlener Opposition zu diesem
Bündnis. Er, Ludwig, ist als Kronprinz und als König bis
zuletzt, auch nach seiner Abdankung, ein »deutscher
Bayer« gewesen, ein Fürst, dem an einem einigen Bündnis aller deutschen Stämme und Staaten immer gelegen
war. Diese Haltung hätte ihn beinahe einmal das Leben
gekostet. Als sich Kronprinz Ludwig beim Niederkämp-
fen des Tiroler Aufstandes im Jahre 1809 dem von Napoleon und seinen Heerführern geforderten brutalen Vor-
gehen widersetzt, droht zunächst der französische Ober-
kommandierende Lefebvre und dann Napoleon selbst
mit einer Füsilierung Ludwigs. Damit wurde der Kronprinz endgültig zur Mitte der Napoleongegner am
Münchner Hof.
Der »teutsche Ludwig« war aber auch ein Italienfahrer.
Der Frühling 1805 sieht ihn in Rom. Er feiert dort mit der
deutschen Künstlerkolonie, der Papst empfängt den
Prinzen, Angelika Kauffmann, die emanzipierte Malerin
aus dem Bregenzer Wald, porträtiert den Kronprinzen.
Seine Liebe zum Mittelmeerraum, zum Klassischen und
zur Kunst überhaupt ist nun voll entfacht, und als die Befreiungskriege vorüber sind, zieht es ihn noch mehrmals
nach Italien. Von 1816 an nimmt er seine Residenz zu
Würzburg, wo 1821 auch sein Sohn Luitpold geboren
wird, kein Thronfolger (der kam schon ein Jahr nach der
Hochzeit, 1811), aber der spätere Prinzregent, der seinen
eigenen Neffen, den Märchenkönig, absetzen lassen
muß.
König Ludwigs Taten, des ersten Ludwig, kann man
nicht in gewonnenen Schlachten messen, da zu seiner
Regierungszeit keine einzige unter bayerischer Mitwirkung geschlagen wurde; seine Taten sind in Bauwerken
ersichtlich. Er baut seine Residenzstadt München aus,
verwirklicht das, was er zum Teil schon in seiner Kron-
prinzenzeit mit geplant hat. Seit 1816 ist Leo von Klenze,

**Franz Ludwig Catel malte 1824 das fröhliche Zusammensein des bayerischen Kronprinzen Ludwig, des
späteren Königs Ludwig I., mit jungen deutschen Künstlern und Gelehrten in
der spanischen Weinkneipe auf Ripagrande zu Rom. In der Gesellschaft auch Thorwaldsen, ebenso Leo von Klenze. Der
bayerische Kronprinz war 1805 erstmals in Rom, wurde 1827 sogar römischer Bürger, als er
die Villa Malta an der Porta Pinciana kaufte, schon als Bayerns König.**

gebürtiger Hildesheimer in der Stadt, hat sich mit dem Hofgartentor und dem Renaissancebau des Leuchtenberg-Palais für Eugène Beauharnais empfohlen, baut schon für den Kronprinzen Ludwig an der »Glyptothek«, die Ludwigs große Erwerbung, die »Ägineten« (Giebelfiguren des Tempels von Ägina), und andere antike Plastik aufnehmen soll. Mitten auf einer grünen Wiese zwischen München und dem Dorf Schwabing entsteht, unter dem Kopfschütteln der Münchner, dieser klassizistische Kunsttempel. König geworden, saniert Ludwig I. zunächst einmal die Staatsfinanzen. Dann faßt er große Bauobjekte ins Auge. Ab 1829 ist auch Friedrich von Gärtner in der Stadt. Er, Klenze und einige andere Architekten gestalten das bayerische Athen, das neue München, das sich in erster Linie um den Königsplatz und entlang der Ludwigstraße mit Palästen, der Staatsbibliothek, der Universität gegen Schwabing hinauszieht.

Die Universität. Die läßt König Ludwig 1826 von Landshut nach München verlegen. Nach Landshut war sie im Jahre 1800 gekommen, weil sie zu Ingolstadt zwischen Jesuiten und den Soldaten der dortigen Festung keinen guten Platz mehr hatte, vor allem keinen geistigen mehr im Zeitalter der Aufklärung. Montgelas hatte damals die Verlegung von Ingolstadt nach Landshut mit anrückenden französischen Truppen begründet. In Wirklichkeit wollte er mehr geistigen Freiraum schaffen, was in Landshut gelang und in München fortgesetzt wird, wo bald die Naturphilosophen Friedrich Wilhelm Schelling und Franz Xaver Baader, der Historiker Josef Görres, der Theologe und Kirchengeschichtler Ignaz Döllinger und der Arzt Johann Nepomuk Ringseis wirken.

Das Bauen aber geht weiter. Die Alte Pinakothek entsteht, eine Erzgießerei wird eingerichtet, aus der 1850 die von Ferdinand von Miller gegossene monumentale und von innen besteigbare »Bavaria« kommt, bei deren Enthüllung München dem nun schon zwei Jahre zuvor abgedankten König zujubelt. Noch aber ist er im Amt; 1835 wird der Königsbau der Residenz (Klenze) fertig, dem die 1836 vollendete Säulenhalle am gegenüberliegenden ehemaligen Törringpalais eine städtebauliche Entsprechung ist. 1842 wird auf der Hofgartenseite der im Renaissancestil gehaltene Festsaalbau der Residenz abgeschlossen, dessen Baumeister ebenfalls Leo von Klenze ist. Dieser kann 1842 auch seinem König den Marmortempel der Walhalla bei Regensburg übergeben, für deren Innenraum der König eine sicher recht subjektive Auswahl an »großen Deutschen« trifft.

Der König, der auch die Kursäle von Bad Kissingen und Bad Brückenau, das Pompejanum zu Aschaffenburg, die Vollendung der Dome zu Regensburg, Bamberg und Speyer (Pfalz) in Auftrag gibt und seinen Hofmaler Joseph Stieler immer wieder eine neue junge Frau, ein neues Mädchen für die »Schönheitengalerie« ins Atelier bringt, hat wenig Sinn für die Industrie, die trotzdem ihre Anfänge nimmt. Er mag Fabriken nicht, »in denen eine Menge Arbeiter sitzend, eine Seele und Körper verküm-

Der »deutsche Ruhmestempel« der Walhalla bei Donaustauf, nahe Regensburg, entstand im Auftrag König Ludwigs I. in den Jahren 1830 bis 1841 (Baumeister Leo von Klenze). Vorbild war der Parthenontempel auf der Athener Akropolis.

mernde Lebensart führen«, wie er schreibt. Trotzdem fährt 1835 von seinem nun bayerischen Nürnberg zu seinem bayerischen Fürth die erste Eisenbahn Deutschlands. Dem Stahlroß steht der König voll Skepsis gegenüber. Der große Kanal vom Main zur Donau (und von dieser nach München), der alte Traum Kaiser Karls des Großen, das ist etwas anderes. Damit wird 1836 begonnen. 1846 wird der Kanal zwischen Bamberg und Kelheim an der Donau eingeweiht, erweist sich freilich in seinen Dimensionen zu klein und fällt letzten Endes dem rasch wachsenden Eisenbahnnetz zum Opfer, einem Netz, das man mit allen seinen technischen Einrichtungen nach dem ersten Weltkrieg entschädigungslos für die »Deutsche Reichsbahn« eingezogen hat. Ja, und dann kommt eine »Señora Doña Maria de los Dolores Porris y Montez« 1846 im Herbst nach München, dringt bis zum 60 Jahre alten König vor, darf im Hoftheater auftreten, als Tänzerin. Im Jahr darauf ist Lola Montez (so heißt die Tochter eines englischen Kolonialoffiziers auch nicht) schon »Gräfin Landsfeld« geworden

Bild oben: In König Ludwigs I. Regierungszeit (1825–48) verwandelte sich München in das »Isar-Athen« der deutschen Kunst. Zu den zahlreichen Bauten dieser Epoche gehören auch der Obelisk am Karolinenplatz (1833) und die Propyläen (ab 1866, beide von Leo von Klenze). – Bild unten: In der Stadt Bamberg haben sich die Reste des von König Ludwig I. durchgeführten Projektes des »Ludwig-Donau-Main-Kanals« (eröffnet 1846) besonders gut erhalten.

Bereits Ende November 1835 hatte sich die erste deutsche Eisenbahn zwischen den Städten Nürnberg und Fürth als technisch zuverlässig erwiesen, ehe die erste deutsche Lokomotive »Adler« am 7. Dezember des gleichen Jahres unter viel Jubel und nicht wenig Vorurteilen in Nürnberg beim Plärrer abfuhr, der nahen Nachbarstadt Fürth entgegen. 180 000 Gulden Kapital hatten mutige Bürger aufgebracht. Das Königreich Bayern hatte nur für 200 Gulden gezeichnet.

Lola Montez (1818–61). Gemälde von Hofmaler Joseph Stieler für die »Schönheitengalerie« König Ludwigs I. im Schloß Nymphenburg. Die skandalumwitterte Tänzerin, von den Münchnern auch als »Spanische Fliege« tituliert, trug zum Rücktritt des ihr gewogenen Königs Ludwig I. bei, der die Tänzerin zur »Gräfin Landsfeld« erhoben hatte. Lola Montez war in Wirklichkeit die Gattin eines dem Trunk ergebenen Leutnants in der englischen Kolonialarmee.

und sitzt dem Hofmaler Stieler für König Ludwigs Schönheitengalerie. Daraufhin läßt Graf Arco-Valley das Bild seiner Frau aus dieser Sammlung von Frauenporträts entfernen. Die Münchner gönnen dem alternden König seine Freundschaft mit Eliza Gilbert nicht, wie Lola Montez in Wirklichkeit heißt. Gerüchte kursieren, der König gebe Unsummen für sie aus. Die Politik mischt sich mit den beginnenden Unruhen des März 1848 dazu. Am 11. Februar muß der König dem Rat seiner Umgebung folgen und die Gräfin Landsfeld aus München entfernen. Diese versucht eine Rückkehr. Es kommt zu Tumulten, und am 4. März ist in München tatsächlich eine Art Revolte im Gange. Sie hat aber mehr politischen Hintergrund. Am 6. März bewilligt König Ludwig I. die Forderungen der Bürger auf neue Rechte, und das Volk jubelt ihm zu. Doch der König, der sich als letzter absoluter Herrscher mit aller Verantwortung eines solchen gefühlt hat, kommt nicht darüber hinweg, daß er Zugeständnisse machen mußte, die er als König nicht machen wollte. Zum großen Schrecken der Münchner tritt er am 20. Februar zugunsten seines Kronprinzen Max Joseph zurück. »Eine neue Richtung hat begonnen, eine andere, als in der Verfassungsurkunde enthaltene... Dem Wohl meines Volkes war mein Leben geweiht; als wenn ich eines Freistaats Beamter gewesen wäre, so gewissenhaft ging ich mit dem Staatsgute, mit den Staatsgeldern um. Ich kann jedem offen in die Augen sehen.« So seine Abschiedsworte.

Noch zwanzig Jahre lebt Ludwig als der »Alte König« in seinem München und in Bayern, zahlt die Vollendung seiner Bauvorhaben aus der eigenen Tasche, muß seinem Thronfolger 1864 ins Grab schauen, erkennt die Traumhaftigkeit seines Enkels, des unglücklichen Märchenkönigs Ludwig II. Ende 1862 muß der »Alte König« eine große Enttäuschung erleben. Von der Insel Korfu kommt im Oktober Nachricht von seinem Sohn Otto, daß er seinen Königsthron in Griechenland wegen einer Revolte habe verlassen müssen. Otto, König der Hellenen, nimmt fortan in der Bamberger Residenz Quartier, die sein Bruder Max II. als Kronprinz viel bewohnt hatte.

Mit der Rückkehr König Ottos aus Griechenland war ein politischer Traum ausgeträumt, den nur die romantische Zeit des 19. Jahrhunderts ermöglicht hatte. Die Griechen erkämpften sich – unterstützt von schwärmerischen Freischärlern aus Westeuropa – ab 1821 ihre nationale Freiheit gegen die türkische Besatzung und

Gar mancher Betrachter der Riesenfigur der Bavaria auf der Münchner Theresienhöhe übersieht die mächtige »Ruhmeshalle«, die König Ludwig I. 1843–1853 von Leo von Klenze erbauen ließ. Sie ist eine »bayerische Walhalla« mit 80 Marmorbüsten bedeutender Persönlichkeiten des Landes. Die von Ludwig Schwanthaler entworfene und 1844–1850 von Ferdinand von Miller meisterhaft gegossene Bavaria hat eine Scheitelhöhe von 15,77 Meter und eine Gesamthöhe von 30 Meter.

bildeten 1822 eine Nationalversammlung. Die europäischen Großmächte, die sich in den Konflikt eingeschaltet hatten, schlugen in einer Konferenz zu London im Mai 1832 als König des neuen Griechenland den bayerischen Prinzen Otto vor, den zweitgeborenen Sohn König Ludwigs I. Die griechische Nationalversammlung akzeptierte diesen Sohn des Philhellenen Ludwig. So machte sich der 1815 zu Salzburg geborene Otto mit 3500 Bayern auf den Weg nach dem fernen, fremden Griechenland. Der siebzehnjährige Bayernprinz wurde offiziell in der Residenz zu München verabschiedet. Sein Vater begleitete ihn noch bis zum Höhenkirchner Forst, wo heute an der Rosenheimer Landstraße die 1834 errichtete »Ottosäule« steht (und aus einer Gartensiedlung im 20. Jahrhundert das rasch wachsende Ottobrunn entstanden ist). Ottos Mutter, Königin Therese, konnte sich erst in Aibling von ihrem blutjungen Lieblingssohn trennen, woran das dortige »Theresienmonument« erinnert. An der Stelle, an der Otto bei Kiefersfelden seine bayerische Heimat verlassen hat, wurde 1834 von Daniel Ohlmüller die »Otto-Kapelle« gebaut. Der junge Prinz landete am 6. Februar 1833 in Nauplia, wo sich die Bayern einrichteten, ehe später auch in Athen residiert wurde. Otto stand zunächst noch unter Vormundschaft bayerischer Beamter, hatte ab 1835 als volljähriger König eigenständig die Macht in Händen, die ihm 1862 durch eine Revolte aus der Hand genommen wurde. Otto starb, quasi »im heimatlichen Exil«, 1867 zu Bamberg. Auch ihm mußte der »Alte König« noch ins Grab schauen.

Nicht nur die von König Ludwig I. angelegte Sammlung der »Schönheitengalerie« im Schloß Nymphenburg hat immer wieder Veranlassung gegeben, diesem König eine Art Mätressenwirtschaft zu unterstellen. Gewiß hat seine Königin Therese unter der raschen Entflammbarkeit ihres Mannes oft gelitten. Sicher aber war Ludwig nur ein Mann, der sich in einem ungewöhnlichen Maß an der Schönheit begeistern konnte, in mancher Frau auch oft mehr suchte, als in ihr steckte, was bei der »Spanischen Fliege« (wie die Münchner verächtlich Lola Montez nannten) in einem ganz besonderen Ausmaß der Fall gewesen sein dürfte. Zur Silberhochzeit am 12. Oktober 1835, hat der König, der ebenso gern wie schlecht gereimt hat, seiner Königin Therese geschrieben: »Lieb Dich mehr, als ich Dich damals liebte, / Reizender erscheinst Du mir heut; / Ob ich gleich Dich öfters selbst betrübte, / Hätt ich keine lieber doch gefreit.« – Ein dichtender König, der freilich nicht nur seiner Königin Verse widmet. Als er am 29. Februar 1868 im Alter von 82 Jahren zu Nizza stirbt, hinterläßt er im Testament eine Botschaft an seine Kinder: »Wenn ich unter all den Frauen, die ich gekannt habe, noch einmal wählen müßte, ich würde keine andere wählen, als Euere Mutter.« Und in seinem letzten Willen steht auch: »An Stelle meines Herzens, das wie die Herzen aller Wittelsbacher Könige nach Altötting, in die Kapelle der Muttergottes gebracht wird, legt mir den Ehering.«

Zwei Bildnisse der Schönheitengalerie König Ludwigs I. Bild oben: Caroline, Gräfin Holnstein, eine Tochter von Ludwigs Bruder, dem Prinzen Carl. – Bild unten: Die Schuhmachermeisterstochter Helene Sedlmayer aus Trostberg.

Der König, der lieber Professor geworden wäre: Max II. Joseph

»Wäre ich nicht in einer königlichen Wiege geboren, wäre ich am liebsten Professor geworden«, hat König Max II. Joseph einmal gesagt, der Kronprinz, dem es mit dem Königsein nicht eilt und der doch im März 1848 urplötzlich den Thron Bayerns besteigen muß. Der 1811 zu München geborene Max Joseph studiert in Göttingen und Berlin Geschichte, Philosophie und Nationalökonomie, reist nach London, Paris, Rom, Konstantinopel und Athen, spricht ein fließendes Englisch, beherrscht auch Französisch, Italienisch und das Neugriechische des hellenischen Königreichs seines Bruders Otto. Zu Göttingen und Berlin holt er sich so mancherlei: die Vorstellung der damaligen Gelehrten, daß in der Wissenschaft das Heil der Welt liege, das Urteil, daß das bayerische Volk geistig unterernährt sei, sehr viele protestantische Freunde und am Ende auch seine Lebensgefährtin, Marie, Tochter des Prinzen Wilhelm von Preußen. Von ihr sagt ihr Schwiegervater Ludwig I., daß sie die einzige eingeheiratete Wittelsbacherin sei, die wirklich eine Bayerin geworden sei. Das beginnt schon bei der Hochzeit am 12. Oktober 1842 (dem 32. Hochzeitstag Ludwigs und Thereses von Bayern), als mit dem Kronprinzenpaar 36 Brautpaare aus ganz Bayern in einer Art riesenhafter Bauernhochzeit getraut werden. Die Kronprinzessin sieht man als Königin sehr oft im damaligen »Touristenlook«, mit selbst entworfenem Bergkostüm und der hohen »Alpenstange«. Wie viele heutige Berliner ist sie die erste aus ihrer Spreestadt, die eine leidenschaftliche Liebe zu allem entwickelt, was älplerisch ist. Auch ihre Söhne Ludwig und Otto werden häufig in alpinistischer Kleidung mit ihr im bayerischen Oberland angetroffen.

Das Studium zu Göttingen und Berlin hat zur Folge, daß der neue König Max II. seinem tiefen Drang, das bayerische Volk zum Lernen zu bringen, kaum Widerstand entgegensetzt. Man murrt in München über die »Nordlichter«, die er an die Universität oder in die Ateliers bringt. An langen Abenden sitzt er mit seinen Professoren, Dichtern und Künstlern beisammen, diskutiert eine bessere Welt von morgen. Die Namen an seinem Tisch: Geibel, Riehl, Bodenstedt, Paul Heyse, alles Dichter, von denen letzterer alle und auch seine eigene Zeit überlebt und am Ende noch den Nobelpreis für Literatur erhält (1910); die Wissenschaftler Sybel (München meint »erlöse uns von dem Sybel«), Karl von Siebold, Philipp von Jolly, Wilhelm Giesebrecht, Wilhelm Bischoff und der große Justus von Liebig, der in seinen Laboratorien öffentliche Vorträge für jedermann hält, fast schon so etwas wie eine Volkshochschule entwickelt.

Man muß auf den Alten Südlichen Friedhof in München gehen, der sich näher hinter dem Sendlinger Torplatz versteckt, als mancher Besucher der Stadt vermutet. Was der Johannisfriedhof und der Rochusfriedhof in Nürnberg für das reichsbürgerliche Hochmittelalter, mit den Gräbern von Dürer, Pirckheimer und deren Zeitgenossen, bedeuten, das ist der zum Park umgestaltete Alte Südliche Friedhof in München für das, was man als »Königlich-Bayerisch« zu verstehen hat, wenn man diesen Begriff nicht auf das populär gewordene »Amtsgericht« dieser Epoche beschränken will. Auf dem Südlichen Friedhof stehen die Grabsteine jener »Nordlichter«, die gar nicht immer Nordlichter gewesen sind, stehen auch die Steine der einheimischen geistigen und künstlerischen Elite, Josef von Fraunhofers etwa, der ohne höhere Schulbildung der Astronomie Entdeckungen und Geräte schenkte, Johann Andreas Schmellers auch, des Korbflechterssohns aus dem oberpfälzischen Tirschenreuth, der das »Bayerische Wörterbuch« mit solcher Genauigkeit verfaßt hat, daß es heute noch allen Benützern als bisher unersetzbares Standardwerk dient. Die großen Münchner Schauspieler liegen hier unter der Erde und die Schauspieldirektoren, die geldigen Brauherrn und die stets geldbedürftigen Dichter und Maler. Da sieht man es dann ganz genau, daß neben den »Nordlichtern« auch viele Bayern zur Königszeit gewirkt haben, die ihr Licht auch nicht unter den Scheffel stellen mußten, wenn es auch ein südliches Licht war. Ignaz Döllinger zum Beispiel, der Theologe, der das Dogma von der Unfehlbarkeit des Papstes ablehnt und aus diesem Grund exkommuniziert wird. Er hat Anteil daran, daß eine »altkatholische Kirche« gegründet wird, tritt ihr aber nicht bei. Er verzichtet auf Vorlesungen in seiner Münchner Universität und auf kirchliche Funktionen, bleibt aber trotz der Sanktionen aus dem Vatikan Rektor der Münchner Universität. Das ist eben das, was man zu meinen hat, wenn man von der »bayerischen Liberalität« reden hört. Unsere Zeit ist da keineswegs mutiger geworden.

Eines von vielen Gräbern, das auf dem aufgelassenen Alten Südlichen Friedhof in München die Welt des königlichen Bayern repräsentiert: Justus von Liebig, der aus freien Stücken auch Abendvorträge für chemische Laien gehalten hat.

Vom Gang durch den Alten Südlichen Friedhof wieder zurück in die Residenz, in der Max II. Joseph gleich in den ersten Monaten seiner Regierung Reformen über Reformen zu erledigen hat. Während in den anderen deutschen Regierungszentren Soldaten und Bürger noch aufeinander losgehen, erfolgt zu München schon positives Wirken, wobei manche Reform auf den alten König Ludwig zurückgeht, der sie, liberaler als seine beiden Kammern, vor 20 Jahren nur nicht durchbringen konnte. Nun kommt es zur wirklichen Bauernbefreiung, zur Aufhebung auch von mehr als 800 Herrschaftsgerichten des kleinen Adels, zur endgültigen Pressefreiheit, Ministerverantwortlichkeit, zu echtem Wahlrecht und zur Neugestaltung der Rechtspflege. Als der Deutsche Bund, seit 1815 der Zusammenschluß aller deutschen Staaten unter dem Präsidium Österreichs, auf das Betreiben Preußens, eine kleindeutsche Lösung, ohne Österreich, dafür mit einem preußischen Erbkaiser, anstrebt, kann Max II. Joseph nicht dafür sein. Er sendet sein Nein in die Frankfurter Paulskirche, bleibt um eine Triaslösung (Preußen – Österreich und dazwischen die Mittelmächte unter Bayerns Führung) bemüht, kann sich aber damit schon deswegen nicht durchsetzen, weil sein Vater und er selbst keinerlei militärische Potenz in Bayern aufgebaut haben.

Max II. Joseph, der wissenschaftsgläubige Mensch, erkennt auch die Zeichen des Fortschritts, stiftet nicht nur 1853 den »Maximiliansorden für Wissenschaft und Kunst«, eröffnet nicht nur 1854 den Münchner »Glaspalast« (1931 abgebrannt) als großartige Ausstellungshalle für Industrie und Kunst, sondern gründet 1851 den bikonfessionellen sozial-caritativen Sankt-Johannisverein, installiert das Handelsministerium auch als Behörde für öffentliche Arbeiten, tritt dem Unterstützungsverein der Maurer, Zimmerer und Steinmetzen in der Münchner Vorstadt Au als Mitglied bei, obwohl eine seiner Regierungsstellen alle Arbeitervereine als »Pflanzschulen des Socialismus« noch streng ablehnt. König Max II. baut auch den zweiten Münchner Straßenzug zur Isar aus, seine Maximilianstraße, in der er auch ein erstes »Bayerisches Nationalmuseum« errichten läßt, das heutige Völkerkundemuseum. Als königlicher Lehrer seines Volkes aber gibt er den ganz Fleißigen und den besonders Begabten ein »Fleißbillettl« aus edelstem Steinmaterial: das Maximilianeum als Krönung seines festlichen Straßenzuges, an der Isarhöhe gelegen. Hier leben die Einserschüler des Landes als Stipendiaten, bekommen Sinn für Großes (sollen es wenigstens), haben keinerlei finanzielle Studiensorgen. Noch heute existiert diese Stiftung, so daß die bayerischen Einserschüler in enger Nachbarschaft des hier seit der Nachkriegszeit untergebrachten Parlaments wohnen, ohne die Parlamentarier je besonders im Hinblick auf gute Noten angesteckt zu haben. In der Sichtweite seines Einserschülerpalastes steht das »Max II-Denkmal«, auch eine Trambahnhaltestelle. Als die Münchner noch nicht an Automaten, sondern an oft

recht originelle menschliche Schaffner ihr Fahrgeld entrichteten, haben diese Schaffner bei der Annäherung an die Haltestelle oft so laut und kernig »Max-Zwoa« gerufen, daß man fast befürchten mußte, Max II. würde einmal mit einem lauten und deutlichen »Hier« antworten. Er hat es nie getan, obwohl es recht gut wäre, wenn nach seinem Tod am 10. März 1864 noch etwas von seinem kühlen Geiste hin und wieder in Regierung und Regierte eindringen könnte.

Ludwig II., der »Märchenkönig«

Wer ist eigentlich nicht eingeweiht in das Leben und noch mehr in das geheimnisumwobene Sterben des schönen Märchenkönigs Ludwig II. von Bayern? Wer kennt nicht die Stelle am Ufer des Starnberger Sees, an der der baumlange und kräftige, des Schwimmens mehr als mächtige Ludwig im Zweikampf mit seinem Nervenarzt Doktor Gudden ertrunken ist, obwohl die Wasser dort kaum einen Meter tief sind? Wer hat auch noch nicht wenigstens eine von vielen neuesten Vermutungen über das tatsächliche Ableben des Märchenkönigs gehört oder gelesen? Immer wieder klingt alles sehr logisch und einleuchtend, immer wieder greift man sich an die Stirn und sagt sich: »Warum haben die guten Leute das damals, nach dem 13. Juni 1886, nicht gleich erkannt!« So soll vom Tod dieses unverheirateten, sicher nicht völlig gesunden Königs nur das festgestellt werden, was im Juni 1886 auch festgestellt wurde: nämlich daß der König tot ist. Eine Ursache wurde damals nicht angegeben. Freilich, kein Wittelsbacher ist so wenig tot wie Ludwig II. Vereine und Verbände halten das Andenken an ihn hoch, und Millionen von Menschen haben bisher die Märchenschlösser dieses Mannes besucht, deretwegen er so große Schulden machte, daß man ihn absetzen mußte, ob er nun krank war oder nicht. Heute sind diese Schlösser wunderbare Einnahmequellen der zuständigen staatlichen Verwaltung und bringen außerdem als besondere Attraktionen für ihr ganzes Umland, ja für ganz Bayern ein Mehr an Tourismus in das fremdenverkehrsreiche Land. Was kann wohl mehr Anziehungs- und Werbekraft ausstrahlen auf einem Bayern-Poster als eine Ansicht des Schlosses Neuschwanstein, von wo der König wie ein Gefangener nach seinem Todesort Berg am Starnberger See »verbracht« wurde.

Das Todesgeheimnis Ludwigs II. ist also in aller Munde, weniger das Geheimnis seiner Geburt, wiewohl freilich die Eltern bekannt sind: König Max II. Joseph und dessen Berliner Gemahlin Marie, die Alpenfreundin. Das Gegeheimnisvolle liegt nicht bei den Eltern, auch nicht beim Geburtsort, der Sommerresidenz Nymphenburg, sondern beim Geburtstag. Der 25. August 1845 ist angegeben, und an jenem Tag ist auch die Geburt des Thronfolgers bekanntgeworden. Es heißt aber, er soll schon am 23. August zur Welt gekommen sein, und man habe zwei Tage geschwiegen, um dem Großvater eine Freude zu machen,

König Maximilian II. ordnete den Bau der Münchner Maximilianstraße im einheitlichen Stil an. Sein Bronzestandbild, das »Max II-Monument« (1875, Kaspar Zumbusch), steht heute in der Flucht der Straße vor des Königs Maximilianeum.

Schloß Neuschwanstein über der Pöllatschlucht und vor dem Alpsee mit den Gipfeln des Tannheimer Gebirges. Der romantische Traum von der Gralsburg des Königtums wurde 1868 begonnen und war 1886, beim Tod des Märchenkönigs Ludwig II., noch nicht fertig. Von seiner Gralsburg mit Thron- und Sängersaal weg wurde König Ludwig II. im Juni 1886 nach Schloß Berg gebracht, wo er am 13. Juni zusammen mit dem Nervenarzt Gudden rätselhaft umgekommen ist.

dem König Ludwig I., der ja auch an einem 25. August, am Tag seines Namenspatrons, zur Welt gekommen ist (wenn dessen Eltern wegen seines Taufpaten, des französischen Königs Ludwigs XVI., nicht auch ein wenig gemogelt haben). Nun, auf zwei Tage mehr oder weniger Erdenleben kommt es bei einem Mann wie Ludwig nicht an, dessen Tod auf alle Fälle ein gewaltsamer ist und auch viel zu früh kommt, wie nicht nur manches Lied über den Märchenkönig erklärt.

Es gibt wunderschöne Bilder aus der Kinderzeit Ludwigs, die ihn meist mit seinen Eltern und seinem jüngeren Bruder Otto zeigen, im damals üblichen Kinderröckchen. Der Münchner Schriftsteller Anton Sailer hat in seinem Buch »Bayerns Märchenkönig« das Leben Ludwigs II. in Bildern zusammengestellt. Da gibt es eine Kinderzeichnung Ludwigs, die als Blickpunkt einen Schwan hat. Mit der Mutter ging er auch immer Schwäne füttern. Der junge Ludwig hatte eine Vorliebe für diese majestätisch wirkenden Wasservögel. Möglich, daß sein Vater daran die Schuld trug. Viele Monate seiner Kindheit verlebte der kleine Ludwig in seines Vaters Sommer-Refugium zu Hohenschwangau, das sich dieser schon ab 1833 im neugotischen Stil hatte bauen lassen. Die Wände dort sind voll mit Bildern der Romantik, und im Schwanenrittersaal dieses Schlosses (von dem Uneingeweihte immer annehmen, dies habe auch Ludwig bauen lassen) gibt es die Bilder der Lohengrinsage. Als Ludwig sechzehn Jahre alt war, durfte er, nach jahrelangem Bitten, erstmals Richard Wagners »Lohengrin« sehen, ein sehr aufregendes Erlebnis für ihn. Da muß nun wirklich nur noch der Meister all dieser Schwäne und Ritter, Richard Wagner, der von Schulden geplagte Mann, im Jahre 1864 persönlich vor dem jungen König erscheinen, um sich ein für allemal zum Freund eines jungen Königs und Gralsritters zu machen, der, gleich Wagner, der Wissenschaftsgläubigkeit des Königs Max II. abhold ist. Wagners Lohengrin ist ja 1845/47 in diesem Gedanken entstanden, Gefühl und Glauben anstelle des nackten Verstandes wieder auf den höchsten Thron der Welt und des Lebens zu heben. Wagner gewinnt also einen königlichen Freund, der ihm immer wieder hilft, wenn er ihn auch der Volkswut halber und auch wegen mancher Wagner'schen Ungeschicklichkeit und Dreistigkeit nicht für immer in München halten kann. Noch in Bayreuth, als dort der alte Wagner sein Festspielhaus stehen hat, kommt Rettung jeweils aus der Münchner Residenz, falls der König nicht gerade in einem seiner Märchenschlösser herumirrt.

Als Ludwig dem Genie Wagner begegnet, ist er schon König, ein achtzehnjähriger Jüngling, der alle überragt und ob dessen schmerzerfüllter Schönheit beim Trauerzug Max II. Joseph auf der Straße mehr Tränen vergossen werden als für den König. Als wäre er nicht von dieser Welt, so geht Ludwig II. hinter dem Sarg seines Vaters. Man macht sich in bayerischen Politikerkreisen sehr viel Sorgen wegen des jungen Königs, der sich in der Resi-

denz gleich einige Zimmer und einen Wintergarten (1874) mit Schwänen einrichten läßt. Im Gegensatz zu fast allen Herrschern Bayerns der letzten dreihundert Jahre ist Ludwig noch auf keiner Universität gewesen, hat nichts als seine Hauslehrer gehabt, war auch noch nicht draußen in der Welt. Keine Erfahrungen also. Dafür ein Übermaß an Gefühl, das von ihm selbst und von seinen Ministern und Beratern immer wieder zurückgeschoben werden muß, wenn nüchterne politische oder gar militärische Entscheidungen zu treffen sind. Auch solche bleiben dem Träumer Ludwig nicht erspart, worunter er sehr leidet. Zunächst aber geht noch alles sehr poetisch vor sich. Richard Wagner wird aus den Schulden gerettet, und 1865 gibt es in München die Uraufführung von Wagners »Tristan« unter der Direktion von Hans von Bülow, dessen Gattin Cosima 1870 Richard Wagners Gefährtin auf dem Rest seines Lebensweges werden wird. Wagner selbst muß aus München verschwinden, weil er sich über den königlichen Freund auch in die Politik eingemischt hat (und weil die Münchner halt gegen ihn sind, vielleicht weil er ihrem »Ludwigl« zu nahe steht). 1866 gibt es andere Musik. Kriegsfanfaren ertönen vor allem über Unterfranken. Der Deutsche Bund mit Bayern stellt sich auf die Seite Österreichs, als Preußen die politische Machtprobe mit Waffengewalt austrägt. Preußen geht als Sieger hervor, das Königreich Bayern soll durch starke Gebietsverluste gedemütigt werden.

Wilhelm Tauber malte König Ludwig II. in der Uniform eines bayerischen Generals. Bilder dieser Art sind sehr selten, da der Märchenkönig dem Militärischen abhold war. Roben und Ornate waren ihm lieber als soldatische Gewänder.

Bismarck verhindert dies weitgehend, da er als großer Lenker der kleindeutschen Geschicke bereits weiß, daß er diesen bayerischen König bald zum Bundesgenossen für ein Deutsches Reich unter Preußens Führung benötigt. Der Preis der Niederlage sind neben 30 Millionen Gulden auch ein Schutz- und Trutzbündnis mit Preußen, durch welches die bayerische Armee im Kriegsfall dem König von Preußen unterstellt wird. »Finis Bavariae«, sagen die Chronisten, das Ende Bayerns.

Noch aber gibt es Hochgefühle. Zu Bad Kissingen trifft sich Ludwig mit dem Zarenpaar und dem österreichischen Kaiserpaar, dessen weibliche Hälfte seine liebe Cousine Sissy ist, die Kaiserin Elisabeth, die ihm immer alles verzeiht, die aber doch ärgerlich wird, als er 1867 ihre jüngere Schwester Sophie, mit der er sich schon verlobt hatte, doch nicht heiratet. Ein anderes Hochgefühl: Der König läßt seinen inkognito angereisten Freund Richard Wagner in die Königsloge kommen, als die »Meistersinger« in München uraufgeführt werden. Das Theater jubelt dem nun bescheidener wiedergekehrten Komponisten zu. Wagner und der König sind glücklich.

Wieder Kriegstrompeten. Bismarck will Krieg mit Frankreich, um das Deutsche Reich zusammenzuschmieden, seine Idee. Und Napoleon III. fällt auf Bismarck herein, gibt ihm seinen Krieg, den von 1870/71, der aus Franzosen und Deutschen nun »Erbfeinde« macht und somit zum Vater zweier Weltkriege wird. Nach den schnellen Siegen auf den französischen Feldern läßt Bismarck dem von ihm immer sehr geachteten König Ludwig II. die zweifelhafte Ehre zukommen, dem König von Preußen schriftlich die deutsche Kaiserkrone anzutragen; als mächtigsten der Fürsten neben Preußen ist ihm diese Aufgabe zugefallen. Bei der bombastischen Kaiserproklamation im Spiegelsaal von Versailles (wie schicksalhaft ist der Name dieses Schlosses zwischen 1870 und 1945 für Europa!) ist Ludwigs jüngerer Bruder Otto anwesend. Er fällt, vor lauter markigem Hurra, weiter nicht auf, meldet an seinen königlichen Bruder: »Ich empfand namenloses Weh.« Die Siegesparade in München, in Anwesenheit des preußischen Kronprinzen, der den Oberbefehl über die bayerische Armee hatte, wird eher zur Demütigung Bayerns als zum Triumph.

König Ludwig II. stürzt sich nun in den Bau seiner Schlösser: Linderhof im stillen Graswangtal bei Oberammergau und Ettal, Neuschwanstein, die Gralsritterburg, und Herrenchiemsee, das Symbol absoluten Königtums. Immer menschenscheuer wird der König. Wie sehr gerade er große Volksmengen allein durch sein Erscheinen hätte begeistern können, zeigt sich bei seinen immer selteneren öffentlichen Auftritten, die zumeist auch noch ungewollt sind, wie etwa in Bayreuth, wo er im August 1876 für einige Tage zur Einweihung des Festspielhauses kommt, nachts, beim Fackelschein und unangemeldet. Die Bayreuther umjubeln ihn aber, wo immer sie seiner Gestalt ansichtig werden können. Die letzten Jahre: nächtliche Ausfahrten, Schlittenfahr-

Französisch-Deutscher Krieg von 1870: »Bayernschanze vor Paris«. Nach dem verlorenen Krieg des
Deutschen Bundes gegen das Königreich Preußen von 1866 war Österreich aus dem
Bund ausgeschieden und Bayern zu einer Allianz mit Preußen gezwungen worden. Preußens Kanzler Bismarck wollte über
den gemeinsamen Krieg gegen Frankreich im Jahre 1870 ein (klein-)deutsches Nationalbewußtsein
schaffen. Tatsächlich wurde auch 1871 das Deutsche Reich gegründet.

Am 16. Juli 1871 fanden in München zwei große militärische Schauspiele statt. Die siegreich aus
Frankreich heimgekehrte Armee hielt auf dem Oberwiesenfeld Truppenschau und
paradierte anschließend in der Ludwigstraße vor König Ludwig II. Die Parade führte der deutsche Kronprinz, Friedrich
von Preußen, an, der auch Oberbefehlshaber der bayrischen Armee gewesen ist. König Ludwig
fühlte sich brüskiert und sagte: »Dies war mein erster Vasallenritt.«

**Kaiserin Elisabeth von Österreich, die Tochter »Sissy« des Herzogs Max in Bayern (»Zithermaxl« genannt
wegen seiner Liebe zur Volksmusik), gemalt 1853 von Karl von Piloty. Sie, die
kein Pferd schonte und ihrem Kaiser Franz Joseph mehr Kummer als Freude machte, verband eine tiefe Freundschaft mit
ihrem Vetter Ludwig II. Sie trafen sich gelegentlich auf der Roseninsel des Starnberger Sees.
Er nannte die Kaiserin »Taube«, und sie bezeichnete den König als »Adler«.**

ten eines einsamen Mannes, nächtliche Fahrt im Einbaum zur Herreninsel, wo man die dreitausend Kerzen des Saales anzünden muß, wo sich aber niemand sehen lassen darf. Ein Tischlein-deck-dich im Schloß, das jeden Kontakt zum Servierpersonal unnötig macht. Verrückt? Des Königs Vorreiter Fritz Schwegler hat ein paar Tage vor seinem Tod an Ostern 1963 zum Verfasser dieses Buches auf diese Frage lakonisch geantwortet: »Narrisch? Der war g'scheiter wia Du und i' mitanander!«

Und trotzdem kommt es Anfang Juni 1886 zu einem ärztlichen Gutachten, das am 9. Juni die Entmündigung des Königs nach sich zieht. Am 12. Juni bringt man ihn in die vergitterten Zimmer des Schlosses Berg, und wegen der Vorgänge des 13. Juni kann man dann ein Kreuz im See aufstellen, ein Kreuz, das auch an das Leid der Königsmutter Marie mahnen kann, die ihre zwei Söhne, ihre einzigen Kinder, im Dunkel einer Nervenkrankheit entschwinden sieht. Ludwig ertrinkt im See, geheimnisvoll, Otto dämmert im sanften Wahnsinn dahin, stirbt erst 1916. Marie, die vordem so fröhliche Alpenfreundin aus dem preußischen Königshaus, muß nur bis 1889 leben. Ludwigs verlorene Braut, des »Zithermaxls« (Herzog Maximilians) jüngere Tochter Sophie, verunglückt 1897 in Paris beim Brand eines Wohltätigkeitsbazars. Sie, die eine Herzogin von Alencon geworden war, hätte vor dem Feuer gerettet werden können, verlangte aber, daß man erst die jungen Mädchen rette. Ihre Schwester Elisabeth, Ludwigs »Taube« (er war ihr »Adler«), ist ein Jahr später in Genf von einem Anarchisten ermordet worden. Sie war damals eine unglücklich-unruhige Kaiserin und keine »Sissy« mehr.

Ein einfaches Kreuz steht im Uferwasser des Starnberger Sees, wo am 13. Juni 1886 beim abendlichen Spaziergang mit seinem Nervenarzt Dr. Gudden der Märchenkönig Ludwig II. auf heute noch ungeklärte Weise ertrunken ist.

Zwischen Jagd und Staatsgeschäften: Prinzregent Luitpold

Als König Ludwig II. entmündigt wurde, hat man seinen Bruder, den Prinzen Otto, zum neuen König ausgerufen, zumal der bisherige König nun auch noch umgekommen war. Der neue König konnte sein hohes Amt aber nicht ausüben, da er im Schloß Fürstenried wegen seiner Nervenkrankheit interniert war. So wurde Prinz Luitpold, ein Bruder König Max II. und damit Onkel des Märchenkönigs, zum Regenten bestellt. Der »Prinzregent« hat während all seiner Amtsjahre, die in erster Linie ein Pendeln zwischen Jagd und Staatsgeschäft gewesen sind, stets dokumentiert, daß er nur Regent anstelle des rechtmäßigen Königs Otto sei. So bezog er in der Residenz nicht die Königszimmer, sondern die Steinernen Zimmer.

Als der Prinzregent am Morgen des 14. Juni 1886 die Nachricht vom Unglück am Starnberger See erhält, sagt er: »Man wird sagen, ich sei der Mörder!« Und man sagte es auch, wenn auch nicht überall. Da war ja auch aus König Ludwigs letzten Tagen eine Proklamation, in dem er seinen Onkel Luitpold als »Hochverräter« bezeichnet. Kein leichtes Machen also zu Beginn dieser Regentschaft. Bald ist Luitpold aber in ganz Bayern beliebt. Man hat wieder eine Majestät, die sich sehen läßt, die bei den Prozessionen hinterm Allerheiligsten geht, die während des Oktoberfestes 1886 persönlich die Preisverteilung des angeschlossenen Landwirtschaftsfestes und der Pferderennen übernimmt. Luitpold, der alles andere als ein Angeber und auf Äußerlichkeiten bedachter Mensch ist, muß die Repräsentation zu einem Teil der Politik erheben, wenn er auch am allerliebsten in den weiten Jagdgründen der Bayerischen Alpen zu finden ist. Trägt er dort draußen Loden und Leder, so sieht man ihn bei offiziellen Anlässen in der Residenz sehr würdig in der Uniform des Großmeisters des Georgiritterordens einherkommen, des Hausordens der Wittelsbacher. Er sieht auch auf das eigentlich schon abgekommene spanisch-burgundische Hofzeremoniell, besonders bei der von ihm wieder eingeführten Neujahrscour, bei der Edelknaben in hellblauen Galaröcken und weißen Schnallenschuhen die drei Meter langen Courschleppen der Damen tragen. Aus Anlaß des 100. Geburtstages seines Vaters, Ludwigs I., spendet er im August 1886 recht kräftig für das geplante Münchner Künstlerhaus, weshalb ihm die Künstler schon im nächsten Fasching, der damals in München die wahre Jahreszeit der Künstler gewesen ist, als ihrem Schutzherrn huldigen. Als solcher erweist er sich immer wieder in den folgenden Jahren, indem er ankauft, fördert, Aufträge verteilt, bedeutende Ausstellungen nach München zieht. Seine Prinzregentenstraße freilich wird nicht mit seinen Mitteln, sondern von der Stadt angelegt. Er steuert nur die Prinzregentenbrücke und die dazugehörige Uferanlage bei. Allerdings gibt es auch unter seiner Regentschaft eine starke Baubegeiste-

rung, die viele Bauwerke liefert, die zum typischen Bild des heutigen München zählen, den Justizpalast etwa und das Bayerische Nationalmuseum in der Prinzregentenstraße. Luitpold stehen nicht die Zivillistenmittel seiner königlichen Vorgänger zur Verfügung, zudem zahlt er bis 1901 aus dieser Zivilliste jährlich eine Million Mark an Schulden ab, die König Ludwig II. in seiner Märchenhaftigkeit dem weit nüchterneren Onkel hinterlassen hat.

Das Königreich Bayern, das Prinzregent Luitpold bei seinem Tod am 12. Dezember 1912 seinem bereits 67 Jahre alten Sohn Ludwig übergibt, ist wohl nach Meinung dieses Ludwig kein Vasall, sondern Verbündeter des Kaisers in Berlin, doch sehr frei in seinen äußeren Beschlüssen ist Ludwig, der sich 1913 zum König krönen läßt, keineswegs. Preußen unterhält eine eigene Gesandtschaft in München, bei der heutigen Schackgalerie. Das soll immerhin Bayern als einen souveränen Staat signalisieren. In der Tat sind auch Bahn und Post, Armee, Justiz und die gesamte Verwaltung eigenständig bayerische Einrichtungen. So hat das Königreich Bayern, das Luitpold bis in sein 92. Lebensjahr treu verwaltet, immerhin weit mehr Eigenrechte als der heutige Freistaat Bayern innerhalb des Grundgesetzes der Bundesrepublik Deutschland. Dies mag nur zentralistischen Denkern kein unangenehmes Erkennen sein.

Ludwig III. oder das Ende des Königreichs

Die Münchner haben den Sohn Luitpolds den »Millibauern« genannt, erstens, weil er sehr viel von Landwirtschaft verstand und aus seinem Gut Leutstetten allerhand herausholte und zweitens, weil er sehr wenig Wert auf Kleidung legte und sehr volksnah gewesen ist. Im Gegensatz zu seinem Vater, der bis an sein Lebensende nur Regent für den umnachteten König Otto sein wollte, setzt sein Sohn Ludwig 1913 eine Verfassungsänderung durch, die ihn am 5. November des Jahres zum neuen König von Bayern macht, was vom Volk mehr begrüßt wurde als von der Presse, die ihn teilweise bespöttelte ob seines Königtums.

Ludwig III. war ein Fachmann in Wirtschaftsfragen, nachdem er nicht nur Philosophie und Rechtskunde, sondern auch Nationalökonomie studiert hatte. Er ist es, der dem Münchner Magistrat sehr zuredet, das heutige Messegelände auf der Theresienhöhe zu kaufen und der auch den Bau des Deutschens Museums (für Meisterwerke der Naturwissenschaft und Technik, wie es mit vollem Namen heißt) mit allen Mitteln fördert. Als überzeugter Demokrat erringt er sich auch die Hochachtung der bayerischen SPD, kandidiert sogar vor seiner Regierungszeit als Reichstagsabgeordneter, freilich nicht für die Sozialdemokraten, sondern für das Zentrum, die »Schwarzen«, da er selbst von tiefer, überzeugter Religiosität ist, was ihm manchen Spott einbringt.

Als »des Reiches Verweser« sah sich Prinzregent Luitpold (Bild), der die Absetzung des offenbar kranken Königs Ludwig II. hatte unterzeichnen müssen. Der »Märchenkönig« war der Neffe des in Bayern sehr beliebten Luitpold gewesen.

Im Luftfahrtsaal des »Deutschen Museums für Meisterwerke der Naturwissenschaft und Technik« in München, dem größten Museum dieser Art. Schon als Prinz hatte der spätere König Ludwig III. den Schöpfer dieser Sammlungen, Oskar von Miller, ermutigt, als dieser 1903 die Objekte zunächst im bescheidenen Rahmen im Bayerischen Nationalmuseum ausstellte. Der heutige Museumskomplex von 500 Meter Länge zwischen zwei Isarbrücken entstand in den Jahren 1925–1935.

Fröhliche Gesichter vor der Feldherrnhalle in München am 2. August 1914, dem ersten Tag der Mobilmachung des Ersten Weltkriegs. Man glaubte – wie auch in allen anderen Ländern
der am Krieg beteiligten Nationen – an einen siegreichen und höchst interessanten Blitzkrieg. Mitten unter den noch sehr
zivilen Menschenmassen hörte auch Adolf Hitler (Kreis) die Mobilmachungserklärungen. Er
lebte seit 1913 als Gelegenheitsmaler in Bayerns Landeshauptstadt.

Als der Krieg ausbricht, kann er am 1. August nur tun, was ihm vom Kaiser befohlen wird: die Mobilmachung ausrufen. Das Haus Wittelsbach hat selbst Mitglieder an der Front, beklagt auch Gefallene in der eigenen Familie. Ludwigs Sohn, der Kronprinz Rupprecht, Heerführer im Westen, tritt immer wieder für einen Verständigungsfrieden ein, wird aber dabei nicht einmal von seinem Vater verstanden. Der ist 1918 noch recht optimistisch, glaubt auch nicht an eine Revolution in Bayern. So überrascht ihn diese am 7. November, als er sich spazierengehenderweise in seinem Hofgarten aufhält. Ein Arbeiter soll ihm gesagt haben, daß er jetzt besser heimgehen solle, und ein Polizist bringt ihn – schon durch eine Seitentüre – in die Residenz, die er mit der totkranken Königin noch in dieser Nacht in Richtung des Schlosses Wildenwart verläßt. Die Flucht geht weiter über Berchtesgaden nach Anif bei Salzburg, wo er mit seinem Ministerpräsidenten Otto von Dandl zusammentrifft, einen Thronverzicht als Zumutung zurückweist und nur eine Erklärung abgibt, in der er Beamte und Soldaten ihres Treueeides entbindet, da er keine Möglichkeit des Regierens habe.

Die königliche Familie kehrt bald nach Wildenwart zurück, wo Königin Maria Therese am 3. Februar 1919 stirbt. Als der selbsternannte Ministerpräsident Kurt Eisner vom heimkehrenden Oberleutnant Graf Anton von Arco-Valley am 21. Februar 1919 auf dem Weg zum Parlament, wo er seine Wahlniederlage und seinen Rücktritt erklären wollte, erschossen wird, hält es der 74jährige König für geraten, von Wildenwart aus die Flucht zu ergreifen. Aus München kommen blutige Nachrichten. Seine Flucht führt ihn zunächst an das Innufer nach Kiefersfelden. Während die Kutsche mit seiner Begleitung auf der Straße nach Kufstein weiterfährt, geht der König zur Innfähre hinunter, die nach dem österreichischen Eichelwang hinüberführt. Drüben am anderen Ufer erwartet ihn der aus Nürnberg stammende damalige Redakteur des »Kufsteiner Grenzboten« August Sieghardt (der Onkel des Verfassers dieses Buches), den der Hofmarschall des Königs, Graf Holnstein, vorher telefonisch gebeten hatte, an dieser Stelle »einen alten Herrn« in Empfang zu nehmen. Sieghardt hatte schon geahnt, daß es sich um den König handele und führt Ludwig III. zu Fuß nach Kufstein hinein, wo dieser im Hotel Egger wieder mit seiner Begleitung zusammentrifft. Offenbar hatte man für Ludwig III. aus Sicherheitsgründen, die gewiß übertrieben waren, den völlig abgelegenen Grenzübergang bei Eichelwang gewählt. So verließ der letzte König nach 739 Wittelsbacher Regierungsjahren die politische Bühne Bayerns durch einen nassen Seitenausgang. Die kleine, schmale Fähre trug damals noch ein bemaltes Blechbild des heiligen Johannes von Nepomuk, der ein Patron der Schiffer ist. Johannes von Nepomuk war neben der Muttergottes Patron Bayerns und des Hauses Wittelsbach, dessen Prinzessin Sophie jenes Beichtkind des Prager Heiligen gewesen ist, dessen Geheimnisse dieser ihrem Mann, dem argen König Wenzel, nicht geoffenbart hat, weshalb ihn der König, einer Legende nach, von der Prager Karlsbrücke in die Moldau werfen ließ.

König Ludwig III. kehrte nach einigen Wochen wieder nach seinem Wildenwart zurück, reiste im Herbst 1921, trotz heftiger Magenblutungen, nach seinem Gut Sarvar in Ungarn, das er von seiner habsburgischen Frau geerbt hatte. Dort starb er am 18. Oktober 1921. Sein Sarg und der seiner Königin wurden am 5. November des gleichen Jahres in feierlichem Trauerzug von der Münchner Ludwigskirche zur Wittelsbacher Gruft im Liebfrauendom geleitet, ein geradezu überschwenglicher Trauerakt, an dem sich auch das Volk beteiligte. Es sah fast so aus, als wollte man bei Ludwig III. wieder gutmachen, daß man ihn drei Jahre vorher bei Nacht und Nebel aus seiner Residenz getrieben hatte.

In der Weimarer Republik: Bayern wird ein Freistaat

Spätestens seit dem professoralen König Max II. Joseph gibt es in Bayern ein Phänomen eigener Art: Nichtbayern erscheinen im Land vor den Bergen, lassen sich hier mit Freuden nieder, sind zunächst des Lobes voll, beginnen aber mehr oder weniger bald, ihre bayerische Umwelt, die »Eingeborenen« zu belehren. Die Zugezogenen nehmen irgendwann eine Stellung in der Regierung, im Parlament oder wenigstens in einem Kommunalgremium ein, von der aus sie ihre Wahlheimat mit neuen Ideen beglücken. Diesem Umstand ist es zu verdanken, daß die Bayern ihren lieben Leberkäs nicht mehr »Leberkäs«, sondern »Fleischkäse« nennen müssen, obwohl sie immer gewußt haben, daß in diesem Leberkäs keine Leber drinnen ist. Nordlichter fanden aber doch, daß diese Bezeichnung eine Irreführung sein könnte. Und so holen sich die Handwerksmeister eben heute einen Fleischkäs zur Brotzeit, weil er nun so heißt und weil ihnen die Lehrlinge den Leberkäs nicht mehr holen dürfen, zudem auch nicht mehr Lehrlinge, sondern Auszubildende sind, »Azubies«, wie es in der Bonner Idiotensprache heißt.

Nichtbayern, die diesen Trieb zur Veränderung, Verbesserung ihrer neuen Heimat Bayern gehabt haben, verdankt das Bayern nach der Monarchie zum größten Teil auch seine Revolutionen und Putsche. Da ist zum Beispiel gleich die erste Revolution nach der Königszeit, beziehungsweise diejenige Revolution, die aus dem Königreich in zwei Stunden eine Republik machte. Ausgerufen wird sie von einem jüdischen Kaufmannssohn aus Berlin, von Kurt Eisner, der den Versuch, seine Ideen in Bayern durchzusetzen, am Ende mit dem Leben bezahlen muß.

Kurt Eisner, 1867 in Berlin geboren, zunächst Mitglied der SPD und deren Redakteur beim »Vorwärts«, geht es wie dem bayerischen Kronprinzen Rupprecht: Im Laufe des Krieges 1914/18 tritt er mehr und mehr für den Frieden ein, erkennt die Sinnlosigkeit des Kämpfens. 1917 wechselt er von der SPD in München zur USPD, die sich in diesem Jahr von der SPD abgespalten hatte. Es gibt nun diese »Unabhängige Sozialdemokratische Partei Deutschlands« und die alte SPD, deren Mitglieder man als Mehrheitssozialisten« bezeichnet. Kurt Eisner beteiligt sich führend an den Proteststreiks des Januar 1918 und wird deshalb bis Oktober inhaftiert. Als Kandidat einer Reichstagsnachwahl muß er wieder auf freien Fuß gesetzt werden. Als es am 7. November auf der Theresienwiese zu einer Massenkundgebung für einen baldigen Frieden kommt, gelingt es Kurt Eisner, einen Teil der Massen nach der Kundgebung zu einem Demonstrationsmarsch zu bewegen. Gefängniszellen werden gewaltsam geöffnet, Proviantlager gestürmt. Im »Mathäser« aber ruft Kurt Eisner an diesem Tag die Republik in Bayern aus und macht sich zum ersten Vorsitzenden eines »Arbeiter- und Soldatenrates«. Erhard Auer, Führer der Mehrheitssozialisten und einer jener »königlich-bayerischen Sozialdemokraten«, die des großen bayerischen SPD-Führers der frühen Jahre, Georg Heinrich von Vollmars Forderung, die SPD müsse in den Parlamenten loyal mitarbeiten, zu ihrer eigenen gemacht hatten, ist von Kurt Eisners spontanen Taten überrascht und kann sich mit ihm nur noch arrangieren. Am 8. November nachmittags tritt der Arbeiter- und Soldatenrat ein zweites Mal zusammen, bestimmt nun die neue bayerische Regierung: Präsident und Minister des Äußeren wird Kurt Eisner, Innenminister Erhard Auer. Eisners USPD und die SPD teilen sich brüderlich in die Ministerposten, lassen aber den Posten des Verkehrsministers dem Ritter von Frauendorfer zukommen, einem Parteilosen, der dieses Amt schon einmal zu Königs Zeiten innehatte, wegen Toleranz zum »Süddeutschen Eisenbahnerverband« (der SPD nahestehend) damals jedoch zurücktreten mußte. Frauendorfer hat sich 1921 im Isartal erschossen.

Kurt Eisner, der der Königsfamilie volle Bewegungsfreiheit zusicherte und auch das Bild Ludwigs III. nicht aus seinem Amtszimmer im Montgelaspalais am Promenadeplatz entfernte, gibt sich bei der Revolutionsfeier am 17. November im Nationaltheater als idealistischer Schwärmer zu erkennen, wenn er der Versammlung, nachdem die Leonoren-Ouvertüre Beethovens erklungen war, zuruft: »Alle die reinen Herzens, klaren Geistes und festen Willens sind, sind berufen, am neuen Werk mitzuarbeiten.« War also Kurt Eisner ein Idealist, der von einem wunderbaren Volksfrühling träumte, so ist der Revolutionär Erich Mühsam schon eher ein Spinner gewesen, der seine anarchistischen Ideen am Ende unter dem Hitlerregime mit dem Tod im KZ bezahlen muß. Als Mühsam, ebenfalls Berliner, im Dezember mit politischen Freunden die Münchner Zeitungsverlage besetzt und diese den verdutzten Druckern und Setzern schenkt, sorgt Kurt Eisner für Ruhe und Wiederherstellung der Ordnung, verschafft sich dadurch Sympathien

Der von der Revolution in Bayern, die er selbst am 7. November 1918 ausrief, zum bayerischen Ministerpräsidenten ernannte Berliner Schriftsteller Kurt Eisner hatte mehr den
Kopf eines Philosophen denn eines Politikers. Als die ersten Nachkriegswahlen den Sozialisten nicht die Mehrheit gaben,
wollte Kurt Eisner vermutlich zurücktreten, konnte aber keine Erklärung mehr abgeben, da
er am 21. Februar 1919 dem Attentat eines Grafen Arco zum Opfer fiel.

in der Öffentlichkeit, die das Spiel der Revoluzzer satt hat. Dennoch geschieht Kurt Eisners Arbeit ohne die Zustimmung des bayerischen Volkes. Seine Republik ist nie weit über Münchens Stadtgrenzen hinausgekommen. Von der Neujahrsnacht des ersten Friedensjahres bis zum Sonntag der ersten Landtagswahlen am 12. Januar 1919 kommt es in München mehrmals zu Tumulten und blutigen Auseinandersetzungen, wobei Eisner auch den Kommunisten und Spartakisten Mühsam verhaften lassen muß. Als man aber danach sein Amt schier stürmt, muß er Mühsam und andere Unruhestifter wieder auf freien Fuß lassen. Typisch für Kurt Eisner ist vielleicht seine Bemerkung, was denn die Revolution nach der Revolution solle. Wenn sich die Revolution behaupten wolle, brauche sie Ruhe. Paradoxe Gedanken fast.

Die ersten Landtagswahlen der Nachkriegszeit beweisen im Ergebnis, daß Kurt Eisner mit seinen Männern fast allein dasteht. Die »Bayerische Volkspartei«, Nachfolgerin des früheren Zentrums, erhält die meisten aller Sitze, nämlich 66. Die SPD gewinnt 61 Sitze, Kurt Eisners USPD erleidet mit nur drei Sitzen eine verheerende Niederlage, die sich am Sonntag darauf bei den Wahlen zur Verfassunggebenden Nationalversammlung wiederholt. Eisner reist nun bald zum ersten Nachkriegskongreß der Internationale nach Bern, will die Einberufung des Landtags hinausschieben. In seiner Abwesenheit beruft Innenminister Auer den Landtag endlich für den 21. Februar ein. Am Morgen dieses Tages hat Eisner in sei-

nem Büro offensichtlich seine Rücktrittserklärung vorbereitet. Als er vom Büro zu Fuß ins Landtagsgebäude an der Prannerstraße geht, schießt ihn der 22jährige Graf Anton Arco-Valley nieder. Er war der Sohn des Grafen Maximilian Arco-Valley, der mit der Tochter eines jüdischen Bankiers verheiratet war.

Nach Kurt Eisners Ermordung (er wird in einem Trauerzug von mindestens 100 000 Menschen zur letzten Ruhe getragen) machen seine bisherigen linksradikalen Gegner ihn zu ihrem Märtyrer, rufen schließlich am 7. April die Räterepublik aus, die das Land, besonders aber München, terrorisiert. Unfähige Menschen erhalten wichtige Posten, der neue Außenminister Dr. Lipp entpuppt sich als Verrückter. Da viele Juden unter den Führern dieser Räterepublik sind, werden hier die Grundlagen für einen späteren neu aufflammenden Antisemitismus breiter Basis gelegt. Dies erkennt auch das alteingesessene Judentum in Bayern. Siegmund Fraenkel, der Sprecher der jüdischen Orthodoxie in Bayern, schreibt einen erschütternden Brief an die Männer um Erich Mühsam, der nun am Ziel seiner anarchistischen Wünsche zu sein scheint. Darin heißt es, daß die Handlungen dieser Leute eine große Gefahr für das bayerische Judentum seien. Am Ende steht: »Unsere Hände sind rein von den Greueln des Chaos und von dem Jammer und Leid, das Ihre Politik über Bayerns zukünftige Entwicklung heraufbeschwören muß.« Was für ein prophetisches, erschütterndes Wort!

Die ersten Nachkriegsmonate waren in Bayern, besonders aber in München, Tage des ständigen politischen Schreckens. Aus dem Krieg heimgekehrte Soldaten wurden zur »Roten Garde« zusammengenommen, die zunächst kampflos Bahnhöfe und andere Objekte besetzte. Zur Zeit der Räteregierung, als die gewählte Regierung nach Bamberg floh, schlugen die »Weißen« noch weit rücksichtsloser und brutaler als die »Roten« in München die Revolution in Grund und Boden.

Der Mann, der aus dem Antisemitismus sein politisches Kapital zum Unglück für die ganze Welt schlagen wird, Adolf Hitler, ist schon im Lande Bayern, wird bald der »Deutschen Arbeiterpartei« nicht als siebtes (wie er behauptet), sondern als 55. Mitglied beitreten. Noch aber herrschen die Räte in München, nicht in Bayern, das von der gewählten Regierung Hoffmann (SPD) regiert wird, die nach Bamberg geflüchtet ist. Es kommt nun zur Befreiung Münchens von den »Roten« durch die »Weißen«, deren Soldateska sich am Ende noch blutiger zeigt als die schießwütigen Banden der Roten. Haben die Roten im Luitpoldgymnasium einige Geißeln erschossen, so metzeln die Weißen sogar eine Gruppe von versammelten Kolpingssöhnen dahin, denen sie keine Möglichkeit geben, sich auszuweisen. Diese Mordtat wird hernach von der Justiz weit milder verurteilt als die Morde der Roten, und selbst der Eisner-Mörder Graf Arco kommt mit milden fünf Jahren Festungshaft davon. Immerhin, Ende Mai ist das Blutvergießen vorbei, das bayerische Leben kann sich unter der Führung demokratisch gewählter Männer eine neue Zukunft suchen.

»Bayerische Geschichte« im Sinne des Wortes passiert nun eigentlich kaum noch. Zu sehr ist Bayern mit dem Deutschen Reich der Weimarer Republik verbunden. Auch als am 9. November 1923 Adolf Hitlers Putsch an der Feldherrnhalle blutig scheitert, ist dies zwar ein Ereignis von großer und schlimmer Bedeutung in Bayern, aber kein bayerisches Ereignis. Milde Richter schicken Hitler

Bild oben: Abgeordneter des Bayerischen Bauernbundes im ersten Deutschen Reichstag der Weimarer Republik war der Ruhpoldinger Hutzenbauernsohn Georg Eisenberger (1863–1945), der hier in seinem einfachen Bauerngewand das Berliner Reichstagsgebäude betritt. Er starb in Ruhpolding. Als man ihn am 4. Mai 1945 dort beerdigte (Bergfriedhof), hörte man von fern amerikanischen Geschützdonner. – **Bild unten:** Der »Stoßtrupp Hitler« im München des Jahres 1923.

in eine gemütliche Festungshaft nach Landsberg am Lech; diese kann er schon bald im Triumph verlassen, das Manuskript seines Buches »Mein Kampf« unterm Arm. Hitlers darin niedergelegte Thesen können seit dem Berliner 30. Januar 1933 voll zu ihrer Wirkung kommen. Sie führen dazu, daß auch im bayerischen Dachau ein Konzentrationslager entsteht, daß in der Kristallnacht von 1938 auch Bayerns Synagogen brennen und daß im zweiten Weltkrieg Millionen Menschen getötet, verschleppt und vertrieben werden. Der Rest ist Hunger und Elend, Grauen. Eine vielfache blutige und geistig-giftige Saat war in der infernalischsten Weise aufgegangen. Ehe aber Hitler Unheil auch über Bayern kommen lassen

kann, feiert man unter dem weiß-blauen Fähnlein jenen gewissen Charme der zwanziger Jahre, der »Goldenen Zwanziger«, wie man sie heute noch immer nennen hört, auch wenn sie für die Arbeitslosen dieser Zeit recht blecherne Zwanziger gewesen sind. München tanzt alles Wilde der Zeit in den Sälen und Cafés. Künstler laden wie in Königszeiten zu bacchantischem Atelierfest, Schwabing ist das »Wahnmoching« der damaligen Jugend. Noch halb im Verborgenen wird Karl Valentin das Genie des Humors. Oskar Maria Graf, der Literat aus Naturtrieb, der Freund wilden Lebens, sieht im Kreis der Übermütigen den bösen Geist Limonade trinken: Adolf Hitler.

Münchens größter Humorist, Karl Valentin, bei einer Aufnahme für den damaligen »Radio München«, kurz nach dem Zweiten Weltkrieg. Der 1882 in München geborene Valentin Fey sollte eigentlich Schreiner werden, »entwendete aber einen Nagel, schlug ihn in die Wand und hing an demselben das goldene Handwerk für immer auf«. An Karl Valentin, der 1948 in München starb, erinnern ein Brunnen am Viktualienmarkt und das »Valentin-Musäum« im Münchner Isartor.

Hitler, der in Bayern zwar seine erste politische Betätigung fand, doch zunächst wenig Boden fassen konnte, machte 1933 München, wo 1923 sein Putsch vereitelt worden war, zur »Hauptstadt der Bewegung«. Nürnberg aber, die größte Stadt Frankens, wurde zur »Stadt der Reichsparteitage«. Das Foto zeigt den Aufmarsch des Reichsarbeitsdienstes auf dem Reichsparteitag des Jahres 1937. In jedem Frühherbst kamen aus ganz Deutschland die Massen nach Nürnberg.

Die Stadt Nürnberg nach dem Kriegsende, im Sommer 1945. In 59 Bombenangriffen war das mittelalterliche »Schatzkästlein des Heiligen Römischen Reiches« vernichtet worden.
Allein am 2. Januar 1945 wurden 6 000 Sprengbomben und Luftminen und über eine Million Stab- und Brandbomben
über der Stadt abgeworfen. Das Foto zeigt das Sebalder Viertel mit dem Burgberg. Neben der großen
Ruine der Sebalduskirche, rechts, die Reste des Alten Rathauses.

Die Münchner Theatiner-Hofkirche sah fast unversehrt aus, als in der bayerischen Hauptstadt nur
2,5 Prozent aller Gebäude unversehrt das Ende des Zweiten Weltkriegs erreicht
hatten. Doch war auch der feierliche italienische Barock dieses Gotteshauses in einem der vielen Luftangriffe schwer
getroffen worden. München hatte in den ersten Nachkriegsmonaten nur noch 480 000 Einwohner,
die sich den Bergen von 7 Millionen cbm Schutt gegenübersahen.

Der Apokalypse noch einmal entronnen: der zweite Freistaat Bayern

Als das Deutschland Hitlers am 8. Mai 1945 kapituliert hatte, war Bayern bis auf den Stadt- und Landkreis Lindau (französische Besatzung) ein von den US-Streitkräften besetztes und bald auch verwaltetes Land, dessen Großstädte zu einem beträchtlichen Teil in Trümmern lagen. Die Bevölkerung war durch Flüchtlingsströme aus dem Osten beträchtlich angewachsen, die Ernährung nicht gesichert. Aus dem Exil oder aus inländischen Verstecken kamen die ersten überlebenden Politiker der alten demokratischen Parteien. Am 28. Mai 1945 wurde Fritz Schäffer, der vorletzte Vorsitzende der Baye-

rischen Volkspartei und bayerische Finanzminister von 1930/33 von der Militärregierung zum vorläufigen Ministerpräsidenten in Bayern ernannt. Da eine Entnazifizierung im Sinne einiger US-Umerzieher dem provisorischen Ministerpräsidenten nahezu die gesamte Beamtenschaft genommen hätte, wehrte er sich gegen die Entlassung nur nomineller NSDAP-Mitglieder und geriet dadurch in Schwierigkeiten. Der in Bad Tölz sitzende US-General Patton, Oberbefehlshaber der 3. US-Armee, verstand die Haltung Schäffers, da er der täglichen Praxis näherstand. Als Patton aber seinerseits die Meinung vertrat, man könne nun nach Hitler auch gleich in einer militärisch günstigen weltgeschichtlichen Stunde die linke Diktatur Stalins beseitigen, griff die US-Pres-

Bayerns zweiter, von der Besatzungsmacht nach dem Krieg eingesetzter Ministerpräsident Wilhelm Hoegner mit seinem Kabinett. Zweiter von links Albert Roßhaupter (SPD, Arbeitsminister), vierter von links Justiz-Staatssekretär Hans Ehard (später erster gewählter Ministerpräsident), rechts neben ihm Wirtschaftsminister Ludwig Erhard (damals Demokratische Partei), dritter von rechts Landwirtschaftsminister Josef Baumgartner, damals noch CSU.

se ihn wegen seiner lockeren Ansichten zur Entnazifizierung an, und der Militärgouverneur in Deutschland, Dwight D. Eisenhower, mußte seinen General Patton am 28. September 1945 entlassen. Pattons Sturz brachte auch Fritz Schäffer und sein Kabinett zu Fall, ebenfalls am 28. September, was freilich vom Datum her mehr Zufall als US-Absicht war.

Der nächste, von der US-Militärregierung in Bayern eingesetzte Ministerpräsident ist alter Sozialdemokrat: Wilhelm Hoegner. Er war im Frühsommer 1945 aus seinem Exil in der Schweiz heimgekehrt und hatte sich als Jurist zunächst um den Zustand der Rechtspflege in Bayern gekümmert. Nun hat er Verantwortung für das ganze Land. Um die Zeit des Regierungswechsels in Bayern gibt Dwight D. Eisenhower seine »Proklamation Nr. 2« heraus, in welcher die als Staaten zu bezeichnenden Verwaltungsgebiete der US-Besatzungszone festgelegt werden. Es handelt sich um die genau begrenzten Gebiete von Großhessen und Württemberg-Baden, während es von Bayern in dieser Proklamation heißt: »Bayern umfaßt ganz Bayern, wie es 1933 bestand, ausschließlich des Kreises Lindau.« Von der Pfalz ist insofern keine Rede, weil diese unter der Besatzung Frankreichs steht, das auch einen Wiederanschluß an Bayern im Laufe der nächsten Jahre verhindert.

Wilhelm Hoegners Vorgänger im Amt, Fritz Schäffer, wurde zu Beginn seiner Tätigkeit als provisorischer Ministerpräsident von einer US-Kommision gefragt, ob er und seine Minister (darunter auch der SPD-Mann Albert Roßhaupter) an ein Bayern dächten, das mit anderen Ländern südlich des Mains, eventuell auch mit Österreich, zu einem Staatsgebilde zusammengeschlossen werden möchte. Schäffer verneinte damals und erklärte nach seinen eigenen Worten, daß Bayern in Tagen des Glücks dem Deutschen Reich angehört habe und nun in dieser Stunde die Treue nicht verweigern wolle. Die Anhänger einer deutschen Südstaatidee oder eines alpenländischen Länderbundes, die keineswegs ausgestorben sind, mögen Fritz Schäffer verzeihen, daß er ihre Stunde damals nicht zu der seinen gemacht hat. Nachdem bereits im Januar 1946 und im April/Mai die neugegründete CSU als eine um die evangelische Wählerschaft erweiterte Bayerische Volkspartei in ersten Kommunalwahlen die meisten Stimmen erhalten hatte, konnte sie auch bei den am 30. Juni 1946 stattfindenden Wahlen zur Verfassunggebenden Landesversammlung von 180 Sitzen 109 erringen. Die SPD erhielt 51, die KPD 8, die »Wirtschaftliche Aufbauvereinigung« des Rechtsanwalts Loritz ebenfalls 8 und die FDP 4 Sitze. Am 15. Juli 1946 trug Ministerpräsident Wilhelm Hoegner in der konstituierenden Sitzung der Verfassunggebenden Landesversammlung dieser die Grundzüge eines Verfassungsentwurfs vor, den er zum Teil schon im Schweizer Exil ausgearbeitet hatte. Darin war das Recht auf Arbeit, auf Erholung, Ausbildung und auch das Recht auf Naturgenuß betont. Von Hoegners Entwurf kam sehr viel in die

Das Olympiagelände der bayerischen Landeshauptstadt München. Zu friedlichen Spielen kam die Jugend der Welt 1972 nach München, und München freute sich. Dann fielen mitten in die Spiele die Schüsse politischer Meuchelmörder.

Verfassung des zweiten Freistaates Bayern, der der Apokalypse noch einmal entkommen war. Der verdiente SPD-Politiker Hoegner, der 1980 hochbetagt gestorben ist, gilt als Vater dieser Verfassung, ist 1948/49 auch mit allem Nachdruck für möglichst starke föderalistische Züge des Grundgesetzes der Bundesrepublik Deutschland eingetreten, konnte sich aber, wie alle Föderalisten, nur zum Teil durchsetzen.

Als die Bevölkerung Bayerns am 1. Dezember 1946 sowohl über die neue Verfassung des Freistaates als auch über die Zusammensetzung seines ersten Landtags abstimmte, gab sie der CSU 104 von 180, der SPD 54, der FDP 9, der »Wirtschaftlichen Aufbauvereinigung« 13 Stimmen. Diese war damit letztmals in einem bayerischen Landtag vertreten, die Kommunisten aber konnten schon dieses Mal keinen Sitz erringen. Aufgrund dieses Wahlergebnisses trat Wilhelm Hoegner am 16. Dezember als Ministerpräsident zurück. Am 21. Dezember wurde der CSU-Mann Hans Ehard gegen seinen Parteivorsitzenden und im Dritten Reich im KZ-Nebenlager Flossenbürg leidgeprüften Josef Müller mit 121 Stimmen zum neuen bayerischen Ministerpräsidenten gewählt. In seinem Kabinett waren zunächst auch Politiker der SPD und der WAV. Wilhelm Hoegner, einer der begabtesten und aufrechtesten Männer des modernen Bayern, konnte nach den Landtagswahlen von 1954 mit einem Kabinett der »Viererkoalition« (SPD, FDP, Bayernpartei und GB/BHE, eine Partei der Heimatvertriebenen) für drei Jahre Ministerpräsident werden, da man die CSU, die es in Verhandlungen trotz ihrer zahlenmäßigen Überlegenheit zu keiner Regierungsbildung bringen konnte, übergangen hatte. An der Wankelmütigkeit der Bayernpartei ist die Regierung Hoegners eingegangen (8. 10. 1957), einige Wochen nach seinem festlich begangenen 70. Geburtstag. Seine Nachfolger waren die CSU-Männer Hanns Seidel, der 1960 aus gesundheitlichen Gründen zurücktrat, noch einmal Hans Ehard (1960–62) und von 1962 bis 1978 Alfons Goppel, der vom CSU-Vorsitzenden Franz Josef Strauß abgelöst wurde. Seit 1966 trägt die CSU in Bayern bei einem Wahlergebnis von 60 und mehr Prozent die alleinige Regierungsverantwortung. Aus dem Freistaat Bayern ist dank aller in ihm ruhenden Kräfte ein recht gesundes und unübersehbares Gebilde geworden, entstanden aus jener Stunde Null im Jahr 1945, von der der unvergessene fränkische CSU-Mann Josef Müller, den man ob seines urwüchsigen Auftretens auch den »Ochsensepp« nannte, damals gesagt hat: »Manches Ereignis war voll ernster Tragik, manches von reiner Komik, und beinahe alles von unvorstellbarer Primitivität.« Von der damals zeitbedingten Primitivität einmal abgesehen, trifft dieses Wort ansonsten die ganzen 1500 Jahre der Geschichte eines bayerischen Staatsgebildes: manches Ereignis voll ernster Tragik, manches von reiner Komik. Eine menschliche Komödie, gespielt auf der Bühne der bayerischen Geschichte, in den höchst reizvollen Kulissen der bayerischen Landschaft.

Das moderne Bayern stellt heute für einen weit größeren Raum die Funkverbindung in das Weltall her.
Bei Raisting, mitten im urwüchsigen oberbayerischen Voralpenland, stehen die
Radioteleskope und anderen Einrichtungen der »Erdfunkstelle« der Deutschen Bundespost. Über Satelliten, die nach
bestimmtem Plan im Weltraum verteilt sind, kann die Einrichtung in Raisting rund um die Uhr Funk-
und Fernsehverbindungen mit allen Gegenden der Erde aufrechterhalten.

Wer Bayern in 15 Jahrhunderten regiert hat

Agilolfinger-Herzöge

554–594	Garibald I.
595–610	Tassilo I.
610–640	Garibald II.
Um 700–718	Theodo
	Mitregenten: Theodebalt, Theode-
	bert, Grimoald und Tassilo II.
718–724	Theodebert und Grimoald
725–735	Hugibert
737–748	Oatilo (Odilo)
748–788	Tassilo III.

Karolinger

788–814	Kaiser Karl der Große (Präfektur)
814–815	Ludwig der Fromme
817–876	Ludwig der Deutsche (sitzt ab 826 in Regensburg als König der Bayern)
876–880	Karlmann (König der Bayern)
880–882	Ludwig der Jüngere
882–887	Karl der Dicke
887–899	Arnulf von Kärnten
899–911	Ludwig das Kind

Luitpoldinger

895–907	Markgraf Luitpold (gewinnt Herrscherstellung unter Ludwig dem Kind)
907–937	Arnulf, Herzog und zeitweise auch König
937–938	Herzog Eberhard
938–947	Herzog Berthold

Ottonen

947–955	Heinrich I.
955–976	Heinrich II. der Zänker
976–982	Otto, Herzog von Schwaben
983–985	Heinrich III. (Luitpoldinger, genannt Hezilo)
985–995	Heinrich II. (zum zweiten Mal)
995–1004	Heinrich IV. (seit 1002 deutscher König, seit 1014 Kaiser Heinrich II. der Heilige)
1004–1009	Heinrich V. von Luxemburg
1009–1018	Heinrich IV. (Kaiser Heinrich II. zum zweiten Mal)

Verschiedene Häuser stellen Bayernherzöge

1018–1026	Heinrich V. von Luxemburg (zum zweiten Mal)
1027–1042	Heinrich VI. (Salier, seit 1039 deutscher König, seit 1046 Kaiser Heinrich III.)
1042–1049	Heinrich VII. von Luxemburg
1049–1053	Konrad von Züphten
1053–1054	Heinrich VIII. (Salier, seit 1054 deutscher König, seit 1084 Kaiser Heinrich IV.)
1054–1055	Konrad (Salier)
1055–1061	Kaiserin Agnes
1061–1070	Otto von Nordheim

Welfenherzöge

1070–1077	Herzog Welf I.
1077–1095	Heinrich VIII. (Salier, siehe oben, zum zweiten Mal)
1096–1101	Welf I. (zum zweiten Mal)
1101–1120	Welf II.
1120–1126	Heinrich IX. (der Schwarze)
1126–1138	Heinrich X. (der Stolze)
1139–1141	Leopold von Österreich (Babenberger)
1141–1143	König Konrad III. (Hohenstaufe)
1143–1156	Heinrich XI. (»Jasomirgott«, Babenberger)
1156–1180	Heinrich XII. (der Löwe)

Die Herzöge des Hauses Wittelsbach

1180–1183	Otto I.
1183–1231	Ludwig I. (der Kelheimer)
1231–1253	Otto II. (der Erlauchte)
1253–1294	Ludwig II. (der Strenge. Regiert ab 1255 nur in Oberbayern und der Pfalz)
1294–1317	Rudolf I. und Ludwig IV. (in Oberbayern und der Pfalz)
1317–1347	Ludwig IV. allein (in Oberbayern, bis 1329 auch in der Pfalz, ab 1340 wieder in Ober- und Niederbayern, seit 1314 deutscher König, seit 1328 Kaiser »Ludwig der Bayer«)

Niederbayern
seit der Landesteilung von 1255

1255–1290	Heinrich XIII.
1290–1312	Otto III., Ludwig III. (gest. 1296) und Stephan I. (gest. 1310)
1310–1339	Heinrich XIV., Heinrich XV. (der Natternberger, gest. 1333) und Otto IV. (gest. 1334)
1339–1340	Johann I. (das Kind)

Gesamtherzogtum Bayern
nach Ludwigs des Bayern Tod

1347–1349	Ludwig V. (der Brandenburger), Stephan II. (mit der Hafte), Ludwig VI. (der Römer), Wilhelm I., Albrecht I. und Otto V. (der Faule)

Oberbayern
seit der Landesteilung von 1349

1349–1351	Ludwig V., Otto V. und Ludwig VI.
1351–1361	Ludwig V. allein
1361–1363	Meinhard
1363–1375	Stephan II.
1375–1392	Stephan III. (der Kneißl), Friedrich, Johann II.
1392–1397	Johann II. (seit 1395 mit Stephan III.)
1397–1402	Stephan III., Ernst, Wilhelm III.
1402–1435	Ernst und Wilhelm III.
1435–1438	Ernst allein
1438–1460	Albrecht III.
1460–1463	Johann IV. und Sigmund
1463–1465	Sigmund allein
1465–1467	Sigmund und Albrecht IV. (der Weise)
1467–1508	Albrecht IV. (der Weise)

Bayern-Landshut
seit der Landesteilung von 1349

1349–1353	Stephan II., Wilhelm I., Albrecht I.
1353–1375	Stephan II. allein
1375–1392	Stephan III., Friedrich, Johann II.
1392–1393	Friedrich allein
1394–1450	Heinrich XVI. (der Reiche)
1450–1479	Ludwig IX. (der Reiche)
1479–1503	Georg (der Reiche)
1504	Bayern-Landshut mit Oberbayern wieder vereint

Bayern-Straubing/Holland
seit der Landesteilung von 1353

1353–1358	Wilhelm I. und Albrecht I.
1358–1404	Albrecht I. (bis 1388 als Stellvertreter Wilhelms I.)
1389–1397	Albrecht II. als Statthalter Albrechts I. zu Straubing
1404–1417	Wilhelm II.
1417–1425	Johann III. (der Erbarmungslose)
1425	Bayern-Straubing unter die Linien München, Landshut und Ingolstadt aufgeteilt

Bayern-Ingolstadt
seit der Landesteilung von 1392

1392–1395	Stephan III.
1395–1397	Stephan III. und Johann II.
1397–1402	Stephan III., Ernst und Wilhelm III.
1402–1413	Stephan III. allein
1413–1443	Ludwig VII. (der Gebartete)
1443–1445	Ludwig VIII. (der Bucklet)
1447	Bayern-Ingolstadt nach Ludwig des Gebarteten Tod an Bayern-Landshut

Herzöge im wieder
geeinten Bayern ab 1504

1504–1508	Albrecht IV. (der Weise)
1508–1550	Wilhelm IV. (1516–1545 gemeinsam mit Ludwig X.)
1550–1579	Albrecht V.
1579–1597	Wilhelm V. (ab 1594 gemeinsam mit Sohn Maximilian I.)

Die Kurfürsten des Hauses Wittelsbach

1597–1651	Maximilian I. (erhält 1623 die Kurwürde)
1651–1679	Ferdinand Maria
1679–1726	Max II. Emanuel (der »Blaue Kurfürst«)
1726–1745	Karl Albrecht (seit 1742 Kaiser Karl VII.)
1745–1777	Max III. Joseph (der »Vielgeliebte«, letzter bayerischer Wittelsbacher)
1777–1799	Karl Theodor (Pfälzer Linien von nun an)

Die Könige des Hauses Wittelsbach

1799–1825	Max I. Joseph (bis 31.12.1805 Kurfürst Max IV. Joseph)
1825–1848	Ludwig I.
1848–1864	Max II.
1864–1886	Ludwig II. (der »Märchenkönig«)
1886–1913	Otto I. (kranker Bruder Ludwigs II.)
1886–1912	Prinzregent Luitpold
1912–1913	Prinzregent Ludwig (Sohn Luitpolds)
1913–1918	Ludwig III. (bisher Prinzregent)

Der Freistaat Bayern
und seine Ministerpräsidenten

1918	Kurt Eisner (USPD), vom 9.11.1918 bis 21.2.1919 (Ermordung)
1919	Johannes Hoffmann (MSPD), vom 17.3.1919 bis 14.3.1920 (in Bamberg ab 18.3.1919 bis Anfang Mai 1919, in Bayern »Räterepublik« vom 7.4. bis 2.5.1919)
1920	Gustav Ritter von Kahr, vom 16.3.1920 bis 11.9.1921
1921	Hugo Graf von Lerchenfeld, vom 21.9.1921 bis 2.11.1922
1922	Eugen von Knilling, vom 8.11.1922 bis 5.5.1924 (Ausnahmezustand vom 26.9.1923 bis 13.2.1924 Generalstaatskommissar Ritter von Kahr)
1924	Dr. Heinrich Held (BVP), vom 28.6.1924 bis 9.3.1933
1933/34	Reichskommissar Ritter von Epp und Ministerpräsident Ludwig Siebert (NSDAP)
1934/45	Bayern im Dritten Reich gleichgeschaltet
1945	Fritz Schäffer (CSU), vom 28.5. bis 28.9.1945, von der US-Armee eingesetzt
1945	Wilhelm Hoegner (SPD), vom 29.9.1945 bis 21.12.1946
1946	Hans Ehard (CSU), vom 22.12.1946 bis 14.12.1954
1954	Wilhelm Hoegner (SPD), vom 15.12.1954 bis 16.10.1957
1957	Hanns Seidel (CSU), vom 17.10.1957 bis 26.1.1960
1960	Hans Ehard (CSU), vom 27.1.1960 bis 11.12.1962
1962	Alfons Goppel (CSU), vom 12.12.1962 bis 6.11.1978
1978	Franz Josef Strauß, seit 7.11.1978.

LITERATURVERZEICHNIS

Altbayern und Bayern allgemein

Aretin, Johann Christoph von: Briefe über meine literarische Geschäftsreise in die bayerischen Abteyen. München 1971.

Aventinus, Johannes (Turmair): Baierische Chronik. Herausgegeben von Georg Leidinger. Düsseldorf 1975.

Bary, Roswitha von: Henriette Adelaide, Kurfürstin von Bayern. München 1980.

Bayerische Bibliothek. Herausgegeben von Hans Pörnbacher und Benno Hubensteiner. 5 Bde. München ab 1979.

Bayern, Prinz Adalbert von: Als die Residenz noch eine Residenz war. München 1967.

Bayern, Prinz Adalbert von: Die Wittelsbacher, Geschichte unserer Familie. München 1979.

Bayern, Prinz Adalbert von: Max I. Joseph von Bayern, Pfalzgraf, Kurfürst und König. München 1957.

Bayern, Konstantin von: Des Königs schönste Damen, Aus der Schönheitengalerie Ludwigs des Ersten. München 1980.

Bekh, Wolfgang Johannes: Ein Wittelsbacher in Italien, Das unbekannte Tagebuch Kaiser Karls VII. München 1971.

Bleibrunner, Hans: Niederbayern, Kulturgeschichte des bayerischen Unterlandes in zwei Bänden. Landshut 1979.

Bosl, Karl (Hrsg): Handbuch der historischen Stätten Deutschlands, Band Bayern. Stuttgart 1974.

Bosl, Karl: Oberpfalz und die Oberpfälzer, Geschichte einer Region, Gesammelte Aufsätze. Kallmünz 1978.

Bretschneider, Heike: Der Widerstand gegen den Nationalsozialismus in München 1933 bis 1945 (Dissertation in »Miscellanae Bavarica Monacensia). München 1968.

Dannheimer, Hermann: Prähistorische Staatssammlung München, Die Funde aus Bayern. München 1976.

Dietz, Karlheinz, Osterhaus, Udo Rieckhoff - Pauli,
Sabine, Spindler, Konrad: Regensburg zur Römerzeit. Regensburg 1979.

Dünninger, Eberhard und Kiesselbach, Dorothea: Bayerische Literaturgeschichte in ausgewählten Beispielen. München 1965.

Ertl, Anton Wilhelm: Größte Denkwürdigkeiten Bayerns, herausgegeben von Gerald Deckart. Düsseldorf 1977.

Gebhard, Torsten (Hrsg.): Handbuch der bayerischen Museen und Sammlungen. Regensburg 1973.

Gerndt, Siegmar: Unsere bayerische Landschaft. München o.J.

Hauschka, Ernst R. und Spitta, Wilkin: Regensburg, Schaubühne der Vergangenheit. Regensburg 1976.

Hoegner, Wilhelm: Flucht vor Hitler, Erinnerungen an die Kapitulation der ersten deutschen Republik 1933. München 1977.

Hubensteiner, Benno: Bayerische Geschichte, Staat und Volk, Kunst und Kultur. München 1977.

Hufnagel, Max Joseph: Berühmte Tote im Südlichen Friedhof zu München. München 1969.

Hümmert, Ludwig: Bayern, Vom Königreich zur Diktatur, 1900–1933. Pfaffenhofen/Ilm 1979.

Hüttl, Ludwig: Max Emanuel der Blaue Kurfürst, 1670–1726. München 1976.

Kapfhammer, Günther (Hrsg.): Bayerische Sagen aus Altbayern, Schwaben und Franken. Düsseldorf 1971.

Kellner, Hans-Jörg: Die Römer in Bayern. München 1971.

Mathäser, Willibald: Andechser Chronik. München 1979.

Nöhbauer, Hans F.: Die Bajuwaren, Die legendäre Herkunft und der fabel-hafte Weg eines deutschen Stammes aus der Urzeit in die Gegenwart. München/Bern 1976.

Orlop, Nikolaus: Von Garibald bis Ludwig III., Herzöge, Kurfürsten und Könige in Bayern. München 1979.

Pfeiffer, Wolfgang und Kraus, Andreas: Regensburg, Geschichte in Bilddokumenten. München 1979.

Rall, Hans: Zeittafeln zur Geschichte Bayerns und der

mit Bayern verknüpften oder darin aufgegangenen Territorien. München 1974.

Rall, Hans und Hojer, Gerhard: Kurfürst Max Emanuel der »Blaue König«. München 1979.

Reitzenstein, Alexander von und Brunner, Herbert (Hrsg.): Reclams Kunstführer Deutschland, Band I, Bayern. Stuttgart 1974.

Sailer, Anton: Bayerns Märchenkönig, Das Leben Ludwigs II. in Bildern. München 1977.

Sayn-Wittgenstein, Franz Prinz zu: Weißblaue Museumsfahrten, Wahre Geschichten um bayerische Heimatmuseen. München 1975.

Schattenhofer, Michael: Die Mariensäule in München. München 1970.

Scheyern: Die Fürstenbilder in der Wittelsbacher Grabkirche zu Scheyern, herausgegeben von der Benediktinerabtei Scheyern, 1977.

Schindler, Herbert: Große bayerische Kunstgeschichte, 2 Bände. München 1963.

Schremmer, Eckart: Die Wirtschaft Bayerns, Vom hohen Mittelalter bis zum Beginn der Industrialisierung, Bergbau, Gewerbe, Handel. München 1970.

Schrott, Ludwig: Die Herrscher Bayerns, Vom ersten Herzog bis zum letzten König. München 1967.

Seutter von Lötzen, Wilhelm: Bayerns Königstreue im Widerstand. Feldafing o.J.

Sieghardt, August und Widmann, Werner A.: Deutsche Landeskunde, Bayerisches Hochland. Nürnberg 1963.

Sieghardt, August: Deutsche Landeskunde, Bayerischer Wald. Nürnberg 1959.

Sieghardt, August und Malter, Wilhelm: Deutsche Landeskunde, Eichstätt und Altmühltal. Nürnberg 1963.

Sieghardt, August: Deutsche Landeskunde, Oberpfalz. Nürnberg 1965.

Spindler, Max (Hrsg.): Handbuch der bayerischen Geschichte, 4 Bände. München 1974.

Stollenmayer, Pankraz und Widder, Erich: Der Kelch des Herzogs Tassilo. Rosenheim o.J.

Stutzer, Dietmar: Die Säkularisation 1803, Der Sturm auf Bayerns Kirchen und Klöster. Rosenheim o.J.

Unbekanntes Bayern. Gesammelte Aufsätze in drei Kassetten, herausgegeben von Alois Fink und Peter Kritzer. München ab 1955.

Turmair, Johannes: siehe Aventinus.

Ücker, Bernhard: Wie Bayern unter die Pickelhaube kam, 1870–1970. München 1970.

Widmann, Werner A.: Bayern, Land zwischen Spessart und Karwendel. München 1977.

Widmann, Werner A.: Der Chiemgau. Regensburg 1977.

Widmann, Werner A.: Deutsche Landeskunde, Von München zur Donau. Nürnberg 1966.

Franken

Aufseß, Hans Max von: Coburg spielt seine eigene Rolle. Herausgegeben von der Stadt Coburg, o.J.

Aufseß, Hans Max von: Die Vielfalt Frankens, zehn Essays. Nürnberg 1971.

Dehio, Georg: Handbuch der deutschen Kunstdenkmäler, Bayern I: Franken. München 1980.

Dettelbacher, Werner: Franken, Kunst, Geschichte und Landschaft. Köln 1974.

Freeden, Max H. von: Mainfränkisches Museum. Würzburg 1976.

Gräter, Carlheinz: Der Bauernkrieg in Franken. Würzburg 1975.

Hotz, Walter: Amorbacher Cicerone, Kunstgeschichtlicher Wegweiser durch Abtei und Stadt. Amorbach 1976.

Kusch, Eugen: Nürnberg, Lebensbild einer Stadt. Nürnberg 1966.

Maedebach, Heino: Veste Coburg, Kunstführer. München 1969.

Malter, Wilhelm: Deutsche Landeskunde, Mittelfranken. Nürnberg 1973.

Malter, Wilhelm: Deutsche Landeskunde, Oberfranken Ost und West, 2 Bände. Nürnberg ab 1965.

Malter, Wilhelm: Deutsche Landeskunde, Rangau. Nürnberg 1974.

Pfeiffer, Gerhard: Nürnberg – Geschichte einer europäischen Stadt. München 1971.

Pfeiffer, Gerhard: Geschichte Nürnbergs in Bilddokumenten. München 1971.

Pfistermeister, Ursula: Fränkische Schweiz und Hersbrucker Schweiz. Nürnberg 1977.

Schlauch, Rudolf: Deutsche Landeskunde, Hohenlohe-Franken. Nürnberg 1964.

Sieghardt, August: Deutsche Landeskunde, Fränkische Schweiz. Nürnberg 1961.

Treutwein, Karl: Deutsche Landeskunde, Unterfranken. Nürnberg 1978.

Bayerisch-Schwaben

Frei, Hans (Hrsg.): Im Flug über Schwaben, eine Landeskunde mit 80 farbigen Luftbildern. Weißenhorn 1977.

Kavasch, Julius: »Mondkrater« Ries, ein geologischer Führer. Donauwörth 1976.

Lautenbacher, Guntram: Deutsche Landeskunde, Bayerisches Schwaben. Nürnberg 1968.

Richter, Erich: Frundsberg – Vater der Landsknechte, Feldherr des Reiches. München 1968.

Richter, Georg: Deutsche Landeskunde, Bodenseeraum mit Hegau und Bregenzer Wald. Nürnberg 1977.

Schubotz, F.A.: Schwabenland zwischen Allgäu und Ries. München 1975.

Zorn, Wolfgang: Augsburg, Geschichte einer deutschen Stadt. Augsburg 1972.

REGISTER

FOTONACHWEIS

Bauer Emil, Bamberg
Seiten: 146, 155 o, 185, 186 u
Baumann Ernst, Bad Reichenhall
Seiten: 127 o, 127 M, 127 u
Bavaria - Verlag, Gauting
Seiten: 82, 107 ur, 122, 161, 163, 169 u, 226
Bayerisches Nationalmuseum,
München
Seiten: 71, 81
Bayerische Staatsbibliothek,
München
(Signatur: 20 Arch. 95/1 Pl. X)
Seite: 6
Bayerische Staatsgemäldesamm-
lungen, München
Seite: 104
Bayerische Verwaltung der Staat-
lichen Schlösser, Gärten und Seen,
München
Seiten: 108, 111 o, 112 o, 153, 202 o
Bildarchiv Preußischer Kulturbesitz,
Berlin
Seiten: 70, 198/199, 207, 214, 216/217,
219, 221 u
Blauel Joachim, Gauting
Seiten: 85 o, 86, 96, 97, 102/103, 111 u,
191, 194/195, 200, 202 u
Deutsche Luftbild KG, Hamburg
Seiten: 182/183,
freigegeben durch das Luftamt Ham-
burg unter der Nummer 573/80
Deutsches Jagdmuseum, München
Seite: 95
Forster Karl, Memmingen
Seite: 178 u
Germanisches Nationalmuseum,
Nürnberg
Seite: 162
Haase Alfred, München
Seiten: 51, 65, 66/67, 129, 140, 148 u,
155 u, 177 o, 177 u, 193, 213
Bildagentur Hamann Anne,
München / Bauer Wilfried
Seiten: 158/159 u
Hansmann Claus, Stockdorf
Seite: 73
Martin Herpich Verlag, München
Seite: 187 u
Hetz Robert, Ottobrunn
Seiten: 90, 112 u, 197 o, 228/229
Kankel Joachim, München
Seiten: 89 u, 201
Kiedrowski Rainer, Ratingen
Seiten: 24 o, 72 u

Löbl-Schreyer, Bad Tölz
Seiten: 13, 25, 34, 55, 59, 93, 99, 126, 130 o,
130 u, 171, 172, 175, 178 o, 179 u, 180, 206
Mayer Richard F. J., München
Seiten: 21, 24 u, 26/27, 49 o, 52, 58,
76 o, 76 u, 77 ol, 77 or, 77 ul, 77 ur,
79 u, 87, 91, 107 o, 110 o, 110 u, 125, 133,
188, 203, 204/205, 215
Paläontologisches Museum – Mu-
seum für Naturkunde, Berlin (Ost)
Seite: 23
Prähistorische Staatssammlung,
München
Seiten: 28 o, 28 u
Reiter Christl, München
Seite: 89 o
de Riese Karsten, Bairawies bei
Dietramszell
Seite: 18 u, 72 o
Römisches Museum, Augsburg
Seite: 37 o
Foto Max & J. Sayle, Neuburg/Donau
Seite: 186 o,
freigegeben durch das Luftamt Süd-
bayern unter der Nummer G 402/290
Foto Scheuerer, Ingolstadt/Bayeri-
sches Armeemuseum, Ingolstadt
Seiten: 100 u, 210/211
Schneiders Toni, Lindau
Seiten: 33 u, 36, 50, 68, 84 ur, 92 o,
92 u, 94, 107 ul, 108/109, 138, 142, 154 u,
160, 166, 169 o, 173 o, 176, 181, 184, 187 o,
192, 208/209, 230
Spitta Wilkin, Zeitlarn bei Regensburg
Seiten: 16, 18 u, 30, 33 o, 35 o, 35 u, 37 u,
39, 40/41, 42 ol, 42 ul, 42 r, 43, 44, 47,
48, 49 u, 53, 69, 75, 78/79 o, 78 u, 84 ul,
85 u, 88 o, 88 u, 114, 117, 118, 119 o, 119 u,
121, 128/129, 132, 134, 141 l, 141 r, 143 o,
143 u, 144 o, 144 u, 145, 148 o, 149, 150 o,
150 u, 151, 156, 158 o, 159 o, 164/ 165 o,
170, 196, 197 u, 212
Staatliche Landesbildstelle Nord-
bayern, Bayreuth
Seiten: 152, 154 o
Staatsbibliothek Bamberg
Seite: 137 u.
Stadt Coburg
Seite: 165 u
Stadtarchiv Würzburg
Seite: 137 u
Bilderdienst Süddeutscher Verlag,
München
Seiten: 220, 221 o, 222, 223, 224/225, 227

Universität Heidelberg,
Universitätsbibliothek
Seite: 63
Wagner Hanns, Pfaffenhofen/Ilm
Seiten: 56 o, 56 u, 61, 62
Widmann Werner A., Taufkirchen
Seiten: 57, 100 o, 105, 173 u, 179 o
Wittelsbacher Ausgleichsfonds, München
Seite: 101
Zwicker Dorothea, Würzburg
Seite: 139
Titelbild: Mayer F. J., München

Die Vorlage für die Reproduktion des
Großen Bayerischen Staatswappens
auf Seite 8/9 wurde uns vom Bayerischen Landesvermessungsamt,
München, zur Verfügung gestellt.

Folgenden Bibliotheken, Archiven,
Museen und Gemäldesammlungen
sei für die freundliche Unterstützung
bei der Herstellung dieses Bandes
sowie für die Gewährung von
Abdruckrechten gedankt:
Bayerisches Armeemuseum, Ingolstadt
Seiten: 94, 192, 208/209
Bayerische Staatsgemäldesamm-
lungen, München
Seiten: 65, 66/67, 82, 85 o, 86, 102/103,
105, 163, 191, 194/195
Bayerische Verwaltung der Staatlichen
Schlösser, Gärten und Seen, München
Seiten: 92 o, 96, 97, 100 o, 107 ul, 107 ur,
111 u, 138, 200, 202 o, 202 u, 207
Mainfränkisches Museum, Würzburg
Seiten: 30, 139
Münchner Stadtmuseum
Seiten: 76/77
Museum der Stadt Regensburg
Seiten: 35 o, 35 u, 37 u, 39, 40/41, 42 ol,
42 r, 43, 121
Neue Residenz, Bamberg
Seite: 146; Eigentum der Bundes-
republik Deutschland
Prähistorische Staatssammlung,
München
Seite: 33
Römisches Museum, Augsburg
Seite: 36
Stadtarchiv Augsburg
Seite: 169 o
Stadtarchiv München
Seite: 68

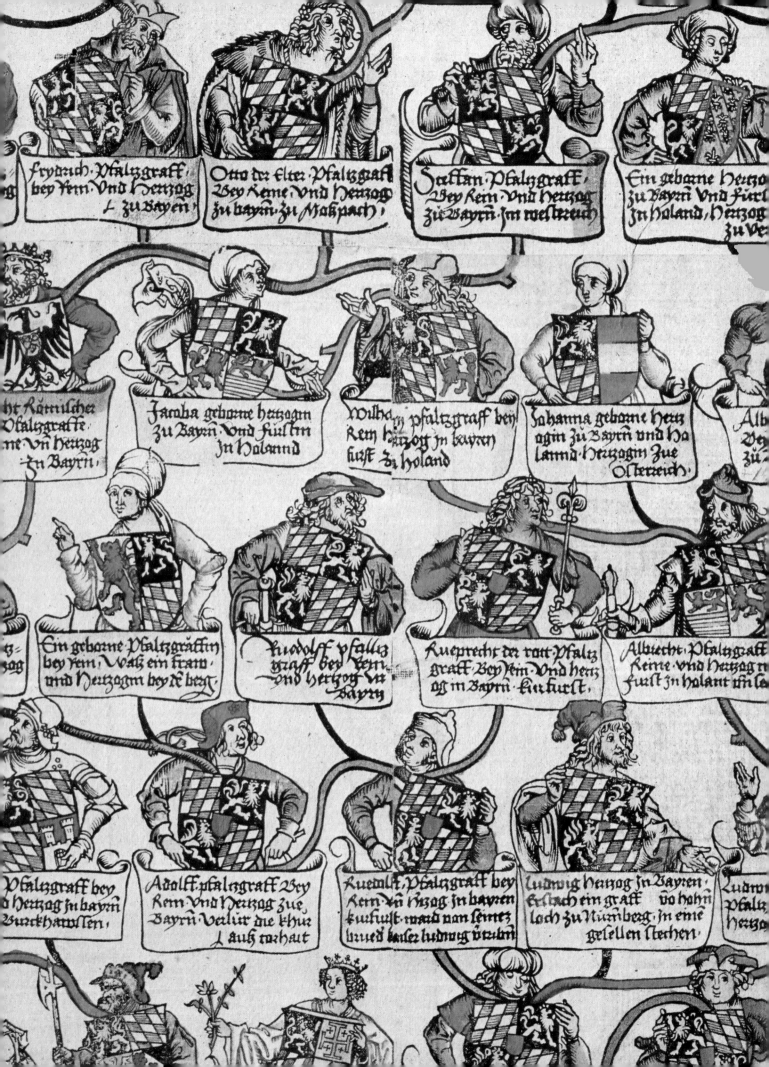

frydrich Pfaltzgraff bey Rein Vnd Hertzog zu Bayrn

Otto der Elter Pfaltzgraff Bey Reine Vnd Hertzog zu bayrn zu Moßbach

Steffan Pfaltzgraff Bey Rein Vnd Hertzog zu Bayrn Im westreich

Ein geborne Hertzog zu Bayrn Vnd Fürst In Holand Hertzog zu Ve...

...cht Römischer Pfaltzgraffe ...ne Vn Hertzog zu Bayrn

Jacoba geborne hertzogin zu Bayrn Vnd fürstin In Holannd

Wilhelm pfaltzgraff bey Rein hertzog in bayren fürst zu Holand

Johanna geborne hertzogin zu Bayrn Vnd Holannd Hertzogin Zue Osterreich

Alb... Bey zu...

Ein geborne Pfaltzgräffin bey Rein. Was ein fraw vnd Hertzogin bey de berg

Rudolff pfaltzgraff bey Rein vnd hertzog vn Bayrn

Rueprecht der rott Pfaltzgraff Bey Rein Vnd hertzog in Bayrn Kurfurst

Albrecht Pfaltzgraff Reine vnd Hertzog ...furst In Holant ...

...Pfaltzgraff ...d Hertzog in bayrn Burckhawsen

Adolff pfaltzgraff Bey Rein Vnd Hertzog zue Bayrn Velur die khu... auch torhait

Ruedolf Pfaltzgraff bey Rein vn hertzog in bayren kurfurst ward von seinem brued kaiser ludwig vtrib...

ludwig hertzog in Bayren erlbach ein graff vo hohn loch zu Nurnberg in ein... gesellen stechen

ludw... pfaltz hertzog